by *Carl Djerassi* 【美】卡尔·杰拉西\著　李　卉\译

D1295178

上海人民出版社
Shanghai People's Publishing House

Carl Djerassi

卡尔·杰拉西，著名科学家，口服避孕药之父，美国斯坦福大学荣誉退休教授，美国国家科学院院士，美国科学与艺术学院院士，瑞典皇家科学院外籍院士。1923年出生在奥地利的维也纳，15岁移民美国。1945年获得威斯康星大学博士学位。杰拉西在化学上卓有建树，不仅是唯一获得美国国家科学奖章和美国国家技术奖章的科学家，他还获得了首届沃尔夫化学奖，美国化学界最高奖——普里斯特利奖等多项荣誉。此外他还入选美国发明家名人堂，并荣获17所国际著名学府的名誉博士学位。1999年，他被《泰晤士报》评为"1000年来最有影响力的30大人物"之一。

杰拉西在退休后转向文学创作，杰拉西认为自己从事文学创作的原始动机之一，是来自于他对遭受一段感情创伤后的情绪表达的需要；动机之二是对未曾涉足的领域的尝试，因为文学是区别于自然科学的完全不同的智力活动。他为此出版了被自己称为"幻想中的科学"（science—in—fiction）的小说《诺贝尔的囚徒》、《坎特的困境》、《布尔巴基的赌局》、《NO》等五部小说和《完美的误解》、《氧：关于"追认诺贝尔奖"的二幕话剧》（与霍夫曼合写）等三部剧本，以及个人自传《避孕药的是是非非：杰拉西自传》。他用小说来表达自己对科学家、科学界的思考，因为畅销而赢得了国际性声誉。另外他还发表了大量的诗歌、散文和短篇小说。杰拉西还在旧金山附近建立了一个艺术庄园，每年为艺术家提供工作场所和住宿，从1982年以来，已经有1300多名从事视觉艺术、文学、舞蹈、音乐的艺术家接受了赞助。

欲了解卡尔·杰拉西的更多信息，请访问www.djerassi.com

译 文 序

这是一位不寻常的作家写的一本不寻常的小说。

卡尔·杰拉西(Carl Djerassi)是一位不寻常的作家,我称他为"两栖名人"。从职业角度来看,他首先是一个著名的科学家,被誉为"口服避孕药之父"(the father of the oral contraceptive pill)。他于1923年10月在奥地利维也纳出生,母亲是奥地利人,父亲是保加利亚人。1939年,杰拉西十六岁,为了逃避纳粹的统治,去了保加利亚,而后,又随着母亲来到美国。当时,母子俩几乎身无分文。据回忆,当时他们口袋里只有二十美元。1942年,杰拉西以极其优异的成绩大学毕业,获有机化学专业理科学士学位。1945年,他获得博士学位,同年成为美国公民。1959年起,杰拉西一直在斯坦福大学担任化学教授。他凭借其非凡的科学成果,获得许多奖项和荣誉:1973年,被美国政府授予"国家科学奖"(the National Medal of Science);1978年,进入美国"国家发明家名人纪念堂"(National Inventors Hall of Fame);1991年,被授予"国家技术奖"(the National Medal of Technology);1992年,被授予"美国化学学会最高荣誉奖"(Priestly Medal)。杰拉西还被授予了十八个荣誉博士学位,是获取美国科学院授予的"科学工业应用奖"(Award for the Industrial Application of Science)第一人。大概在杰拉西诸多科学成果中,最为出名的该是他的口服避孕药了吧。当口服避孕药发明在1973年之后,杰拉西就预料那小药丸将产生大影响。他认为,从通过性来繁衍后代的社会生物学角度看,那小药丸在男人身上所产生的社会影响远远超过女人,它将导致"男人女性化"(the feminization of men）现象的出现，其涵义是出现倾斜于妇女的法律、社会价值的"社会女性化"（social-feminization）。据此，我们不难看出，杰拉西是一个有着强烈社会意识的科学家。这种人总是有很多话要说，最后也总是要寻找一个合适的形式，一种很艺术的形式，去说那些不得不说的话，否则是要憋死的。

对于一般读者来说，杰拉西是一个作家。从上世纪八十年代末、九十年代初，杰拉西开始创作小说，其大部分作品属于"科学小说"（science-in-fiction）。他说：我把我的小说样式称为"科学小说"，以区别于"科幻小说"（science fiction）。作为一个"部落人"（tribesman）（注：他认为科学是在一种关系紧密的文化中进行的，其成员通常不愿意泄露他们部落的秘密。因此，他称自己为"部落人"），我在创作中要求自己有一定程度的准确性和貌似真实性，以给予我的故事叙述的虚构性很高比例的真实性。作者假借"现实小说"的名义，展示了科学家人性的一面和科学家在追求科学知识、个人声誉以及经济回报过程中所遇到的种种冲突。

《NO》是一部不寻常的小说。从表面上看，这是一则关于一个美籍印度裔女科学家的寻常故事：她做科学研究，与其搭档——一个以色列小伙子相爱、结婚，生育了一个女儿。科研成果问世后，成立了公司，整天忙于工作，婚姻发生了危机，最后渡过了婚姻危机期，公司股票飙升。最后，她决定放弃公司的管理职位，全身心地投入科研工作和家庭生活。但仔细阅读之后，你会发现它的不寻常。杰拉西在小说的《前言》起首部分就指出小说的题目《NO》有着双关含义。那么我就谈谈小说的题目吧，努力达到"窥一斑见全豹"的目的。"NO"是英语中的一个否定语助词。对于作者和小说人物来说，生活中有许多事都含有否定的"NO"：作者曾经说过，他讲任何语言，即便第一语言德语，都不可能没有口音。小说的女主人公是一个出生于印度却来到美国工作的科学家，不可避免地有着语言问题，并且还有着本土文化无法与新土地上主流文化相融合的问题。作者儿时作为流浪犹太人的经历在日后生活中依旧"阴魂不散"，虽然他声称自己是"科学部落"中一个长期的"内人"，但他始终有一种"外人"的意识。有评论家认为，在他的小说中几乎每件事都时隐时现地染上那种"外人"意识的色彩。世界上有许多"鸿沟"，比如科学界与人文科学、社会科学之间的"鸿沟"，爱、性以及慧心都是越过种种"鸿沟"的途径，但是它们却经常引起巨大的伦理和个人问题，"鸿沟"填补之日，往往也是个人问题潮水一般涌来之时，从而打乱了所有人的如意计划。套用美国人的话，即打翻了运载苹果的手推车，把苹果搞得满地翻滚。说得再具体一点，NO暗示着以小说女主人公蕾娜为代表的亚裔妇女经历的"复杂冲突"（complicated conflicts），比如：她拒绝兄弟对自己婚姻安排的意愿，嫁给了科研搭档。于是，她的家人突然从她的生活中消失了，她再也没有重返故里，她的母亲和兄弟也不再来看望她，除了她和丈夫的两人世界以外，没有亲戚，没有知心朋友；等等。以上一切都可以用一个词"NO"概括之。"NO"又代表了氧化氮分子 Nitric Oxide。据说，这种化合物对于人体中许多复杂的生理过程都起着至关重要的作用，其中包括男性勃起功能。小说女主人公所从事的科研项目就是解决男性性功能障碍，因此，小说题目"NO"与科学研究有着关联，说明这是一部有别于一般寻常小说的"科学小说"。

我们可以从多角度来读这本小说。这是一部科学性很强的小说，用作者的话来说："它以真实，至少是貌似真实的科学为基础。"这是一部社会问题的小说，它似乎对移民至美国的亚裔提出了一个问题：西化了或融入了美国社会的主流文化是不是一定意味着解放？究竟是得还是失呢？有评论家将女主人公看成是"小美人鱼"（Little Mermaid），而不是从继女变成王妃的灰姑娘（Cinderella）。美人鱼为了得到灵魂而跟人类结婚，可是一旦失去丈夫的爱，灵魂也跟着消失了；而蕾娜呢，当她顺着科学梯子往上攀行的时候，慢慢抹掉了民族、性别的特点，几乎忽视了家庭的温馨。这是一部运用传统和现代手法创作的小说，有叙述，有不同视角的观察，有外部发生的事，有内心独白式的反思，等等。简言之，这是一部内容丰富的小说。

　　是为序。

上海外国语大学英语教授、博士生导师
中国英国文学研究会副会长　史志康
2006 年 11 月 20 日

中文版自序

1973 年,继中美两国恢复邦交后,应中国科学院邀请,我作为第一批美国科学家之一访问了中华人民共和国。当时,我作为企业科研项目的负责人和大学教授,全身心地投入在自己的工作上,根本没想过会写小说。做梦也没想到的是,三十年之后,我不仅写了小说和戏剧,我的四本书还被翻译成中文:先是一本小说,接着是一部戏剧,然后是我的自传体小说,以及最近出版的一本回忆录。现在,我的最新小说《NO》中文版又即将出版,为此作序我感到自己是令人羡慕的。而该书是我科学题材四部曲的最后一部,从诸多方面来讲,考虑到中国在经济和文化领域发生的巨大变化,该书也是最适合中国读者阅读的。

为什么我认为小说《NO》特别适合当代中国读者阅读呢?我的科学题材四部曲的头两部的故事发生在学术界,第三部则有着国际地缘政治化的背景,而《NO》讲述的却是带有企业环境的生物医学界的故事,而这类题材肯定会引起中国新一代企业家和创业者的兴趣:即所谓的生物高科技企业。这些企业与标准的大型制药公司截然不同,它们的第一步真真实实是从我的办公后院迈出去的,即旧金山海湾地区。既然我选择的科学题材从根本上不同于传统的科幻小说,而区别就在于,我描写的内容是以真实或至少貌似真实的科学及科学行为作为基础,那么我的小说《NO》也就可以被当作一个案例来读,甚或被当成教科书来读,看看这种以科研为动力的新型企业是如何建立起来的，其令人兴奋之处为何，其失误陷阱又为何。虽然这类失误发生的背景多在美国，但也应该能够引起中国读者的特别兴趣，以免他们重蹈覆辙，避免生搬硬套美国的模式。

以上谈到的是该书的地理与社会背景，但小说涉及的科学内容是完全国际化的，它既适用于美国也适用于中国。特别值得一提的是，我用了一个最简单的化学分子方程式，即含有一个氮原子和一个氧原子的氧化氮的方程式，我不仅用它来作为我科学的主题，也用它来作为我的书名。因为在过去的二十几年里，对"NO"生物特性的研究已经成为生物医学研究最热门的一个领域，每年都有成千上万篇科学文章和科普文章冒出来。该研究已经获得了一次诺贝尔医学奖（1998年），将来肯定还会有更多的人为此获奖。在我的小说中，我选择了性和繁殖作为关注点，不仅因为它们带来可读性，而且还因为很少有人意识到一氧化氮在阴茎勃起中所起的关键作用。难怪"NO"的这个生物特性引起了全世界大制药公司的注意，因为性表现是全世界人都会关注的事情，不论是医学界，还是个人，甚或个人的性幻想。作为科学家出身的作家，我没有在道德或其他层面上对此事作出评判，而只是强调了阴茎勃起的科学依据。

最后还有一点值得向中国读者提一下。正如我在英文版的作者序中指出的那样：现代科学舞台上有一个引人注目的现象，那就是美国学术界的实验室亚裔化的倾向——某些学科现在是以亚洲人为代表，像化学和工程学。很多美国大学的研究生也多是亚洲人。在很多高等院校，超过一半的博士后是在亚洲接受的大学教育。既然在过去三十年里，大部分亚裔科学家来自中国，那么中国读者就有必要在我的小说中看一下，看看国外的教育和工作经历对他们有否产生文化上的冲击。在我所有的作品和授课生涯中，本人的兴趣是在探讨，在历史上一直由男性占统治地位的科学领域里工作的女性的角色。考虑到这一点，我将小说中的女主人公定为亚裔女科学家，也就不足为奇了。

卡尔·杰拉西（Carl Djerassi）

2006 年 9 月写于旧金山

前　　言

　　第一眼看到这个书名,大部分读者都会把它念成"不",并把它理解为否定词。但把 NO 全部大写——两个字母分开来念——它又成了简单的双原子分子氧化氮的化学分子式,该分子在一九九二年被多学科杂志《科学》(Science)命名为当年的"明星分子",同期杂志的封面标题为"Just say NO"。到了后来,这一点变得越来越清楚,这两种意思都和本书有关,而本书是我科学题材小说四部曲的第四部。

　　与科幻小说截然不同,科学题材小说是一种相当少见的文学体裁,它以真实、至少是貌似真实的学科为基础。我除了把时间往前挪动了一点(为了符合故事情节),该书对新发现的这种 NO 的主要生物特性没有做任何杜撰。就此意义而言,书中的科学家、企业家和律师等主要人物的行为举止也没有做任何杜撰。他们也许不是真有其人,但这些人的生活态度和习惯却是有章可寻的。

　　目前,化学恐惧症已经到了失控的地步,但作为一名化学家,我还是无法抵御这种诱惑,我无法不把 NO 看作是了不起的发现。事实上,氧化氮(NO)——一种工业气体和大气环境的污染源(该发现获得了一九九五年化学诺贝尔奖)——确实在人体内起着异常复杂的作用,它在人体内(不停地生成)充当生物信使分子,许多步骤都要依靠它来完成,其作用范围大得惊人,阴茎勃起便是其中之一。而这一点,反过来,又让我把男性功能性阳痿的治疗方法作为手段,用它来描写一家生物科技公司在现代生物医学研究中所扮演的角色。

　　目前,勃起功能障碍的研究正围绕一个叫 MUSE(Medicated

Urethral System for Erection 的缩写词)的仪器在进行,这个仪器是VIVUS股份有限公司发明的,该公司成立于九十年代,公司所在地是加利福尼亚。MUSE 的发明者和 VIVUS 公司的创始人/主席,Virgil Place 博士,把没有发表的一些关于治疗男性阳痿的材料慷慨地提供给我,我将它们编进了我的故事里。但提请读者注意:我小说里描写的 MUSA(Medicated Unit for Sexual Arousal,并且是香蕉所属植物的名称),特别是它与 NONOates(美国国家癌症研究所最近发表的一篇文章,对这类氧化氮释放因子作了描述)结合在一起的使用方法,绝对不应该被看作是对勃起功能障碍治疗方法的认同。

由于我自己对繁殖生物学所作的贡献主要集中在女人身上,而不是男人身上,所以,我忍不住要在书中介绍第二种生物科技的发展成果,那就是排卵期的预测功能——我目前在斯坦福大学授课的主要内容。书中虚构的"测卵魔棒"及其电化学的使用方法,是以 Conception Technology 股份有限公司的部分发明作为基础的,该公司位于科罗拉多州的 Fort Collins。但这儿同样提请读者注意:照搬书中魔棒的使用方式而怀上了孩子、或生下来的孩子性别未能如愿,本人概不予负责。

* * *

专门做学问的科学家,他们的文化修养及道德观念是部落式的。像大多数这种行为,科学界的部落文化是通过榜样的作用,通过带徒弟的形式,也就是通过导师/门生这种关系得以形成,是通过知识分子间的潜移默化,而不是通过课本或上课学到的。科学部落里的成员很少对外界讲他们的文化习俗,不讲的原因,倒不是因为他们签署了保密条约,也不是因为个人那套固定的文化习惯很难表达清楚,不讲的原因，是因为做学问的科学家对与外行谈话一般不感兴趣。在科学界，业务上的晋级和嘉奖只取决于同事间的认同，不取决于和外界的交流，也不取决于外行的批准。

作为长期居住在这个部落里的人，我一直设法利用科学题材小说这个媒介来缩小科学界与现代社会其他亚文化群——人文科学、社会科学和最引人注目的整体文化群落之间日益扩大的鸿沟。到目前为止，我的小说主要着眼于学术界，但在本书中，我踏入了生物医学的领域，该领域也有大批激动人心的科研项目及其怪异的行径。在《NO》这本书中，我把目光移向了另一个亚文化群，现代科学和这个亚文化群的关系有时候处得不是很容易：企业界——说的更具体一点，就是那些规模不大、有创业精神、有搞科研动力的公司，这些公司有时被通称为生物高科技公司。

作为几家这类公司的创始人、前高级职员和董事，以及偶尔对这些公司指手画脚的讨厌鬼——身兼大学教授——我对这类公司非常熟悉。再有一点，与"大型"企业截然不同，八九十年代成立的生物科技公司是从学术界诞生的，这是美国特有的一种现象（很多公司就在我家后院——旧金山海湾地区）。因为生物科技公司知识的根在教育机构，因此它们导致了一系列有争议的问题，这些问题是在三方相互影响下产生的。这三方就是追求利润的公司和所谓没有利润的院校以及（不切实际的）对这些都不感兴趣的科学家本人。这些问题造成了无数法律、哲学及道德层面上的辩论，这些辩论不仅会继续影响学术界进行科学研究的方法，也会影响科学在整个经济文化群落的传播方式。

* * *

我在本书中着眼的另一个问题是家长制现象，这种现象在科学界蔚然成风,我小说中的虚拟人物,这些人物有时又不乏真实性,便是在这种文化氛围中打转。在我的小说中,我每次都回归到两性问题:妇女在男性占统治地位的科学界受到贬低的历史事实,以及当代妇女,也有一些男人,想改变这种状态的企图。怪不得我书中的大多数女性角色属"独立自主"型——在某些人看来,这也许是个贬义词,但在我的眼里,这是最高的称颂。

现代科学舞台上有一个引人注目的现象,那就是美国学术界的实验室亚裔化的倾向:某些学科现在是以亚洲人为代表,像化学和工程学,很多美国大学的研究生也大多是亚洲人。在很多高等院校,超过一半的博士后(研究机构里被剥削最厉害但也最有生产力的那部分人)是在亚洲接受的大学教育。最初,压倒多数的是印度人和日本人,自七十年代以后,中国人以及偶尔来访的韩国学者和移民赶超了上来。

我特别感兴趣的,是来自印度的妇女所面临的挑战,蕾娜·克里斯南,《NO》书中的女主角,便是这些妇女的典型代表。由于她们在本国是以英语接受的教育,所以她们没有像在美国工作的中国科学家或日本科学家那样遭遇到明显的语言问题。但就像当代美国科学界所有的亚洲女性一样,印度女性受到了三重贬低:作为女性在历史上一直由男性占统治地位的领域里工作;作为有色人种的外国人在这个领域里工作(就算她们入籍成了美国公民也没用);最后,就是她们来自的那种文化,在那种文化里,妇女的角色是被明确定位的。在此进程中,她们最终失去了部分本土文化,但却没有获得让人接受的新文化。蕾娜·克里斯南所展示的,就是面对复杂冲突的这些妇女的灵魂得以净化的过程。一方面,蕾娜对传统印度家庭的要求讨价还价,另一方面,她又在完全现代化的美国科研环境和一个定位模糊的以色列项目之间穿梭往来,她所面对的是分歧巨大的亚文化群之间的沟通问题。而这也正是我书中所有人物所面临的挑战——尤其是我,由移民来美国的科学家变成了用第二母语写作的小说家。

卡尔·杰拉西(Carl Djerassi)

1

"那你们在布朗德(Brandeis)把鸡巴搞硬,到底是想干什么呀?"菲里斯·富兰肯沙勒捏着嗓子比划说。"真够烦人的,"他用降八度调子叹了口气,一屁股坐进自己最中意的休闲椅子里,满脸的倦容。"我从来没有意识到,自己的职责范围内还包括拍马屁。他们管那叫'筹款',说穿了,不就是讨好那帮说话冒失、举止粗俗的老女人嘛。我答应做布朗德全职教授的时候,还以为他们看中了本人杰出的科研才能,看中了本人极富洞察力的教学方法,看中了本人体贴周全的团队精神……"

"行了,菲里斯,"他太太雪莉打断他的话,她本能地捂住嘴巴,没让自己笑出声来,"咱们俩都知道你那些优点。什么事让你这么心烦?宴会上出啥事了?你在说谁呢?"她用手指轻轻地戳了他一下。

"'把鸡巴搞硬,'亏她说得出口!我正给同桌的人解释目前的研究项目——氧化氮的研究工作,你知道的。'别讲得拖泥带水,要讲得令人兴奋,'阿特——那个开发部的头头,娃娃脸,脖子上老系条棱纹布领带——跟大伙这么说,说完,就让我们到校友基金去弄钱,看看会有什么结果。怎么样,砸锅了吧。让我说这叫自作自受,该他自己干的事,硬叫研究人员替他去干。他管我们叫'大明星'。你说他怎么会以为我们吃……他这一套?再就是那个女人!"

富兰肯沙勒停住话,气呼呼地喘了口气,明显是上气没接住下气的样子。

"先把睡帽戴上,"雪莉说着话向厨房走去,"然后再跟我讲你那些事好了。"

＊　＊　＊

"啊,"菲里斯小心翼翼地呷着冒热气的牛奶,奶里面加了桂皮,加的量不多不少刚好够味,还滴了整整三滴香草精——雪莉·富兰肯沙勒积数年之经验发现,这种喝法对她丈夫能起到最有效的催眠作用。可是,当他把头抬起来左右摇晃的时候,脸上仍旧一副气呼呼的表情。"我还是不知道自己哪儿讲错了。起码,我没犯明显的错误吧。我大可以跟他们讲,氧化氮是全球大规模的工业污染气体,"他又老调重弹,从煞有介事的演讲突然变成了兴致勃勃的推销,"但是最近,布朗德大学罗塞斯第基础医学研究中心(Rosenstiel Basic Medical Sciences Research Center)的大科学家们,如在座的各位,发现人体细胞是通过 NO 这种定时精确的小不丁点气体来进行沟通的。我还可以跟他们说,NO 可存在有三种不同的氧化还原形式:正负转换或是中性……"

"你要那么讲,听众早跑光了。"雪莉对丈夫露出善解人意的笑容。

"就是! 与此相反,我选择了言简意赅。我只对他们说,不要把氧化氮,就是 NO,和氧化亚氮,也就是 N_2O,俗话说就是笑气搞混喽!但我不能讲到这儿就打住,对吧?"

雪莉摇了摇头,同情之心溢于言表。

"我想自己就是那会儿说漏嘴的。我当老师的本能占了上风。我对他们说,NO 这些小不丁点气体在部分生物属性之间充当媒介的角色,而这部分生物属性范围超广,从具毁灭性的肿瘤细胞,到……"他慢慢停住话,并露出一丝苦笑。"本来可以说'到对血压的控制'并就此打住。可我说的是,'到阴茎的勃起。'筹款的人不是建议说要把研究项目讲得令人兴奋嘛,阴茎勃起肯定令人兴奋。但请注意:'把鸡巴搞硬'这种话绝对不是出自本教授之口!"富兰肯沙勒往床头一靠,吞下好几口牛奶。"我原准备再补充一句话,这句话没有冒犯种族和性别的意思,那就是这项工作正由一位女博士后在做,而这位女博士后还是位印度人,哼,这个小悍妇……"

"菲里斯!"

"对不起,"他仰起脖子把牛奶喝了个精光,想以此掩盖自己的悔悟之意,"可那个自以为是的女人真把我气坏了。所以我干脆闭上嘴巴。反正是阿特组织的宴会,他会来救场的。我为什么非得跟他们讲蕾娜·克里斯南的事呵?说我会派她去耶路撒冷的哈德萨(Hadassah)和戴卫逊一起工作几个月?"他眯起双眼,"我是不是在本人配偶的眼睛里看到了反对的意思?"

他太太听出这句玩笑话软中带刺。"反对?怎么会反对。'当然啰,你大可以把话讲得委婉一点,大可以不去展示你的阴茎勃起……"

"雪莉!求求你了。"

她举起手:"你今晚太没耐心。让我把话说完嘛。我的意思是说,你本来可以引导听众循序渐进,而不是突然炫耀你们对阴茎勃起所做的研究。"

"太聪明了。"富兰肯沙勒毫不掩饰话中的嘲讽之意,"那你会用什么曲里拐弯的方式来讲这件事呢?"

"哦,"她轻松地一挥手,"我会从公牛具伸缩性的阴茎肌肉讲起。坦白地说,'伸缩性'这个词不够抢眼,也没那么令人兴奋——比起你在餐桌上讲的那些话。"她探过身,拍了拍丈夫的手,"我会把吉莱斯皮(Gillespie)对 nanc 神经的研究和对神经传递的兴趣提纲挈领地讲一下,然后再提一下他为什么选公牛的阴茎肌肉做研究。他这么做的唯一理由,就是那个部位的这种神经特别发达。"

"还让不让人活了。"富兰肯沙勒呼出一口长气。他说这话的意思是夸她,雪莉明白丈夫话里的意思,也就把它当成好话来听。富兰肯沙勒深感惊讶,自己的太太——一个八辈子都当不了科学家的人,竟然记得他本人对 NO 感兴趣的始因。他跟她说过这件事。这得从他当时读的一些关于 nanc 神经的文章说起。他跟她解释过——可那也都是八百年前的事了!——他说,当苏格兰的吉莱斯皮在非肾上腺素能和非胆碱能(nanc)神经——nanc 信号——中寻找未知的神经递质的时候,发现他要找的东西和纽约的费高(Robert Furchgott)在血管内皮细胞中发现的不稳定神秘物质竟是同一种东西。不知道她还记不记得这件事?费高给他的内皮细胞舒张因子——人体内控制血压的一种基本介质,到目前为止仍然未被检测到——起名叫 EDRF。最后发现,造成以上两种现象的成因,都是简单的双原子分子氧化氮。富兰肯沙勒便是在这个时候粉墨登场:血液流量也是阴茎勃起不可缺少的因素,在该区域,NO 恰好也是关键。NO 在人体内如何生成以及它的运送轨迹便成了那位印度博士后在实验室里的研究课题。蕾娜·克里斯南的任务是铺路,以便 NO 在临床上发挥真正作用。

"可以是可以,"他说,对太太的骄傲令他的火气消了下来,"可我要是采用了你温和婉转的路数,等我讲到阴茎勃起的研究时,不论是那个让人讨厌的女人还是宴会上其他人,早都开小差了。再说了,亲爱的,我是为布朗德筹款,又不是为格拉斯哥或纽约的某个人要钱。不说了。明天还有好多事情要做呢,该睡了。都睡吧。"

2

　　我就这么呆坐着思考问题，通常的意思，就是自己跟自己讲话。当然啰，这没什么不妥。据俄国的一位名人透露，很多人都采用这种方式。"思考本身就是在身体内部进行谈话，或是把我们学会的与人交谈的方式放在自己脑子里进行。"我在维斯里（Wellesley College）的室友——她喜欢的人里面有讲起话来喋喋不休的米哈伊尔·巴赫金（Mikhail Bakhtin）——曾经引用过这句话。

　　我也许接受了开明的教育，可我还是觉得自己常冒傻气。说到本人，芳龄二十六岁，布朗德大学化学专业博士后，怎么说也算是个成年人了吧，可听到教授问我愿不愿意去耶路撒冷呆几个月，我还是忍不住咯咯傻笑起来。

　　我该如何解释自己的笑呢？"富兰肯沙勒教授，我前几天收到了阿夏客的来信。"那只会大眼瞪小眼。他也许以为阿夏客是印度的一座城市吧。总有解释不完的话："阿夏客是我的哥哥，一位电脑专家，住在班哥卢（Bangalore）。"我想自己还应该补充说，班哥卢是印度的硅谷，说阿夏客还在麻省理工（MIT）读研究生的时候，就是他说服了妈妈，说我应该来美国读大学。"蕾娜还没到十七呢！"母亲哭哭啼啼地说，但阿夏客知道我们那位非常出色也非常印度化的妈妈会这么说的。"父亲就会准许，"他以含蓄的口吻提出了相反意见。他刚咨询过老爸回来，"让她去读维斯里，那所学校全是女孩（当然啰，他用的词是女孩和学校，而不是女子和学院）。其实学校就在 MIT 隔壁，我会看住她的。"他没主动交代说已经把入学申请书塞给我了，没说我已经把申请书寄回维斯里了，也没说我的 TOEFL 还得了高分。对最后一项，当然啰，母亲是不会大惊小怪的，她认为——父亲去世前很久她就这么认为了——优等的英语成绩是她为女儿勾画的婚姻蓝图中必不可少的先决条件。

我要是对富兰肯沙勒教授和盘说出这些话，他早就打断我了，根本等不到我提相亲的事。"快说重点，蕾娜。"他会这么说，态度足够礼貌，因为他是个有礼貌的人。那样我就会打住话题。我就不会告诉他剩下的部分。倒不是说教授不理解我的话。他以自己"对少数民族问题的敏感度"深感骄傲。这也是布朗德这类地方培育出来的另类素质。但我会无地自容的。无地自容的原因不是因为我是印度人，而是因为我在这儿生活了九年。我不再觉得自己像印度女人。我不敢肯定自己还知不知道那是种什么感觉。我也不知道要解释多久才能让教授明白，为什么说到去耶路撒冷会令我咯咯傻笑。

就算六十年代末在维斯里的岁月没有改变我，那七十年代初在斯坦福读研究生的日子也会改变我。我在巴洛奥妥（Palo Alto）的第一位室友在此过程中绝对助了我一臂之力。梅根·里德是读 MBA 的研究生，一位时髦的研究生。在酒吧喝酒，她点葡萄鸡尾酒，在餐厅吃饭，她点公羊奶酪、炸酥果、紫叶生菜——从来不点绿叶生菜。她深谙穿衣之道（她有个癖好，爱穿高到大腿根的长筒袜，也不穿连裤袜），被她迷住的男人风趣幽默，数量达几个连之多，令我想不成为受益者都难。谢天谢地，阿夏客那时已经回到了印度。我哥哥是挺开放的，但也不至于开放到那种程度。阿夏客或许还会看不惯我在斯坦福的博士生导师——骑着把手很高的戴卫逊牌（Davidson）自行车来学校上班的一个男人。

我两星期收到一封阿夏客的来信。他的信里满是新闻、相片和各种各样的剪报。当他把《印度快报》上的"征婚启事"栏目寄给我的时候，我边看边笑。那是我在印度每天必读的栏目，那会儿我还是印度化的印度青少年，但我已经觉得它好笑了。栏目一点没变。一位"英俊、敬仰上帝、生活态度严肃、简单、单纯而不幸离婚的青年，欲寻南部省份同样性格女士。不愿再生孩子的女士将被优先考虑。"栏目底部还有一条，寻"思想开放男伴，最好对宇宙学、玄学、哲学及瑜伽有极大兴趣；坚信真善美，有探索宇宙和生命奥秘的强烈愿望。"

就在那时，我注意到了用黄线划出的一条征婚启事："欲寻事业有成的婆罗门种姓（Brahmin）男孩联姻，年龄在二十八至三十三岁之间，身高一米八零以上，最好有美国的海外关系或绿卡，女孩在美国读书，芳龄二十六岁，身高一米五二，皮肤白皙，漂亮迷人，有理工科博士学位。回信附星座资料寄至马德拉斯市（Madras），1501-C 邮箱，《印度快报》。"

没错，我是身高一米五二，芳龄二十六岁，"皮肤白皙"——这是客气的说法，应该是"浅黑肤色"才对——但成千上万的印度"女孩"不都是这种肤色嘛（我恨死那个词了。还有就是"男孩"？我要嫁人，也要嫁男人，绝不嫁男孩）。但有美国理工科博士学位？印度算得上地大物博，但来自马德拉斯市、身高一米五二、有上述学历的印度"女孩"绝对少之又少。等我读到哥哥的来信，才发现这个少之又少到底有多少。

阿夏客的来信稀奇古怪，信里混杂着解释、借口和将功补过的味道。他没有直接问，"你打算什么时候结婚？"相反，他似乎把我的婚姻状况当成了业务问题来处理，一个由他和守寡的母亲来决定的公事。据他透露，母亲开始唠叨了，说我快奔三十了（快奔？我还有四个年头好奔呢！）。老爸肯定不会这样看我的年龄。我还没到十五岁就和老爸进行了"男人对男人"的第一次谈话，老爸总爱这么说。而现在——

我都是斯坦福的博士了——他们还拿我当小女孩对待。当然啰，妈妈想按照传统方式找个媒人，但这个要求被阿夏客聪明地（他的描述，不是我的）挡了回去。用他的话说，《印度快报》的"欲寻新郎"版辐射面更广、合适的人选更多——这个论点显然说服了母亲，因为它不排除在日后的甄选过程中有真正的媒人介入。

接下来是借口。征婚广告（你说奇不奇怪，我在想，阿夏客拿的是MIT的电脑硕士，可用词还那么英国味？）不仅扩大了选择范围，而且还让事情得以拖延：这将为我争取到更多时间（去干什么？真令我哭笑不得）。再有，加上美国的海外关系和绿卡这句话，让他插进了急需物质（又是他的话，多珍贵呵，听着就来气）！而这也许真能为我带来美国境内的候选人，说不定我愿意亲自见一见这批人呢。星座资料纯粹是对母亲的妥协。（"无关痛痒。"他还睬着脸补充说。）当然啰，他从来没想过为用男孩和女孩这两个词找借口，要说起来，这才是最糟糕的部分。我的敏感程度表明自己已经变得多么不像印度人了。阿夏客和妈妈只不过是按照《印度快报》的规矩办事。在报社里，三十岁以下的未婚女子被称为女孩。再大，报纸就改称她们为处女或老处女了。

最后是将功补过的部分，又短又站不住脚："母亲不想让你知道征婚广告的事，"阿夏客写道，"你也许以为她老派。但我认为你应该知道，你得承认这点，比起别人家母亲，咱们的母亲算是相当开明、相当通情达理了。"开明？我真想抓住阿夏客的肩膀使劲摇晃。还附带星座资料？"千万，"他在最后一句话下面划了横线，"别告诉别人，说你知道这件事。"

过了几天，我才看出整件事的可笑之处。说到底，他们总不能强迫我去见应征者吧。他们更不会白日做梦，认为我会接受他们替我选的人吧。当教授说要送我去耶路撒冷的那一刻，我忍不住露出了微笑。当第一封信从以色列寄到家的时候，想象一下马德拉斯家里会是一幅什么样的场景吧。母亲压根儿就不知道布朗德是一所犹太人的大学（倒不是说学校里没有大把非犹太人，就连印度来的研究生和博士后也不少。后者在化学系一抓一大把；在罗塞斯第研究中心，还有姓圣古塔和姓扑克拉西的印度人呢）。但耶路撒冷的哈德萨医学院？那些怀揣绿卡的未来新郎们可怎么约我呀？

这就是为什么教授问我想不想去耶路撒冷，我咯咯傻笑的原因。

"蕾娜，"几天后菲里斯·富兰肯沙勒对蕾娜说，"我刚接到耶胡达·戴卫逊从耶路撒冷打来的电话。他很高兴让你在他的实验室工作。现在我只要筹点钱就行了——二万五千美元应该够用了。"

"我不想去找国家卫生研究院（NIH）。"他从桌子那头探过身，像是在透露什么商业机密，"他们审批时间太长。再说了，我也不想让对手知道咱们的王牌。起码现在不行。把牌都亮出来，才拿二万五千美元，不划算，NIH 的研究部门里全是一帮……"他皱了皱眉，没把话说完。

"我给 REPCON 基金打了电话。那儿的董事总经理，马兰妮·雷德劳是位老朋友。"

"那她得回避吧？"蕾娜问。"我是说，"瞥到富兰肯沙勒皱了皱眉，她赶紧补充说，"她不会回避吧？"

他不屑地一挥手。"咱们要的是小钱——才二万五千美元。没要办公费用，没要设备，要这点钱，只是为了和耶路撒冷的临床教师一起探索研究男性的繁殖问题。而资助的还是位女同胞！'REPCON'是'生育及避孕'的缩写，这名字不能白叫吧，他们不是整天吵吵说在这个领域工作的女同胞极度匮乏嘛。一位女性董事总经理怎么能拒绝资助自己的女同胞呢，特别是……"他朝她短促地一笑，"一位像你这么聪明的人？"

他从椅子上站起身，预示着谈话已近尾声。"顺便提一句，我没找到马兰妮·雷德劳。她应该在欧洲，正参加一个什么克兹博格科学及世界事务会议。天晓得克兹博格（Kirchberg）在什么地方。不过她很快会和咱们联系的。反正，你最早明年三月份才能搞出第一批 NO 释放因子，对吧？"

3

1978 年 4 月 8 日写于耶路撒冷。

亲爱的教授：

Shalom（希伯来语你好的意思）！早该给你写信的，但在耶路撒冷的头一个星期忙得我是晕头转向。

语言问题可以忽略不计。事实上，哈德萨和我打交道的人个个会讲英语。他们把我安置在埃塞俄比亚大街的一幢房子里，房子名字挺唬人的，叫哈德萨机构住宿部——简称 6A。就像这儿所有的东西，这幢房子也有它的历史：最早是亚美尼亚人的私宅，独立战争期间，主人失去了房子的所有权，之后它依次做过学校、结核病医院和哈德萨夏令营宿舍。有段时间，一群内科大夫也在这儿住过，因为房租超便宜（谣传说他们用"维他命 P"令房租降了下来。P 是 protektzia 的头一个字母。英语词较短："走后门"，说得文明一点，就是疏通关系）。现在，6A 成了哈德萨女员工宿舍。

埃塞俄比亚大街很窄——也就一条巷子宽，两边是高墙——街名是跟着隔壁埃塞俄比亚教堂起的。我们的斜对面是瑞典使馆，而街尾和百门社区（Mea She'arim）的边缘街区重叠。两条街区不大，但成分相当复杂：有埃塞俄比亚单一性灵论基督徒（Ethiopian Monophysite Christians），有斯堪的纳维亚新教徒（Scandinavian Protestants），还有犹太教正统派哈西德派教徒（Orthodox Hassidim）。作为社区唯一的印度教徒，我肩负起了全球教会大联合的重任。为此目的，我有一天穿纱丽出席了一个全部由女士参加的派对。

27路公共汽车直达位于蒙特斯库帕斯（Mount Scopus）的哈德萨医院。走到公共汽车站也就几分钟路，但要穿过百门社区的低洼地带，我对那个街区的人是百看不厌。犹太教正统派男人拒绝注视女人，也就是说，我可以放开胆子去看他们，用男人通常审视女人的眼光去看男人——那就是用赤裸裸的好奇眼光，就好比对着单面镜看人。

上下班坐车耗时间，每天上街买东西办事也耗时间，有些东西真该带过来的，像吹风筒，二百二十伏电的这儿就能用。还有，这里的化妆品和女人用品也相对单调——真没想到一九七八年还会缺这些东西。不过大部分时间里，我忙着让自己在哈德萨尽快安顿下来。我没料到，医学院和大医院所在的主校园位于安克里姆（Ein Kerem），离这儿有好几公里远。出了城要往西走，过了亚德瓦萨姆（Yad Vashem）集中营纪念碑才能到。

第二天就有人带我去参观了纪念碑。现在我知道为什么了：纪念碑立刻给了外来者一个看问题的视角，以便他们去看以色列被幸存者重新占领这个事实。以前我从未多想这个问题——对来自布朗德的人，我现在意识到，这种无知相当惊人。在耶路撒冷没待几天，我就听出"犹太人"和"犹太人的"含义比在美国要多得多。感谢你给了我这个机会，让我来欣赏这种差别。

戴卫逊教授在安克里姆校园仍有办公室，因为他还在那儿授课，但他的研究小组和病人都在蒙特斯库帕斯的老哈德萨医院，该医院在六日战争后重归以色列。很多项目都在重建，还有扩建的计划——但我已经意识到，我做研究需要的设施不在位于蒙特斯库帕斯的这家医院里。

然而，医院缺少的科研设施由其出色的地理位置得到了补偿。从我小小的实验室望出去（实验室所在大楼的建筑设计师是 Erich Mendelson），东面是耶路撒冷流域，河流穿过附近的一个阿拉伯村庄和贫瘠的犹太山，一路向东汇入烟波浩淼的死海。再就是石头！到处是岩石和石头。这里的土地好像会长石头，一批石头刚被用完，马上就会长出新的石头（整座城市是个大工地）。扑面而来的印象是没有绿色。连树木都是灰扑扑的，但一切又都和环境融在了一起。就像蒙特奥利弗（Mount of Olives）旁的犹太人墓地：没有鲜花，连根草都没有——从远处望去，连墓碑都像撒落在地上的岩石。我坐在桌边，感觉像在读圣经（对印度教徒来说绝对是种新奇的感觉！），我把桌子移到了窗口，以便观赏美景。

把我送到戴卫逊教授这儿绝对是你的英明选择。你寄给他的关于 NO 神经传递功能方面的资料，他不仅读了，而且全部消化了。关于阴茎，他要还有不懂的地方，也是因为那些地方不值得一懂。噢，对了，他认为通过尿道黏膜把我合成的 NO 释放因子送入阴茎海绵体，比用针筒扎入效果要好得多。这也许正是我们一直在寻找的突破点。他认为我应该和一位叫杰夫塔·可恩的博士取得联系，此人在比希巴（Beersheba）的新医学院工作，在生物工程领域非常活跃，看他能否找到一种合适的运送载体。最后要说的是，戴卫逊教授正在联系他的一位熟人，本古里安大学（Ben-Gurion）副校长，一位叫梅纳赫姆·迪文的人，看他能否资助咱们的项目。我会随时向你汇报事情的进展。

先说到这儿吧。明天,星期一,在克奈塞特议会大厅(Knesset)有一个颁奖仪式,灰狼科学奖(Wolf Prize)要给第一批获奖者颁奖。我从未听说过这个奖,但《耶路撒冷邮报》硬把它吹嘘成以色列的诺贝尔奖(怎么听也有点沾沾自喜的味道)。奖项包括数学和农业——最早的诺贝尔奖不含这两大类——看上去像是灰狼基金在抢瑞典人的风头。很显然,灰狼奖一直备受以色列科学界的抨击,因为每位获奖者均可获得高达十万美元的奖金。这里的人普遍认为,把这笔钱用来支持以色列本国的研究工作会更有意义,而不是拱手送给国外的大科学家们。那些人,用本地人的话说,钱多得根本就花不完。不管怎么说,本地科学界的精英决定抵制这次颁奖活动。戴卫逊教授也加入了这个行列,并向我发出了邀请。他说既然颁奖仪式和他们聚集的地方在同一个大厅,我就当作前去观赏夏高(Marc Chagall)的挂毯画好了。我也很期望见到国外的那些大师们——这也许是我离斯德哥尔摩最近的距离了!

致以最真诚的祝福,蕾娜

"蕾娜,"一个声音从关紧的门外传进来,紧跟着几下敲门声,"你的电话。美国打来的。"

埃塞俄比亚大街的哈德萨住宿部温馨舒适,房子透着令人赏心悦目的细节:高高的天花板,染成绿色的百叶窗——和耶路撒冷的米色砖石建筑形成鲜明对比,走廊上铺着具有东方色彩的瓷砖,只是前门的门闩老掉牙了,门上写了一行令人放心的字:进出门时请用力关门!这幢楼还有它落后的一面——比方说公共浴室和公共电话——蕾娜最讨厌这两个地方。尊重隐私不是这幢楼的强项。

"我打电话,是想知道你安定下来没有。"富兰肯沙勒的话里透着关心，"你离开波士顿之后，我还没收到过你和耶胡达的来信。"

蕾娜把她前天发信的内容大概讲了一遍，并简要补充了灰狼奖的颁奖仪式以及以色列科学界对这个奖的敌对情绪。

"只有这个国家的总统是位生物化学家，可他伊弗雷姆·卡兹尔（Ephraim Katzir）硬是不参加。"蕾娜太清楚了，教授传起这种小道消息来那是津津有味，"总理，梅纳赫姆·贝京（Menachem Begin），会代他出席。反对声一浪盖过一浪，着实令我吃惊，但哈德萨一位比我小的同事道出了事情的症结。她指出说，灰狼基金犯了一个错误。第一批获奖人员名单里应该至少有一位以色列人。她预测说，只要有一名以色列科学家获得灰狼奖，只要他们认为他们也在获得十万美元的行列中，那本地科学家就会出席。你真该看……"

"你是说十万美元?"富兰肯沙勒打断她的话，"灰狼奖？从未听说过。"一般情况下，富兰肯沙勒断不会承认自己的无知。但他最钟爱的博士后脱口说出的六位数字让他诚实了一把。"再说一遍，都有哪几类奖？谁负责提名？谁获奖了?"

"两位来自美国中西部的人——我想是威斯康星和伊利诺斯州——获得农业奖。两个人获数学奖——一个来自俄国，一个来自德国。我不记得他们的名字了。还有三个人获医学奖，因为他们对组织相容性抗原的研究。"

"巴港（Bar Harbor）的史奈尔（George Snell）?"富兰肯沙勒打断蕾娜的话。

"对。因为对老鼠的研究。巴黎的杜塞（Jean Dausset）及荷兰的凡路（Van Rood）也分享了这个奖，因为对人的研究。"

"还有谁?"

"啊，"蕾娜大叫一声，"对我来说，最激动人心的莫过于物理奖，颁给了哥伦比亚大学的吴健雄，我老听人家说，她应该与李政道和杨振宁分享他们的诺贝尔奖，在宇称不守恒思想（nonconservation of parity）的发现过程中，也有她的一份功劳。看见女科学家获奖真好！单人独得。"她强调。

"就这些？真令我吃惊，怎么没有化学奖。"

"差点忘了，"蕾娜大叫一声，"化学奖也是一个人得的，名字拼起来怪怪的……杰拉西，对了，就是他。"

"你是说艾萨克·杰拉西（Isaac Djerassi），因使用甲氨蝶呤治疗白血病而获奖？我去年在宾夕法尼亚州见过他。以色列人应该为他得奖高兴才对呵，他是保加利亚犹太人，移民来美国之前在希伯来大学读的书。我还以为他会得医学奖呢，没想到是化学奖。"

"不是艾萨克·杰拉西。是卡尔。斯坦福大学的。他得奖是因为发明了口服避孕药的化学合成法。不知道我怎么会没先提他。我还听他讲过一次课呢，讲的是节育的前景——凄凉惨淡，用他的话说——我当时还在读斯坦福大学生物化学系的研究生。我得说，讲得很有水平，但有点盛气凌人。"

"咱们不都这样嘛？"蕾娜在吱吱嘎嘎的电话里听到了他呵呵的笑声。"快说说你在实验室都干了些啥，咱们也争取拿它个灰狼奖。"他又呵呵笑起来，这次声音大得多。就在"咱们"两字像一个微弱的信号被蕾娜的大脑雷达记录时，笑声戛然而止。教授在等她回答。

1978 年 4 月 28 日写于耶路撒冷。

我最亲爱的阿夏客：

如信封所示，我已在耶路撒冷。但信封没透露的是，我到这儿快一个月了。在了解这儿的工作情况之前，我不想让你和妈妈知道这件事。我不想让你和妈妈为我不安，我想自己先了解清楚，这次行程是不是值得你们担心。

总的来说，我很高兴来这里。我好像是这儿唯一的印度人——几乎可以肯定地说，在我做研究的哈德萨医学中心是这样——但据我所知，在这个国家，还有一些从印度南部科钦（Cochin/Kochi）地区来的移民。但这儿没人盯着我看，我也感受不到一丁点歧视，在美国这可都是家常便饭。

我能想象出你的表情，阿夏客，眉头紧锁的样子。"我不想听你讲美国那些破事，我想知道你怎么就去了以色列。"你或许在这么嘀咕。富兰肯沙勒教授觉得这是个好机会，所以我就来了。这和业界热门的NO项目有关，我以前在信里提到过，目前项目进展十分顺利，谢谢你。我来这儿也是为了和《印度快报》上的征婚广告拉开距离。毫无疑问，你是知道的，以色列和印度之间没有外交关系，也没有通航。如果我真傻到要见合适的候选人，我得先向西飞，然后才能向东飞。

征婚广告让我心烦，烦的程度——我不愿向你承认，也不愿向自己承认。我感觉自己跟个商品似的，而且还是个二十六岁的滞销品。好在都过去了。我猜这也是我到今天才写信的真正原因。在这儿的陌生环境里工作，生活又不方便，浪费的时间也就比较多，加上又比较"印度化"（比方说，我住地周围没有一家像样的超市），我根本就没时间生闷气，更没时间去想什么对策。

没有美国风格的超市可能是件头痛的事，不过，眼下我却很享受去市场买东西的感觉，像是又回到了印度。我住的哈德萨女员工旅馆相当温馨——住的大多是护士和单身女医生。旅馆坐落在一条古老迷人的大街上，离埃塞俄比亚教堂很近，我从窗口眺望出去，便能看到教堂顶部。黑黑的穹顶上那个装饰复杂的科普特教十字架（Coptic cross)占据了我的整个视野。而在松树和雪松之间，在这个老社区，这两种树相当常见，隐约可见各家各户屋顶上的圆筒形热水器。热水器全用脐带状缆线连接在面向南方的太阳能板上（我们应该在印度多装这种热水器）。

刚到第一个星期，我和一位护士去买日常用品，想趁机了解当地的风土人情。在一家蔬菜水果摊上，我们撞见摊主正跟一位家庭妇女打嘴仗。我问向导，那两人干嘛发这么大火，她解释给我听，"他们不是吵架。女人问男人有没有黄瓜，男人低吼，'我看上去像没有黄瓜的吗？我看上去像没吃过早饭的吗？''我没问你吃没吃过早饭！'女人回吼。"我听了哈哈大笑，很高兴能理解话里说东指西的意思。还有哪个国家每天早饭吃黄瓜的呢？在我们旅馆，和黄瓜一起端上来的有农家鲜奶酪、西红柿、烤面包，还有些叫不出名的白色奶酪，我从来不碰的。不过，我倒是觉得比起在沃尔瑟姆（Waltham）吃的麦片和低脂牛奶，西红柿和黄瓜吃起来确实清新爽口。

当地的奇闻趣事就讲这么多吧。眼下，我正忙于推动自己的研究项目。现有经费只够我呆三个月的，然后我就得回布朗德。所以你和妈妈大可不必担心。再有八个星期我就回去了，如果没有特殊情况的话。我不知道会不会有特殊情况。我没在暗示，只是项目进行得如火如荼（往哪个方向发展，前途都是一片光明），很难说到底会出现什么情况。我会随时告诉你们。

爱你和妈妈的蕾娜

另：前几天，我遇见一个人，这人很有趣，令我有一种躁动不安的感觉。他对我说，要想了解一个刚认识的人，问话就要以 W 开头的字开始。我们在比希巴认识的，不是在耶路撒冷，下封信里再谈这件事吧。

我在这儿呆的时间够长，已经开始对人直呼其名了，以色列人都这么做。

"Shalom，"他向我打招呼，"我叫杰夫塔。"

"Shalom，"我回答，"我叫蕾娜。"

"我知道，"他说，"梅纳赫姆·迪文和我谈过你。你是到以色列来为所有男人解决问题的美国女人。"

"我是印度人。"我纠正说，可他一挥手，挥走了我的更正。

"那又怎样？你是从美国来的吧。"

这就是我们第一次见面的情形。我做梦也没想到，这次见面会改变我的命运。

直呼其名这件事，我想，其实挺好玩的。这是辨认你来自哪个国家的另一种方法。在以色列，我叫"蕾娜"。在美国，应该说"我叫蕾娜·克里斯南"。在法国或德国，只叫我"克里斯南"就行了。我也许归纳过头了。但像大部分归纳一样，它们往往是正确的。

"Shalom。"他又说了一遍，并握住了我的手。我忍不住想到了握手的两面性。握手就像是连字号——相连与分离同时产生。握手的含义最终取决于相握的那一刹那，就像读连字号两端的句子，不从一头读到另一头，你就读不懂整句话的意思。因为，根据定义，连字号任何一端的话都无法完整表达整句话的意思。然后，就在松手之前，他说了句令人吃惊的话。"你的手和手腕……握起来很舒服。"他说这话的时候给人一种奇妙的感觉。

你说你能经常听到平生难得一听的奉承话吗？真让你听到了，你就会对各种各样的小毛病睁一只眼闭一只眼——特别是以色列人说话生硬、不会拐弯抹角的毛病。我第一天就发现，他的貌似唐突无礼其实是假面具，是因为他和女士在一起不好意思，特别是和国外的专业人士在一起不好意思。这一点吸引了我。

"你去过马达沙（Madasa）吗？"他问，"去过伊拉特（Elat）吗？去过死海吗？去过……"

有一种人爱用哗哗流淌的热情来弥补自己害羞的性格，杰夫塔就是这种人。我听了哈哈大笑。"我只到过耶路撒冷，其他地方都没去过。我是来工作的，哪有时间闲逛呵！"

"你必须去，"他坚持说，"我来当你的向导。我，杰夫塔·可恩。"

他说名字的时候装出一副骄傲的神态，不知怎么的，那种神态很配他害羞的性格。"杰夫塔，"我若有所思地说，"从来没听过这个名字。什么意思？"

"他将开启。头胎出生的男孩时常会起这个名字。可恩就是可哈恩的缩写，牧师的意思。"

直到后来回耶路撒冷的途中，我才又想起他的名字，我发现自己翻记事簿的时候一直在思索他的名字。他姓名的四个字母可以从化学周期表中抽调出来：可恩（Cohn）——碳（carbon）、氧气（oxygen）、氢气（hydrogen）、氮气（nitrogen）——形成生命的四大元素。杰夫塔·可恩，我想，"他将开启生命之门。"

想法傻呼呼的。但这个想法却令我浑身一颤。

在以色列，蕾娜很少为穿衣发愁。去实验室上班，她就穿牛仔裤，偶尔也穿九分裤或裙裤，还有衬衫（这类衣服在她衣柜里有一大把），腿上套一双短袜或长筒袜，脚蹬一双平底凉鞋或凉拖鞋就行了。她在那里毕竟是为了工作。再说了，她身材纤细，穿啥都好看，就是套件实验室白大褂也好看。她那深栗色的眼睛——能把人淹没喽。一个只动嘴皮子的爱慕者曾这么形容。还有她的头发——长长的，乌黑发亮，是她花起时间来最不心疼的两个地方。在以色列，化妆品种类有限，她至少还能拿发型来做文章，她的劲头比在马萨诸塞州大了不止十倍。她一会儿挽个芒果大小的髻，一会儿编一根粗粗的大辫子，一会儿做个法式盘头，一会儿让长发从右肩上直飘下来，极尽诱惑之能事，有时还会用罗缎扎两根辫子。

回到美国后，蕾娜继续在脸上花大把时间和精力，比起她去以色列之前有过之而无不及。每当坐在镜子前整理头发或画眼影时，蕾娜总会想起征婚广告上的话："二十六岁，身高一米五二，皮肤白皙，漂亮迷人。"除了年龄和身高，这话还给未来新郎透露了什么呢？眉毛呢？她的眉毛是直的，不是拱形的，好像是比着直尺画出来的。还有头发，还有毫无瑕疵的皮肤……还有握起来很舒服的手和手腕？还有嘴唇，就此而言？最近一段时间，她每次画丰满下嘴唇的唇线时都给予特别关注，自己最喜欢的颜色：玫瑰红。杰夫塔说过一句话，说不涂口红，就不会有真正的唇线。嘴唇底部渐渐地和皮肤融在了一起，直到看不见为止。"去问肖像画家好了，"那天他用小手指轻轻地划过她的鼻子，"画家画脸的时候，总是先画鼻子，知道吗？你的鼻子具有古典美。"

今天，在马萨诸塞州的家里，蕾娜不仅非常注意自己的脸蛋，也非常注意自己的衣橱。她和富兰肯沙勒教授要搭八点钟飞机去纽约。这是八月的一天，天气预报说会炎热而潮湿。通常情况下，这意味着可以光脚不穿袜子，可以穿无袖连衣裙，可以穿凉鞋。但今天他们要去 REPCON 基金办公室,不用说蕾娜也知道,这次会议有多么重要。

"蕾娜,"富兰肯沙勒教授在她从耶路撒冷回来后对她说,"我被你说服了。值得一试。不过你要想尽快回到以色列,千万别指望 NIH。说实话,没人会那么快把钱批给你。就算私人性质的基金也有他们办事的程序和规矩。你要的钱可不算少:够一年用的……"

"也许更长,"她插话说,"最好按两年来要。"

富兰肯沙勒挑了挑眉毛,"那么长? 那就更多了。就算第一年的费用——你的,哈德萨的,还有本古里安那个人的,至少也得十万美元。还得给布朗德的罗塞斯第留一点吧,再加上差旅费……最好要它十五万美元。"

"你有什么好建议?"

"咱们到纽约去一趟,"教授提议,"你和我一起去。马兰妮·雷德劳应该和你见一面才对。她应该从你嘴里听到,你认为你研究的氧化氮细胞系列可以用来做什么,而且这个项目为什么非得在以色列做不行。她想看到更多女同胞活跃在繁殖生物学领域,那咱们就展示给她看,让她知道她拨给咱们的经费会花在刀刃上。如果她能给咱们十五万美元的话……"他眼珠子向上一翻,好像在对着某个繁殖基金的上帝祈祷,"做做梦总可以吧。"他哈哈大笑。

* * *

蕾娜从亮得可以照见人影的电梯门里看了最后一眼身上穿的黄色无袖连衣裙。母亲相信星座,她若有所思地想,而我穿的是幸运色。连衣裙没有袖子,但端庄得体,肉色连裤袜配黑色浅口皮鞋也算得体。蕾娜很讨厌"无袖连衣裙"——她总把这种裙子和英国女人连在一起。就是在美国,除了纱丽和无袖连衣裙,蕾娜也想不出在正式场合还能穿什么。她讨厌自己迎合殖民地风格,而不是穿对她来说更自然的衣服,像印度的裤子——紧身长裤或宽松裤——上身配宽松长衫多好。但今天,蕾娜在迎合。她想融入 REPCON 办公室的环境,让科学本身来说话。她把头发挽了个紧紧的髻。

菲里斯·富兰肯沙勒一句无心点评,"蕾娜,够典雅!"令她勉强一笑,装资料的包被她抓得更紧了。她为这次活动做了精心打扮,但这并不意味着要让教授也看出来。打扮过头了? 她有些吃不准。

教授提醒过她,说千万别用居高临下的口气对马兰妮·雷德劳讲话,实际上,根本用不着把问题讲得通俗易懂。"记住了,她不仅有生物化学博士学位,她还要审阅 REPCON 收到的大部分经费申请报告,也就是说,许多未经发表的资料她都读过,而你和我却对此一无所知。雷德劳是这种人,不懂她会问的。所以不用紧张。Mazel tov(希伯来语祝你好运的意思)。"

蕾娜忍不住露出微笑。这是教授第一次用犹太语跟她讲话。这是不是对她临时以色列身份的认同呢?

* * *

雷德劳博士和她握手的时候,把她从头到脚仔细地打量了一番,这令蕾娜感到很吃惊。正当她断定此次评估似乎相当男性化,简直有种进部队的感觉,博士的一个微笑让她把心放进了肚子里。"见到一位女同胞研究男科真好。说说吧,如果经费批下来,你打算怎么用? 还有一个更切中实际的问题,你为什么认为这个项目必须在以色列进行?"

"如果你不介意的话,"蕾娜说,"我想到后面再谈这个问题。"听了这话,马兰妮·雷德劳的眼睛稍微眯了眯。可话说到这儿,已经没有退路了。"给我多少时间?"蕾娜问。

雷德劳刚皱起的眉头松弛下来。"你们诚心诚意从波士顿赶来见我,你就讲吧,我会提醒你时间的。"

"谢谢!"蕾娜探过身子,把几页资料面朝主人,放在了茶几上。教授曾经对她讲过,"蕾娜,如果你想和坐在你对面的人同看一份资料,最好把资料倒着放。这会让人觉得你把资料内容吃透了,尤其是谈化学结构的时候。"蕾娜向教授汇报研究进度时常常按照教授的建议这么做,但今天的表现所涉及的赌金要高得多。

"你对 NO 细胞功能的最新研究成果想必很熟悉吧?"看到雷德劳轻轻一点头,蕾娜继续往下讲,"那我就用几张图表来简短概括一下背景资料好了。"她指了指倒放在自己面前的那页纸顶部。

"我先简单重温一下 NO 是如何在人体内生成的。自然底物,当然了,并不是气体本身。说到哺乳动物,在细胞层面上,关键前体是精氨酶。"蕾娜指了指图表左上方氨基酸的化学结构,这是一种自然产生的物质,"精氨酶经过氧化后变成羟基精氨酶。"这一次,蕾娜把笔尖落在了精氨酶结构尾部的一个氮原子身上,以便对新加进来的氧气附着点进行详细说明。"再进一步氧化,就会产生瓜氨酸,"她的笔移到了第二个结构,"目前对我们来说,这是无用的垃圾——以及氧化氮。"在她的图表上,化学分子式 NO 是用红笔和大写字母标出来的,"当然了,纸上谈兵说起来简单,但细胞生物合成的过程相当复杂。几个学术团体都对此做过研究:比方说,密西根大学的迈克·马莱塔(Michael Marletta)。"

她迅速瞄了一眼富兰肯沙勒,他好像在摇头。是她看走了眼呢,还是他在给她发信号,要她只说事实部分?他知道马莱塔的故事,并知道蕾娜因此对氧化氮产生了兴趣。那时马莱塔还在 MIT 当助教,他做过蕾娜的第一位项目导师。她在维斯里读本科的时候,在他的实验室打过工。当时他正开始搞一个看上去平淡无奇的项目——在人体内生成硝酸盐和亚硝酸盐——MIT职称评定委员认为这个项目毫无火花，因此拒绝授予他终身教授职务。他跳槽去密西根大学那年，蕾娜正好从维斯里毕业，而他就是在密西根大学成了氧化氮研究领域最耀眼的一颗明星。蕾娜没有追随马莱塔，没有在他建立新实验室的周折中助他一臂之力，而是选择去了斯坦福读博士学位。到头来，她后悔自己作了这个决定——倒不是因为斯坦福的博士学位不是业内一流通行证，而是因为她错失了良机，没能因此成为马莱塔团队中的一员。她现在给雷德劳解释的这些东西就是他的研究成果。为什么绕那么大个弯子讲这个故事呢，直接说她开始在场不就得了。

"活跃在这个领域的还有其他学术研究团体，像霍普金斯大学（Hopkins）的辛德实验室（Snyder's），克里弗兰医院（The Cleveland Clinic）的斯图厄实验室（Stuehr's），当然了，还有很多制药公司的科研小组，像葛兰素制药公司（Glaxo）的保尔·费德曼实验室（Paul Feldman's），雅培制药公司（Abbott）的穆拉德 & 科温实验室（Murad and Kerwin's），特别是英国威康制药公司（Wellcome）的蒙卡达实验室（Moncada's）。"她接着说。

"NO生物合成的关键是一种酶，叫氧化氮合成酶，"蕾娜的笔尖移到了红色字母NOS，"但光有NOS还不够。NOS需要先和钙调蛋白进行联合才能被激活。"笔尖移到了圈起这组物质的大圆圈。

"我之所以先说这几点，是为了解释我在什么阶段进的场。"她朝富兰肯沙勒坐的方向指了指，后者正靠在沙发上静静地听。"激活NOS是为了生成NO，而激活NOS的步骤起码涉及五种电子氧化形式——令人眼花缭乱的生物化学。这个领域，特别是生物电子转移的课题，是我在斯坦福博士论文中论述的主要问题。所以，当机会呈现在我眼前，当我可以作为博士后参加富兰肯沙勒教授的小组来研究氧化氮的某些生物特性的时候,我抓住了这个机会,因为不管以什么方式,每个步骤都会牵涉到电子转移的问题。"

"这是咱俩的运气。"富兰肯沙勒笑眯眯地说。

"在解释氧化氮的特性之前,先说说它的生物合成吧,这将引出我在以色列所做的研究。我不会花太长时间……"

她抬头看了一眼马兰妮·雷德劳。后者挥手让她继续,"慢慢讲好了。"

"有三种氧化氮合成酶——不止一种。"蕾娜翻到第二页,"一种NOS,"笔尖碰了碰倒写的字"内皮的","是调节血压的。一会儿你就知道了。"蕾娜又抬起头强调说,"这正是我目前研究的课题。"

"另一种NOS,"蕾娜用笔尖指着靠近页面底部的字"神经元的","和神经信号有关。因为偶然的原因,这两种NOS酶构成了基本要素——时时刻刻存在于细胞中,以便随时制造小不丁点气体。这是氧化氮在细胞层面上的一个奇妙特性。所有化学信号的变换都要借助复杂的生物化学机制来完成,但NO截然不同,它只是一种典型的气体……就像在这间屋子里:它脱离细胞迅速弥散,能弥散相当一段距离——估计每秒钟能弥散四十微米——其速度大大超过相邻的大部分细胞。富兰肯沙勒教授称这一点为氧化氮的'随意性'。有一点我们还不了解,那就是这种弥散有无特定方向。"

"如何来测量你这种具有随意性的气体的精微数量?"

雷德劳的插话让蕾娜吃了一惊。她是考我呢,还是真想知道?她刷刷翻过几页纸,仍让资料倒着放,找到了要找的那一页。

"这页纸上列有目前使用的测量方法。"她扼要总结了前三种方法使用的技术,边说笔尖边跟着向下舞动:化学发光、电子旋转共振和分光光度法。"第四种方法,"她把笔尖移到那页纸底部,"是通过电化学氧化将氧化氮变为硝酸盐。在此变化过程中,产生的电流量和生成的NO数量成正比。我目前采用的就是这种方法,因为这种方法能让你测到某一时刻生成的NO数量,而不只是一段时间内生成的NO数量,这是其他三种方法望尘莫及的。”

“Okay?”她问。

“Okay,”雷德劳回答,“我插话的时候,你正在讲不同种类的NOS。”

蕾娜花了一小会工夫将图表翻回到原来位置。“最后一种NOS,是酶的可诱导形式,它只有在细胞外刺激物的推动下才能发挥作用。这种酶基本上肩负着防卫责任……打起化学战来才会启动。”比喻脱口而出,这让蕾娜很高兴。她听到身后传来富兰肯沙勒低沉的笑声。“这种气体可以将入侵细胞全部杀死,也可以用间接的方法阻挡入侵细胞的代谢通道。”

她翻到下一页。“现在该说性能了,在说性能的时候,需要说到另外一种普通酶,这种酶的名字叫鸟苷酸环化酶。”蕾娜急于强调这种酶的作用,忘记了纸是倒着放的。笔尖向字的上方动了动,但没过一秒钟,蕾娜就改正了错误,她把两个字圈了起来。“这种酶是氧化氮的精确感应器。它只要‘看到’NO”——蕾娜的四个手指在空中划了个引号——“就开始生成cGMP。”她嫌费事没说全名——环磷酸鸟苷——这种细胞信使分子的名字。“反过来,它又通过血管舒张促进血流量的增加。但是cGMP会被磷酸二酯酶逐渐消灭掉。所以,要想维持血管舒张,就得提供更多的NO,或找出磷酸二酯酶阻滞剂来对付它。”蕾娜对这个领域所知甚少。为了避免碰上尴尬的问题,最安全的办法似乎是赶快转移到下一个话题。计策成功。

“近来,每个人都想回答两个最热门的问题:NO如何激活这种酶？对这个问题，我们找到了部分答案。如何令鸟苷酸环化酶停止作用？对这个问题，我们还无法解释。让我先跳过这两个问题，讲一下性能和用途。"蕾娜翻动着茶几上的资料，其翻动的速度和课堂上说"下一张幻灯片"指令的速度差不多，其间短暂的停顿为思考提供了宝贵的时间。

"这种诱导酶产生的氧化氮在免疫学方面可能有着无比巨大的重要性，还有可能被用来对付其他有害因子，如细胞内的寄生物。在神经元的层面上，关于 NO 的问题存在着许多猜测，NO 发生作用是在突触前还是突触后，NO 是否代表了'传播'突触信息的一种新方法？"蕾娜又用手指打了个引号，"还有一点，也是最令人捉摸不透的一点，它是否是人们假定的、对大脑记忆力起关键作用的退化信使。"

"我们在这方面都需要帮助。"富兰肯沙勒的第一次插话干巴巴的。他不是故意的，但他的话在瞬间打乱了蕾娜精心安排的顺序。

"是的……"她说，语气不太肯定。但她想起了导师另一条具教授水准的建议："演讲卡壳的时候，就讲一些看似有希望的用途——理论上可行、但还未经完全证实的用途。他们无法和你争论，这就意味着你就又掌握了主动权。"

"还有一些很有希望的用途，"蕾娜慢慢地说，边说边搜肠刮肚找用途，"已经有这种假定，认为日常生物钟的重置需要激活 NOS 并有 NO 的参与。谁知道呢，也许我们能——"

"向时差说 NO！"雷德劳大喊一声。"对不起，"她赶紧补充一句，"我没忍住。说真话，我没意识到昼夜节律也被 NO 插了一手。"

"有这种可能，"蕾娜赶紧说，"至少伊利诺斯大学的最新研究成果这么认为。但在布朗德，我们的研究集中在 NOS 的内皮形式——它基本上是起调节血压的作用。这就引出了我的研究。"蕾娜往椅背上一靠,松了口气,终于赢回了主动权。"氧化氮在细胞中的半衰期非常短。它需要不停地生成。是有一些释放 NO 的化学因子。硝酸甘油就是其中之一;它之所以能有效治疗心血管疾病,就是因为它有释放 NO 的功能,但是,到目前为止,其他释放因子——也就是说,人们知道的释放因子——少之又少,也就有硝基氢氰酸盐和 nitrosoacetylpenicillamine 可数的几种因子。为了找到更多的释放因子,我开始合成一种新的系列化合物,它们和自然前体没有关系。"蕾娜快速翻到第一页,用笔圈出了相关的分子,"至少在试管中,用在一只隔离的兔子的主动脉里,我的化合物看上去效果很不错。这些材料应该能让各种器官的平滑肌得到放松……"

"这也就把你带到了阴茎海绵体和阴茎勃起的研究。"雷德劳插话说。

"正是,"蕾娜老到地说。她本不想匆匆进入有关性无能的讨论,但她已看出自己无路可退。"性无能——或用我们认为更合适的用语,男人的勃起功能障碍——有很多不同的治疗方法。除了人工机械方法……"蕾娜原本对手术植入法、阴茎膨胀修复术、真空缢缩器及相关的人工修饰手法一无所知,直到杰夫塔·可恩在比希巴给她补上了这一课,"有些方法则是用针筒将罂粟碱或前列腺素这类药直接注射进阴茎海绵体。不过现在,"看到雷德劳要插话,蕾娜举起手掌,"我们知道了氧化氮是活跃的信使分子,它能扩张阴茎关键部位的血管,海绵体当然也是阴茎的一部分,我们在想,"蕾娜把头转向富兰肯沙勒,表示她的我们也包括他,"合成的 NO 释放因子是否有临床上的用途。"

"非常感谢。"雷德劳说这句话的语气预示着面试即将结束。"你的陈述很有道理,如果委员会批准你们的申请,我是不会感到吃惊的。"她的手势把富兰肯沙勒也包括了进来,后者已经开始在椅子上做舒展筋骨的动作了。"但为什么要去以色列?为什么不在美国?"

就是,为什么呢?这也是杰夫塔问的问题——在他说我的手和手腕握起来多么"舒服"之后。"你为什么来以色列?你什么时候来这儿的?你从哪里……"

"打住。"我笑起来。我的脚还没从公共汽车上落地呢。"你就这样和陌生人打招呼?"我们在灼热的阳光下向他的车走去,一辆沾满灰尘的沃尔沃(Volvo)121,车内的温度高得能把玻璃熔化。

"等一下,"他命令我,说着把一块毛巾铺在副驾驶座上,"我可不想把你烤焦了。"等到车子开动起来,等到灼热、干燥的沙漠之风从打开的车窗吹进来,吹得刚刚感觉好受一点,耳边又响起了震耳欲聋的噪音。这时,他回答了我的问话。"你要想了解一个陌生人,就用 W 开头的字问话:why(为什么),where(从哪儿),when(什么时候)……"

我们从白天一直聊到晚上,谈论着各自的科研项目,告诉对方自己的 whys, wheres 和 whens。杰夫塔对新大学怀有满腔的热情,让我想不受感染都不行。还有他即兴发挥的那些故事!

按杰夫塔的说法,一九六七年战争之前,西岸是不准通行的,当时比希巴有很多酒店,因为游客在去马沙达和死海之前,都要在这儿住一晚。六日战争之后,一切都变了,比希巴又恢复到从前的模样,变成了一座昏昏欲睡的城市,全城只剩下一处景点(每周四贝都因人开的自由市场)和一家酒店(沙漠酒店)。新大学的教学大楼当时还未开工,沿街的铺面被改成了教室,各系各部在哪儿找到地方就在哪儿安营扎寨。有些化学老师在一家叫"安各地"(Ein Gedi)的破了产的酒店里安顿下来。这也就解释了为什么有一位教授的办公室里有一张床和一个洗脸盆,因为他搬进了一间客房,而他们系主任则把一间浴室改成了办公室。他们最珍贵的一台仪器,X光衍射计被荣幸地放在了前厨房,该机缺少稳定的供水便无法工作,每次有人一冲厕所,厨房里老掉牙的水管的压力就荡然无存,衍射计也就立马咽气。"但这个系得以生存,并成为本古里安大学最好的一个系。"杰夫塔骄傲地咧嘴一笑,结束了自己的讲话。

那天夜晚,天上的星星多得让你直想弯腰躲闪。他领我来到附近一个叫殴麦(Omer)的小村庄,我们爬上一座俯瞰比希巴的山坡,走到一座由以色列雕塑家达尼·卡拉凡(Dani Karavan)创作的大型水泥纪念碑前。该纪念碑为纪念内盖夫突击战(Negev Palmach Brigade of the War of Independence)而作。对一个值得纪念的日子来说,晚上去游那么个地方,而路上的照明设施又仅限于沃尔沃的车前灯和星星,实在是太合适不过了:高高的塔楼,大幅弯曲的水泥体——就好比船沉入了沙漠之海——仿造的弹孔、用我还读不懂的文字刻出的题词、还有最后我们进入的那个像巨大岩洞的隧道,比希巴的灯光从远处的洞口射进来,照在我们身上……

就在这里,杰夫塔向我介绍了另一个"W"字,这个字与whys和wheres不一样。"你会吗?"他开始说。"你会回来吗?""你会让我带你参观内盖夫(Negev)吗?""你会……"

"Lama lo。"这句话脱口而出,我们忍不住放声大笑。这是我学会的一句希伯来语,因为在耶路撒冷几乎所有的人都用lama lo来回答我的请求。

"为什么不呢?"

搞科研的科学家通常用三种不同步的钟表来计算时间:实验室外

用的是滴答作响的节拍器；悠闲的慢板——至少是柔板，更多时候是广板——在等待经费的审批过程中；然后是科研人员最喜欢的钟表——独具风格的精密记时仪，它可以走急板，尽管它有可能经常停止不动甚至倒着走。

这次让菲里斯·富兰肯沙勒惊讶的是第二个钟表。他亲自出马去纽约做陈述，就是期望能在最短的时间内得到答复。可好几个月拖下来，他先是烦躁，然后是不安，最后他火了，他们的申请报告进了据说效率很高的 REPCON，怎么慢得跟乌龟爬似的。一年过去了，杳无音信。"老天爷，"他对蕾娜嘀咕说，"早知如此，还不如向 NIH 申请呢。"

就算菲里斯再怎么乐于求朋友帮忙，但要他老去求身为 REP-CON 总经理的马兰妮·雷德劳，他面子上也挂不住。他收到的唯一一份进展报告，就是一个不需要回复的电话。"专家们那儿有点问题，"她汇报说，"他们不明白为什么这个项目非要到以色列去做，但我想你们的经费申请会通过的。"最后还真通过了，赶在感恩节之前通过的。

富兰肯沙勒是直接从雷德劳那儿听到的消息，当时正是歌剧《阿依达》(Aida)中场休息的时间，舞台上胜利大游行的那一幕刚刚结束——整个晚上铜管乐奏出的嘹亮喇叭声在他的脑海中恣意荡漾。

第二天上午，他带着胜利的喜悦给耶路撒冷的耶胡达·戴卫逊和比希巴的梅纳赫姆·迪文发了两份简洁的电报，报告了这一特大喜讯："阴茎勃起得到资助。"

在一九七九年，电报已被当成了既老土又无效率的通讯方式。但富兰肯沙勒一点不着急。说穿了，他就是要把自己的快乐建立在几个具体的字眼上，而那几个字也许还能起到让古板的发报员发窘的效果。他把传口讯的方式留给了自己的女门生，他从纽约打电话给她。

"蕾娜，"他的声音如雷贯耳。"Mazel tov。"富兰肯沙勒一口气讲完了要说的话，"咱们的经费终于批下来了，而且一分钱没少。用上两年没问题。"他呵呵笑着说，"你可以给自己买套公寓，不用再回哈德逊旅馆住了。"

"也不能说它是家旅馆。"蕾娜觉得有必要为自己在耶路撒冷的住所辩护几句，"咱们都忘了在预算中加买房子的钱了……我也许会租一套房子，现在可以做长期打算了。你就对我说'birkhotai'——恭喜恭喜吧。"她激动起来反倒口齿伶俐，高兴地喊出了希伯来语。

"我的老天爷，"他大喊一声，"都到了让印度人给美国犹太人翻译希伯来语的地步了！"他嘘了一声，打住蕾娜的道歉。"蕾娜，咱们现在有差旅费了，等毕业典礼结束，我就飞过去住它一个星期。到那时候，你在哈德逊也呆满六个月了，有足够时间搞出点东西来让咱们看看。还有，我想见见你的同事可恩。"

5

"蕾娜！蕾娜！"

她费了好半天劲才在特拉维夫本古里安机场海关外乱糟糟的人群中找到了叫她的人。人群密密麻麻，毫无秩序，让蕾娜想起了新德里机场的国际航班候机大厅。每位乘客的接机队伍至少都是一家三代。杰夫塔在人群之中挥舞着双手。"来，我帮你拿行李，"他一边气喘吁吁地说,一边把两个沉重的行李包接到手中,"你看上去很精神,"他喘了口气,"真担心会接不到你。"

他把两个行李包丢在脚下。"让我好好看看你,"他伸直胳膊抓住她,"Shalom,蕾娜,"他咕哝着,朝前跨近一步,"差不多有一年半了。时间太长了。"

"Shalom,杰夫塔。"她轻声说,双臂搂住了他的脖子。

* * *

在车里,蕾娜冻得发抖。她从来没在十二月份到过以色列。"你们以色列人难道不知道用暖气吗?"

"我知道,"杰夫塔帮她揉搓胳膊以助血液循环,"但我的车不知道。"他对她咧嘴一笑,洁白的牙齿在飞驰而过的灯光中闪闪发亮。

他们上路有一阵子了,破旧的沃尔沃车在夜色中呼啸前行。沉沉的夜色,偶尔被迎面驶来的汽车灯光打破,加上迫不及待的谈话,蕾娜忽视了行驶路线。突然,汽车驶过一段带路灯的高速公路,她看到了一块绿色的大路标,上面标有希伯来语、英语和阿拉伯语。一个箭头,写着"阿什凯隆(Ashqelon)",指向右边;另一个箭头,直指前方,写着"比希巴"。

"这不是去耶路撒冷的方向吗,你拉我去哪里?"

"除了去大都市内盖夫,还能去哪里。"他呵呵笑着说,"由杰夫塔·可恩私人旅游服务公司特别护送。"

"可是……"

"我知道,'戴卫逊教授在耶路撒冷等我呢。'其实,他没在等你。我说去机场接你的时候,建议先带你去比希巴看一件让你吃惊的东西。和咱们的项目有关。"他赶紧补充说。

蕾娜是又高兴又生气。一般情况下,她不喜欢别人给她惊喜。

为了让她的火气消下来，他解释说："现在已经是星期五上午了。你至少需要一天时间调整时差吧，安息日（shabbat）这天，你在耶路撒冷什么也干不了。所以干嘛不和我在比希巴过一天呢？"

"和你……"

杰夫塔没去理睬她话里的疑虑。"我跟梅纳赫姆·迪文说你要来以色列。他好像一点都不吃惊。他好像在我接到你来信之前就知道你拿到了 REPCON 的经费。"

杰夫塔开车很快，但很小心。和她谈话的时候，他的眼睛没离开过路面，但她感觉他刚才转过头来看了她一眼。

"他问你有没有见到雷德劳博士？"

这次该她转过头看他了。他话里有话，但他脸上好像永远是那副实话实说的表情。"我去年见过她，"她平淡地说，"我和教授去了纽约REPCON 基金办公室，去推销我们的项目。上个月我又见过她一次，她说让我来以色列之前，到她那儿去一趟。她为我们的经费拖那么久表示了歉意。据她说，来以色列的经费着实费了不少口舌。"

她又感到他扫了她一眼。蕾娜侧过身看着杰夫塔的侧面。在工作盘灯光的映照下，她看到了他尖尖的、闪米特人的鼻子——罗马鼻，她去年夏天捏他鼻子的时候这么说过，那是她第一次公然表露爱意——还有他鬈曲的头发，头发触到了高领毛衣的领子。

"顺便说一句，她刚生了孩子。看到她这个年纪的女人工作、生子两不误，真令人欣慰。不知道她怎么应付得过来。"蕾娜说。

"也许她找对了丈夫。雷德劳先生是做什么的？"

"我不知道她丈夫是谁，但那个人肯定不是雷德劳先生。贾斯汀·雷德劳曾是哥伦比亚大学的生物化学家，他几年前去世了。你刚才提到迪文，令我想到一件奇怪的事。"

"什么事？"

"我当时没多想，她问我最近有没有和梅纳赫姆·迪文联系过。"

杰夫塔好像没觉得这话奇怪。"你和他联系过吗？"

"当然没有了，行政上的事都是教授处理。但迪文和雷德劳两个人同时问起对方，你不觉得奇怪吗？"

他对这个问题也就思考了两秒钟，然后迫不及待地补充说："让我高兴的是，雷德劳给你批了经费。"

蕾娜在夜色中露出微笑。"咱们是不是也应该感谢迪文？你说他们有没有在谈论咱们？"

1979 年 12 月 28 日写于耶路撒冷。

亲爱的阿夏客：

让我在信的开头郑重声明，以色列的来信又让你大吃一惊，我对此一点也不感到遗憾。从你最近兄长般的来函判断，你期望马萨诸塞州那头会专心致志地考虑婚姻问题吧。我回到以色列的理由很多，但你的上封信确实起到了推波助澜的作用。我认为起作用的就是你信里夹的那些照片——尽管你写的那张妹夫候选人名单也帮了不少忙。

如果我把愤然回绝马德拉斯家中说媒的企图当成来以色列的主要动机，那就大大降低了我这次行程的档次。来的目的主要有两个，一个与专业有关，一个与个人有关。

你是知道的（尽管妈妈也许不知道），我的研究项目正面临重要的转折关头，该项目有可能产生妙不可言的实际用途，有可能解决勃起功能障碍的问题——也被称为男性性无能。（如果你在征婚广告中不是写"在美国读书"，而是描述了我目前的专业，我都能想象出未来新郎们的反应！）我和杰夫塔·可恩在一起工作，他是比希巴本古里安大学的研究人员。去年，他想出了一个既简单又奇妙的办法，这个办法可以让男人将基本神经传递素注射到自己的阴茎里。

杰夫塔（在希伯来语里，他名字的意思是"他将开启"）也是我来这里的个人原因。两星期前到以色列的时候，我在他公寓里住了两晚。既然他是单身汉（比我大两岁），我估计仅就我住他家这件事，就足以让库马拉斯瓦米和科萨等众先生取消我的资格，而我也早已将他们的名字从记忆中抹去了。这个结果并没有令我不高兴。在你断定我们肯定发生了肉体关系之前，我亲爱的哥哥，让我告诉你吧，我们凌晨三点钟在他的小两房公寓（在比希巴，年轻员工也就这待遇了）里睡觉的时候，我睡在他床上，而他则睡在客厅的沙发上。想想沙发的长度和杰夫塔的身高（1米95），你能看出他多有绅士风度了吧？

我想你会喜欢杰夫塔。他相貌英俊——以色列人所谓的那种英俊，很聪明，很务实，自然真诚，一个很好的谈话伙伴，从来不独占话题，而且衣服搭配得很糟糕（这里的大多数年轻人都如此）。还有，像许多本地人一样，他脸上永远留着二三天长的胡茬子，很快我就发现，它挺扎人的（我正试图说服他，说他把脸刮干净后一样具有男人味）。我差点忘了说他最迷人的优点了，尽管他宣称说自己的希伯来语听起来生硬粗鲁，但他说起英语来却妙语连珠。有一天，他说一个本地教授说话"像爱用假嗓子唱歌的蒂罗尔人（Tyrolean）做结肠镜检查时发出的尖叫声"。也许"爱用假嗓子唱歌的蒂罗尔人"无法翻译成希伯来语吧。

希望有一天你能来这儿看我，条件是你要顺从这个事实，那就是我不准备步（印度式的）婚姻途径。这么说并不意味着你妹妹我反对婚姻，情况恰恰相反，但得按我的方式进行。

让我以童话般的开头来结束这封信吧："在以色列国，有一座叫比希巴的城市,在它附近,有一个叫欧麦的郊区。在欧麦有一所小公寓,公寓里面有一间卧室,卧室里有一张双人床,床上躺着一对赤身裸体的男女,女的醒了——正在写信。"

就把这看作是你可爱的妹妹发出的爱的独立宣言吧。蕾娜

1980 年 2 月 25 日写于耶路撒冷。

亲爱的教授:

Shona tova(希伯来语新年快乐的意思)!我已经开始在 ulpan 上希伯来语课,也就是说,我已经过了只说你好的阶段了。看到了吧,我都能像当地人那样向你说"新年快乐"了,虽说是迟到的祝福。我之所以去上语言课,是因为我在比希巴呆的时间够长。那里的社交圈子只限于大学同事、同事的家人等——通晓多种语言的一群人,这在以色列没什么稀奇,他们只要一扎堆,就改说希伯来语,转换速度之快令人惊诧。老是问他们笑什么吼什么,我也问烦了。坦白地说,我急不可待地等着那天到来,到时不用可恩博士帮忙,我也能听懂人们讲的笑话。

他就是我在比希巴呆这么久的主要原因。他做的投药器能用,这令每个人都感到惊讶,包括戴卫逊教授在内,我们准备将它用于耶路撒冷第一阶段的临床试验。只要戴卫逊教授决定说用哪一种 α-阻滞剂做试验,临床试验便正式开始。他认为最安全的办法,是先用一种人们熟悉的降压因子来试一下,看看这个用于治疗勃起功能障碍的投药器好不好用,然后再检测我从布朗德带来的氧化氮释放因子的效果。戴卫逊教授正在从已经成为临床治疗高血压常规药品的 α-阻滞剂中寻找对海绵体组织特别有效的因子,看能否用它来刺激阴茎勃起。他的小组在这个领域研究了相当一段时间,所以路已经铺得七七八

八。戴卫逊教授相信,有糖尿病的男人——超过三分之一遭受勃起功能障碍之苦——将是临床上第一批广泛使用该产品的最合适的人群。

可恩博士从一开始就认为,用皮下注射针筒扎自己的阴茎不是个可行的办法。他之所以反对这么做,是因为他不喜欢用针头扎自己阴茎这种想法,这是一个男人的直觉和主观看法。但戴卫逊实验室观察到的现象,却被证明是无可辩驳的事实,他们发现某些药理活性物质从尿道进入后吸收的效果十分理想。可恩博士一下子被这种明显的矛盾性迷住了(我也是),尿道,一个用来排泄的器官,竟然也可以用来作为有效的吸收通道。

他的塑料样品是个模制品,有一个圆筒形把手,直径有一点五厘米,把手粘接在一个长四厘米、直径二—三毫米的结实的管子上——管子比标准导管窄了许多。这个东西外面套了个硬塑料壳,令整个器具看上去像个又短又粗的搅酒棒。使用投药器之前,男人要先小便,然后把多余的小便晃出来,退下保护套后,把开口端插入尿道,慢慢地把管子全部推入尿道,完了摁下活塞,释放出存在微小丸子里的活性成分。然后把管子抽出扔掉。不出意外的话,活性成分会被尿道里的少量小便溶化、吸收并被送入阴茎海绵体。起码,是这么计划的吧。当然了,我们都同意说,让男人服颗药片岂不更省事,但迄今为止,还没人找到将 NO 释放因子掺入口服药片的配方。据最近的小道消息说,辉瑞制药公司(Pfizer)的科研人员正在研究一种含 phospodiesterase 阻滞剂的药片。我想他们会给药片起名叫伟哥(Viagra)。看谁先跑到终点吧。

比希巴小组已经想出了一个名字:MUSA。这是一个首字母缩写词,不是"美国制造"(made in USA)的缩写,而是"性唤醒投药器"(medicated unit for sexual arousal)的缩写。可恩博士做了一打投药器。一个 MUSA 已寄出给你,请你过目,袋子上标有合适的标签,以便海关过关用。

如你所读,这是一篇非常简短的进展报告。只有等管子里装上戴卫逊教授选出的活性成分,我们才会开始真正的行动。不过,我看过有人将空的 MUSA 插入尿道,整个过程似乎相当简单,绝对没有痛苦。稍加训练,前后过程应该不超过二十秒钟。

已经是下半夜了,就让我用一句发自内心的 liala-tov(希伯来语晚安的意思)来结束这封信吧。蕾娜

如果我承认给教授写的信里全是和阴茎勃起及尿道插入有关的内容,那我的母亲、我的哥哥——就在几星期前,还有我自己——会做什么猜想呢?说实话,如果教授知道空 MUSA 首次插入活人阴茎时我在场,他会是什么反应呢?在具有真正英雄主义传统的医学界,第一位自愿者就是发明者本人——杰夫塔·可恩博士。

如果我们的项目按目前进度向前发展的话,我将不得不练就一套说话不脸红的本领,不得不练就在公共场合用坦荡荡的语气毫不含糊地说出下列词语的本领:阴茎、勃起、射精……我已经领会到以色列人的幽默能够有效地溶化、或是稀释印度女性的内向。最初,要凭借努力,但很快就成了习惯,好在还没上瘾。

跟教授或者老板有暧昧关系——换种说法,就是打破了上下级的隔阂——会令双方的关系变得复杂、危险、不得体,比这些更糟糕也说不定。我在斯坦福的经历告诉了我这点。但跟合作者会如何呢?特别是跟一位在阴茎勃起领域工作的合作者?这种关系为你在性方面提供了言论自由、行动自由,还有哈哈大笑的自由,这是我以前没想到的,更别说体验了。

在比希巴的第一晚，我太累，没注意到杰夫塔急切的心情，而他又太体贴，看我筋疲力尽的样子，便没把东西拿出来。然而，第二天他就迫不及待了。吃早饭的时候，他给我看了 MUSA 实样。现在回头细想，我意识到自己上了他的圈套。我是自己钻进去的。

他给我展示器具的时候，连带为产品做了宣传。"被偶尔用来治疗性无能的方法——用一根十二毫米长的细针头将罂粟碱注射进阴茎，以我的观点来看，根本不可行。起码在我所预见的这种产品的最终使用规模上……当然啦，糖尿病人知道怎么往自己身上扎针，但对大多数男人来说，不管在阴茎周围扎什么针，都能把他们吓个半死。"据他说，在大多数男人眼里，用针头扎阴茎的举动，与两个大写的 E 根本不兼容——勃起（Erection）和射精（Ejaculation）。我指着早餐桌上的 MUSA 问，他的两个 E 又如何与插入尿道的东西兼容呢，就算插进去的是 MUSA 圆钝的一端。

至此，躲在门外偷听谈话的人会作出判断，认为我们在谈公事，只是语气不太严肃罢了。桌上的 MUSA 刚巧放在两根香蕉和黄瓜旁边。在以色列，我早饭没少吃这两样东西。直到后来，我这位狡猾的杰夫塔才坦白说，他那天早晨把这两样东西端上来，就是想利用它们的象征功能。说来说去，他也认同我的观点，认为男人不愿意将任何东西插入尿道。他一开始就有这种顾虑。这也是他给产品起名叫 MUSA 的原因。他是这么想的，缩写词中的"性唤醒"部分，将成为建议的直接后果——计划在正式推出产品时，将该建议写进产品说明书——建议说，插器具的实际上是女方。

为了解释得更清楚，他把一根剥了皮的香蕉削成阴茎状，还是割过包皮的阴茎，熟练之程度表明之前做过不少练习。整个过程让我想起了早已忘在脑后的分类学：Musa 刚好属植物种类，而最像阴茎的这种水果——香蕉——就属这类植物。"拿好了，"他说着把 MUSA 和香蕉递给我，"试试，很好插。"我只接过香蕉，一口咬断了香蕉头。我不知道为什么会这么做。这种反应太不印度化了。不用猜我也能想象出来，门外假想的偷听者听到我们高分贝的笑声会作何猜想。

我听人说过，说性幻想之所以令人兴奋，是因为它纯属个人行为，是为幻想者量身订做的。但我从未读到过这种说法，说从头到尾径直谈论性问题的科学演讲会令人兴奋。我想到了一个合适的词来形容那种感觉，那就是快感——在维斯里读本科的时候，这个词在我们当中可时髦了。那个时候，我不太理解它的意思。但那天早晨我理解了，我敢肯定，杰夫塔也理解了。

他没费吹灰之力便把有关男人两个 E 的话题转到了女人的三个 I。他问也没问这个字母让我想到哪几个字，便一口气吐了出来：插入（Insertion）、授精（Inseminaiton）和植入（implantation）。"这三件事情至关重要，"他说，"有些女人做梦都想，有些女人惟恐躲之不及。"

说到这儿，离避孕的话题也就一步之遥了。我怎么看避孕药？他问。我用不用避孕药？以前也有人问过我这个问题（当然啰，在印度，从来没有人问过），是作为调情的开场白问的。但早饭时间问？我本可以对他说少管闲事，但自己刚咬断了人家雕好的阴茎，回答不够礼貌实在对不起人家。所以我话锋一转，问他以色列人用什么，特别是在部队里，因为他们男女都有服兵役的义务。"避孕药。"他的回答落地有声。"男人呢？"我问，"他们用避孕套吗？"

"避孕套？"他用希伯来语重复了一遍，然后摇了摇头。"可以去药店买。主要是英国杜蕾斯（Durex）牌子的避孕套。但要是女的没服避孕药，男的大多会采用体外射精的方法。"性病，看来是美国人的问题，不是以色列人的问题。"你服过避孕药吗？"他又问了一遍。那些忙于应征我哥哥刊登在《印度快报》上的征婚广告的有抱负有志气的新郎们,不管是科萨们还是库马拉斯瓦米们,他们做梦也不会想到问这个问题。说真的,如果听到我给杰夫塔的回答,他们绝对会掉头鼠窜,永世不再回头。

"用过,但现在没用"的意思是说自己不再是处女,只是目前性生活不活跃罢了。杰夫塔点了点头,这证明他打断我的话也是这个意思,尽管有痛经的女人也服用避孕药。然后他把话题一转,"趁安息日还没开始,咱们出去玩玩吧。"然后我坐上他开的沃尔沃车就出发了,目的地是大卫·本古里安在斯德·伯卡合作农庄的故居(David Ben-Gurion'Kibbutz Sdeh-Boker),在比希巴以南近三十公里的一个地方。"你,一个印度人,一定要去看看那个地方。"他神秘地说。

* * *

他没带我抄近路。在出城的路上,我们路过了那家主清真寺,清真寺对面的建筑时常让人想起与之对抗的文化——以色列军事总部的发射塔,发射塔外形纤细修长,上面贴满了微波碟。当我们穿过城边干河床上的主大桥时,映入眼帘的另一种反差令我惊诧。这次是生态方面的:周围是一望无际的沙漠,在荒凉的沙漠和远山之间,偶尔会看到以色列建国初期种下的怪柳和桉树,以及新居民种下的丰硕玉米和棉花。

杰夫塔绕路去故居的原因,是想路过那瓦第姆(Nevatim)——印度科钦移民住的村子,和另一个新移民城市第姆纳(Dimona)。砖墙和水泥垒起来的公寓楼呈土黄色或暗橘黄色,公寓楼唯一的点缀,就是家家户户晾在窗外的五颜六色的衣服——相当于内盖夫居民摆在窗外的小花篮,也就是欧洲中部阿尔卑斯山区居民摆的那种小花篮。没过多久,我们又回到了渺无人烟的地区,除了偶然会看到贝都因人

（Bedouin）的宿营地和远山脚下的磷盐矿，几乎看不到任何景色。"快看！"杰夫塔向右转弯后提醒我。他放慢车速缓缓前行。

眼前的景象十分吓人：直直的金属围栏，围栏上装了带刺的铁丝网，将数平方公里平坦的沙漠地与外界隔离开来，围栏外撒了一圈四米宽的干净沙子，以便随时发现擅自闯入禁区的脚印。我看到远处有一个银色的穹顶和毗连的高塔，穹顶和高塔四周种的全是棕榈树。难道这块沙漠中的绿洲是内盖夫的麦加（Mecca）、一个有重兵把守的清真寺和光塔？杰夫塔在空无一人的高速公路上将车子掉了个头。"核基地。"他说完猛地一踩油门。

斯德－伯卡合作农庄是沙漠中一块真正的绿洲。许多合作农庄也都是这样的绿洲，这是在东欧犹太人小村子接受教育的欧洲犹太人和他们的子孙在繁荣兴旺的沙漠上创造的一个奇迹。对我来说，最令人惊叹的是那条直线，好像是比着直尺划出来的，就是这条直线把绿油油的田野和土黄色的沙漠分隔开来。杰夫塔已经变成了一个喋喋不休的犹太复国主义者。他急不可待地要带我去参观几年前成立的沙漠研究院，还要带我去看另一家合作农庄。农庄的名字叫 Revivim——就是"雨量"的意思——是这个地区成立最早的合作农庄。"但首先，"他用几乎虔诚的语气说，"我要先带你去看本古里安的故居，他在那儿渡过了生命中的最后二十年。"

本古里安的故居是一幢带白色边框的房子，屋顶上铺的是波纹锡。我一走进那间只有零星几件家具的卧室，就明白了杰夫塔所怀的崇敬之心。每位印度人在甘地的故居都会怀有同样的崇敬之心。然后我在四壁空空的墙上发现了挂着的唯一一张相片：圣雄甘地的相片。在以色列，在内盖夫中心，我不得不承认我的眼睛湿润了。屋子给人的感觉好像本古里安刚刚出门，床头柜上摆满了书，黑色的拖鞋摆放在窄小的帆布床旁边,拖鞋头朝向房间,好像主人刚换下拖鞋去穿衣服。在隔壁的书房,也是满墙满桌子都是书,又是只有一张相片:不是太太的照片,不是家人的照片,也不是朋友的照片,而是他在部队的助手的相片,那个人后来自杀了。

* * *

在天空快要落下圣经中描写的那种倾盆大雨之前,我们赶回到比希巴。杰夫塔把车停在一家药店门前。"有什么要买的吗?安息日全都关门。"他问。我摇了摇头。这一次,我带足了日常用品和化妆品。

回到他的寓所,雨点开始哗哗地打落在窗玻璃上,杰夫塔点燃了安息日的蜡烛。"我的宗教情节也就到此为止。"他笑了笑,把从药店拿回来的小袋子放在桌子上。

那天晚上,我们做了爱,第一次用了他从药店买回来的避孕套。完事之后,我做了首次 MUSA 插入练习——尽管里面装的是安慰剂。"犹太人不应该在安息日工作,但我们可以请一位非犹太女孩来替我们工作。"他说着把 MUSA 实样递给我。

"我还以为你是个不守教规的犹太人呢。"我开玩笑说,但说实话,这个主意令我感到一种莫名的兴奋。倒不仅仅是因为我们都赤裸着身体随时准备做爱,而是因为从某种意义上说,这是一种科学实验。整个过程比声称的二十秒钟要长——我过分小心,加之两人又笑个不停。

哗哗的雨声突然唤醒了我脑海中关于印度的另一个印象,和美国的避孕套 Sheik、Trojan 等大牌子形成鲜明对比,印度流行的一种避孕套叫季风雨。"该季节一降临,"我给杰夫塔解释说,"男人女人都呆在屋里做爱。"

"那咱们就叫那些避孕套'revivim'好了。"他指了指买回来的日本进口避孕套。过完那个不够虔诚的安息日之后,希伯来语雨量便成了我们做爱的暗号。

＊ ＊ ＊

勃起功能是一个令人兴奋的领域。如果我不承认谈论这个题目带给我的乐趣，那我肯定在撒谎。作为参与该项目的专家——科研小组的唯一女性——我尽可以公开谈论这个话题。杰夫塔在场的话，我谈得就更尽兴了。详尽分析某些男同事对此事的反应成了我们枕边的悄悄话。要做到这一点，埃塞俄比亚大街的房子根本办不到，所以比希巴成了我性幻想与现实之间的中心地带。

不过，我越来越喜欢耶路撒冷了。该是时候让杰夫塔为性爱两头跑了。

6

"今天上午，背对窗外美景的位置是最荣幸的位置，"在简朴的教室里，耶胡达·戴卫逊把菲里斯·富兰肯沙勒请到了屋里唯一带把手的椅子上。"窗帘给拉上了，因为克里斯南博士要用反射幻灯机。"

蕾娜背对着屏幕，正来回翻看演讲用的透明胶片，她身旁是投影机。反射幻灯机是正规名词，耶胡达·戴卫逊喜欢在正规场合使用正规名词，还有正规头衔和正规领带。

除了杰夫塔，在座的都是哈德萨的人。除了自己部门的人，戴卫逊还邀请了心血管病和糖尿病的临床专家，他希望这些人愿意参与初期的临床试验。其他人都没系领带，连美国来的客人也没系领带。

戴卫逊用钢笔敲了敲桌子。"首先，让我正式欢迎富兰肯沙勒教授参加这次会议。就是他把克里斯南博士送到了我们这儿，正如你们大部分人所知，后者在这次三方合作的项目中扮演着关键的角色。"他朝杰夫塔的方向短促地点了点头，后者正忙着用一个破纸夹在清洁指甲。他点完头又转向蕾娜，"我请了克里斯南博士来总结项目的最新进展情况。在富兰肯沙勒教授离开之前，我希望咱们把要做的事定下来，看如何使布朗德的生物化学研究成果和本古里安生物工程方面的创造发明在临床上开花结果。"

提到本古里安的那一刻，杰夫塔正坐在椅子上往后翘，椅子在晃晃悠悠中找到了平衡点。自制的指甲锉掉到了桌子上。

"蕾娜，交给你了。"

她清了清喉咙。她一紧张就有这毛病，老也改不掉，尽管这一刻她极度自信。人员结构很有意思，当她的目光扫过桌面时，她这么想：有恋人，有导师，有同事。当戴卫逊建议由她来做总结的时候，她欣然接受。她想一次性地给这十一个人留下良好印象——要在这群人面前做到这一点，确实不是件容易的事，听众里面有菲里斯·富兰肯沙勒，一个对她仍像慈父般的人物；还有杰夫塔，他几个小时前刚见过她赤身裸体的样子。她决定把话说给两个人听：耶胡达·戴卫逊，她要想留在以色列，这个人可能会对她的事业起着举足轻重的作用；还有一位是内科医生，糖尿病专家。这两个人对化学所知甚少。蕾娜是这么打算的，重点讲一下自己的化学研究对临床治疗勃起功能障碍的重要性，结尾时把她将要开始的项目解释一下——她只跟杰夫塔谈过这事——这样也就差不多了。

她调整好声音，用清晰的嗓音开讲。"没有勃起，灵长目动物就不可能有自然繁殖现象。别管阴茎大小，大猩猩的阴茎相当小，或许也就人的大拇指那么长，"她用尽量随便的语调说，"但相对大猩猩来讲，人的阴茎可以说巨大，勃起让紧随其后的繁殖成为可能。"

蕾娜练习过这段开场白。她觉得这么讲挺合适：开门见山，有一语惊人的效果，同时又正对主题，而关于大猩猩的知识还能给讲话增添少许色彩。大部分女同胞在清一色的男人场合不太会讲这种事。她这么做，就是想建立进入这个俱乐部的资格。如果我能在清一色的男人面前驾驭这个话题，她这么想，以后的事便会易如反掌。

"据估计，美国起码有一千万到两千万——也许三千万——男人有勃起功能障碍。你们比我知道的更清楚，这种情况是因为阴茎的血流量不足造成的。"她看着听众，像是要找出潜在的受害者，"造成这个问题的原因，当然了，有可能是阴茎的平滑肌得不到放松，也可能是阴茎无法保持充足的血流量。"

她不好意思地耸了耸肩。"当然了，这对你们是老生常谈。现在，"她举起一个手指头，准备讲另一句精心排练过的话，"治疗性无能的圣杯，是一种可以让阴茎勃起的物质，勃起的硬度和时间足以进行令人满意的性交。这种药不受欢迎的副作用极小。还有，你们比我知道的更清楚……"蕾娜稍作停顿。她意识到自己刚讲过这句话。但多说一遍又何妨呢？这么说至少可以抬举一下一群听一个女人讲性无能的男听众，至少可以让他们放心。

"为了攻克这个难题，人们在过去进行过各种各样的尝试，有阿朴吗啡（apomorphine）口服药，这种药既让你勃起也让你恶心，也有将罂粟碱直接注射进阴茎海绵体的注射法，打针效果很好，但有可能导致阴茎异常勃起——好过头也是麻烦，"她低声补充说，"um，过一小会，我再讲这个问题。"蕾娜强迫自己不去看杰夫塔。只要瞄他一眼，她想，我就完蛋了——如果突然咯咯大笑能对我这种演讲起到锦上添花的效果，那又另当别论。

她整理了一下思绪。"我们需要找到治疗勃起功能障碍的合理方法，换句话说，就是掌握正常勃起功能的机制。这就把我们引到了NO——勃起的圣杯。"

讲完这句话，她打开投影机。

"因为在座的各位学科互不相同，我不敢肯定你们是否都知道这个现象，那就是服用多巴胺能激动药（dopaminergic agonists），比如阿朴吗啡，会令打哈欠和阴茎勃起两种现象同时出现。在公鼠身上肯定有这种现象，为了论证氧化氮的作用，检测时需要用到这种症状。"蕾娜迅速沿桌子扫视一圈，好笑的是，戴卫逊和一名医生正想打哈欠，想忍但没忍住。

"打哈欠和勃起同时出现的现象似乎没有在人身上出现，这也不是人特别想要的。"此话引起一串暧昧的笑声，蕾娜赶紧换上另一张透明胶片。

"在布朗德，我们特别感兴趣的是合成 NO 释放因子的新分子。"正如她在纽约对马兰妮·雷德劳所作的陈述，蕾娜重点强调了 NO 在生物系统中的高度化学反应和它极其短暂的半衰期。"这也就是为什么我们和其他许多竞争对手都在研发生成 NO 的更持久的源头。我在富兰肯沙勒教授的实验室里搞出了一组化合物，它们看上去很独特。"虽然心细到没忘了提导师的功劳，但为了强调自己的作用，蕾娜故意没说"我们"，而科学演讲会上通常都是提"我们"的。她指了指屏幕。"我们称这些物质为 NONOates……"

"咱们先别到处传播这个名词，"那位糖尿病专家大嘴一咧，笑着插了句话，"人们也许会获得潜意识的信息。咱们大家，"他一眼扫尽众人，眼光没把蕾娜落下，而后者连眼皮也没眨一下，"都知道心理因素对阴茎肿胀起多么重要的作用。接着往下讲吧。"他带着祝福的意思，把大手一挥，让她继续讲。

"好，"她的回答简短唐突，说完便停在那儿。不能让男人的这种敏感轻易得逞。"我准备先忽视你的心理问题……"

"我的?"那个男人打断她的话。窃笑声戛然而止，余下的男人说不准他是开玩笑还是发牢骚。

"不是指你个人，"蕾娜脸红了，"我是指心理因素对男人的普遍影响。"

"原谅你算了，"那个男人有些自负地说，"但为什么要忽视这些问题呢?"

"因为不论男人的勃起功能障碍是器质性的还是心理因素造成的，氧化氮都会起作用。一旦这种材料通过尿道散播开来，就会被尿道周围的海绵组织吸收……"

"阴茎海绵体。"戴卫逊插话说。

"正是，"蕾娜点头表示感谢，"从那儿就到了阴茎海绵体。"蕾娜意识到她的话对大部分听众是老生常谈，可她想让每位在座的人知道她知道这点。"如果 NO 能起到这方面作用，"她赶紧往下说，免得再被打断，"那我的 NONOates 也应该有同样效果。"她朝糖尿病专家瞄了一眼，"给它们起这个名字，是因为有两个 NO 分子串联在一起，与一个亲核体相连——这儿的亲核体是次级胺。我的这个系统，"她迅速瞄了一眼菲里斯·富兰肯沙勒，后者正向她点头，他的点头更像是支持和鼓励她使用占有名词单数，而不是不高兴。"妙就妙在，一方面，聚集的 NONO 会在细胞的水环境中自发地释放 NO。另一方面，通过改变次级胺的性质，可以调整 NO 连续释放 NO 的速度，因为NONO的功能就附着在次级胺身上。另外，胺柄的化学构型也将以可预测的方式影响这些分子的亲脂性。和杰夫塔的运送载体结合在一起使用,这种溶脂性相当重要。"她指了指杰夫塔正拿在手里玩的 MUSA。

"杜兰大学(Tulane)的海尔斯姆(Hellstrom)小组的试验数据表明,把某些初级 NO 释放因子,"蕾娜说初级这个词时表露出明显的不屑,"比方说硝普钠,直接注射进猕猴的阴茎海绵体所造成的勃起,比得上注射罂粟碱所造成的勃起。因此,莫迪凯,"她指了指作为他们小组成员的药理学家,"用他的几只猕猴建立了一套检测方法,以检测 NONO 对海绵窦内的血压、阴茎勃起后的长度和勃起持续的时间造成的影响。他选了两种化合物,将其编号为 NONO1 和 NONO2,请看下一张幻灯片。"几秒钟过去了,蕾娜还在为这些化学结构感到骄傲,她转身对富兰肯沙勒大度地补充了一句,"如果成功了,你也许得给他们起个更抢眼的名字。"

"现在说说哈德萨的贡献:观察到的现象——刚才间接地提了一下——在戴卫逊教授的实验室里观察到这么一种现象,要延长勃起时间,从尿道吸收药物比在海绵体注射药物效果要好得多。这让我想到一件事,"她从笔记本上抬起头,"不久前,霍普金斯大学的所罗门·辛德实验室(Solomon Snyder's)的一份报告称,氧化氮合酶的浓度——我们体内生成 NO 的发动机——在膜部尿道的浓度最高。比在阴茎的浓度高四倍。"

"说到这里,"蕾娜总结说,"要将我的 NONOates 送入体内,就得依靠杰夫塔的发明。"她伸手拿起 MUSA。她将 MUSA 举在空中,慢慢地将投药器从保护套中取出,"像香水瓶里的吸管……"

"太棒了!"杰夫塔打断她的话。"我一直想找个更好的名字来代替'杆'或'针'。干脆就叫它'外激素吸管'好了——女人将它慢慢地推入男人尿道时,它就应该能唤醒男人的性意识。这也就是为什么MUSA的全称叫'性唤醒投药器'的原因。"

"别跑题,"戴卫逊警告说,"东西是挺迷人的,特别是蕾娜展示它的方式,但作为一名行医的泌尿科医生,咱们不该低估一点,那就是男人不愿意在下身插任何东西。说到底,东西得管用才行,光吵吵哪个名字好听没用。"

"打住,先生们。"蕾娜笑着挥了挥手,"对某些人来说,MUSA也许像个香水瓶的吸管,对其他人来说,它也许像把匕首,但只有把装药的微小丸子放进管子里,它才能显露真正的重要性,"她握住圆筒形的活塞头,把东西举起来,"就我所知,到今天为止,只有空MUSA插进过阴茎。"她尽量不让自己看杰夫塔,相反,她低头看了一眼手表。"我超时了。我原本打算在结束前大概讲一下合成新的NO拮抗剂的想法——换句话说,也就是具有相反功能的化合物——等下次有机会再讲吧。反正,咱们目前的精力集中在生成氧化氮并造成勃起,而不是让勃起消失。"

"现在请戴卫逊教授讲临床方面的事。"她拿起透明胶片,离开了屏幕。

* * *

"刚才的表现很令人钦佩。"

富兰肯沙勒和蕾娜正站在大卫王酒店的大堂里。

"最令人钦佩的,"他重复说,"不光是你的讲演。你这六个月的变化实在太大了。你变得……"

"成熟了?"她哈哈大笑,眼里闪耀着喜悦的光芒。

他摇了摇头。"不光是成熟。看得出你是自信心十足。"

"你认为临床方面的计划如何?"

"我同意耶胡达的说法。在用 MUSA 装你的 NONOates 之前,我们得用一种已知的因子来论证尿道插入的可行性。我也同意不用罂粟碱来试——注射的剂量太大:要注射六十毫克才会有效果。结果要勃起十个小时怎么办?"他哈哈大笑,笑声有点尴尬。

蕾娜发现这种尴尬具有传染性,很奇怪。她的回答要是慢上一秒钟,听上去也许会随意得多。"那你觉得戴卫逊教授的提议如何?"

富兰肯沙勒若有所思地点了点头。"我觉得他这个主意行,先在 MUSA 里装入自然生成的血管扩张剂。用前列腺素 E1 有它的道理。就算在阴茎里,它也有新陈代谢,而罂粟碱就没有。加上用的剂量又小。瑞典的汉斯·海德朗(Hans Hedlund)已掌握了证据,说直接注射六微克——罂粟碱注射量的千分之一——就会造成勃起效果。"

"先给咱们的投药器定出有效剂量如何? 他不想先在正常人身上做试验吗?"

"你不是指'正常'人吧,蕾娜,"他纠正她的话,"有勃起问题的人都不想被说成'不正常'。你是说'有正常勃起反应的人'吧。"

我又忘了,男人有多么敏感,她想。"那当然。"她温顺地说。

"就算我们这么做,也证明不了什么,"他语气坚定地说,"我们不应该把它想象成是给整天玩女人的卡萨诺瓦们(Casanova)用的产品。我们必须把精力集中在由于功能失调引起性无能的那群人身上——有血管疾病、糖尿病、动过前列腺手术的人——老年人中比较常见的疾病。别忘了,在富裕国家,这个年龄组的人数在不停地向上攀升。制药公司肯定不会忽略这一点。"

"那我们就从正在接受治疗的人群开始?"

"绝对的。我很高兴耶胡达邀请了临床医生。他们很认真地在听你讲——他们肯定已经在考虑参加试验的人选了。我敢打赌,在我回美国之前，肯定会有人报名参加试验——过去能够正常勃起但现在丧失了这种能力的人。MUSA 要想显神威的话，就应该在使用几分钟后立刻见效，根本用不着看《花花公子》(Playboy)或《阁楼》(Penthouse)这类杂志。"

他朝电梯走去。"顺便提一句，"他停住话，伸出去的手并没摁电梯按钮，"明天我开车去比希巴。"

"哦?"这对她是个新闻。

他摁下按钮。"我想去见梅赫纳姆·迪文。他上午给我打了电话。"

* * *

"蕾娜，你太棒了。"门一关上，杰夫塔就一把抱住她，"说到勃起……"

"我棒吗?"

"也许现在不棒了。"他又紧紧地抱住她，她感到他的下腹沟鼓胀胀的。"在你讲话期间，我一直有勃起。就连直白的科学演讲也能让人勃起，真令人惊讶。"他领着她向床边走去。"你站在那里，那群男人中的唯一女人，你告诉他们说，你会用什么方法把他们的鸡巴搞硬。不知道他们中有多少人在幻想我们现在要做的事……你的 NO 肯定威力无比，但也别低估了受到强烈刺激的人脑的威力。"

* * *

"这个下午过的，"她轻声嘀咕。阳光从软百叶窗射进来，照在他们赤裸的身上，形成了一个斑马图案。"我和项目的合作者不是在实验室里工作，而是躺在这里，感到又满意又知足。而这都是因为我的教授还没调整好时差，还需要睡个午觉。"她用手将他的头发揉乱，"我不知道演讲后做爱的感觉会这么好。光线这么温柔，我都能看清楚你的每一根睫毛。太长了——简直像女人的睫毛。"

杰夫塔侧过身把她揽入怀中,但她挣脱了他的怀抱。"等一等,"她突然说,"我刚想起一件事。"她光脚蹦跶到窗边的小书架。"这儿,"她说,挥动着手里的《犹太教法规》,"我有东西要念给你听。"

"老天爷,"他痛苦地呻吟。

"就念一个禁忌!我保证。"她把书放在他肚皮上,开始哗哗往后翻。"禁止,"她如念经一般念起来,一只手堵住了杰夫塔的嘴,"在有光线的地方性交,就算光线被布挡住也不行。也禁止在日间性交,除非房间里暗得伸手不见五指。夜晚,如果月亮照在身上,也禁止……"

杰夫塔推开她的手。"我希望今晚有月光。本 mamzer 急不可待想再犯一次罪。"

* * *

"咱们能共享这个经费,我感到很高兴。"菲里斯·富兰肯沙勒说着话在椅子上坐下。

"除非你说的'咱们'是指各自的机构,不然就太抬举我了。"梅赫纳姆·迪文回答,"我的工作和科学不搭界。"他坐在破旧的椅子里摇来摇去,衬衫袖子捋到了胳膊肘,双手交叉在脑后。窗式空调在内盖夫夏天的热浪中发出低沉的轰鸣声。"你知道,我不是科学家——其实更像是工程师的类型,而现在只是个行政人员。我连昨天的研讨会都去不成,为此我深感遗憾。校董们这个星期要召开董事会,我得随叫随到。我宁愿去听有关 MUSA 项目的进展。"他露出谦和的笑容。

"谈的不只是 MUSA,你知道。真正谈的是氧化氮。"富兰肯沙勒的异议也就几毫米深,但迪文抱歉的笑容有好几厘米宽。

"我知道,我知道。我这么说是因为我对杰夫塔的工作比较熟悉。一个很聪明的年轻人,是不是?"

"应该是，"富兰肯沙勒回答，"我昨天第一次见他。东西设计得很聪明，这点毫无疑问。"

有那么一小会儿，两个人你看我，我看你，出现了尴尬的沉默，谈话陷入了僵局。

"我带你参观一下吧，"迪文提议，"我们没法和哈德萨比——反正目前没法比——但新地方总是令人兴奋。你会欣赏我们这儿的。布朗德毕竟也就三十年校龄，对吧？"

"这你也知道？"富兰肯沙勒吃了一惊。

"每有尊贵客人驾到，我们都要做足功课。"

建校后头十年，本古里安大学的建筑群——至少值得给客人参观的教学大楼——用不了一个小时就能看完。但这次由于天气太热，连走路也成了苦差事。于是，迪文把客人领到了校园规划图面前，向客人娓娓讲述了学校的历史及未来的规划。

正当富兰肯沙勒估计见面已近尾声时，迪文说，"还有一件事，我要和你商量一下。在一位校董的建议下，这位校董是你的同胞，他是专做风险资本投资的，并以此职业为业余爱好——两者兼备很少见，你得承认——我们已经递交了 MUSA 专利申请，在美国申请的。"他补充说。

"什么？"富兰肯沙勒吃惊地说，"你们不能这么做……"

"我们当然可以这么做。实际上，正如我们校董指出的那样，如果我们不这么做，不赶在东西发表出来之前这么做，那就是对学校失职。"

"那 REPCON 呢？你们的经费可是他们提供的！你不觉得应该先咨询一下他们吗？实际上，你们必须得咨询他们。"

迪文用手摩挲着下巴，他一边用眼睛盯着富兰肯沙勒，一边慢慢地说："又是又不是。现在的经费是他们出的，申请专利的事应该咨询他们。这是'是'的部分，也是我要和你商量的部分。"

"那'不是'的部分呢？"

"可恩最早的设计和最初的几个实样早就做出来了，那时我们根本没收过外界一分钱。因此，在这方面，REPCON 不能和我们同日而语。我们的经费远远不足。我的任务就是寻找经费来源。申请专利就是向那个方向迈出的一步——但这件事要想有结果的话，就得邀上其他人。所以我们需要征得你的同意和帮助。让我解释给你听。"

迪文的分析简洁明了，他的提议不能说不合理。本古里安的MUSA 专利必须尽快申请；由于法律方面的原因，布朗德和哈德萨机构都不能被列为申请人，因为从正式字面意义上讲，后两者均不是"发明者"。但 MUSA 又毫无用处，如果不给它装上活性成分——布朗德的贡献——及显示出功效，这正是哈德萨临床试验要展示的结果。就算试验成功了，这组由蕾娜·克里斯南合成的 NONOates 也得先申请专利，然后才能拿去发表或拿到公开场合讨论。

"我不太清楚昨天的情况，但你们可能说得太多了，消息很快会传开。"迪文提醒说，"如果你同意我的分析，那布朗德的人最好快点行动。如果你们需要和 REPCON 谈，就请尽快谈。"

"其实，我们不需要和他们谈，"富兰肯沙勒若有所思地说，"在拿到他们经费之前，NONOates 最早的研究工作已经完成。我回去后，马上找学校有关人员咨询一下。"

剩下的就简单了。他们一致同意将本古里安的投药器专利和布朗德的产品专利及使用专利连在一起申请，专利的发明者为哈德萨机构，他们还同意在富兰肯沙勒离开之前在耶路撒冷开一个三方会议。会议一致同意三方应享有同等利润；而三方按比例分摊的实际利润到底有多大，这个问题将留给大学的行政人员去讨论。

"没咱们的事了,谢天谢地。"富兰肯沙勒下结论说。

"你,也许没事,我可有事干了,"迪文咧开嘴巴大笑,"你忘了我是搞行政的了。"

＊ ＊ ＊

富兰肯沙勒站起身刚要走,迪文问他,"我猜你会和 REPCON 有关部门把申请专利的事讲清楚。你和他们的总经理熟吗?"

"马兰妮·雷德劳? 很熟。我作为朋友认识她……"他像是在算年头,"有六年多了。实际上,我是在她和贾斯汀结婚后认识她的。我先认识他的。"

"她丈夫什么样?"

富兰肯沙勒疑惑地看着他。"贾斯汀? 一位杰出的科学家。"

"就这些?"

"我不知道你想知道什么。他人品也很好……一位真正的好人。你怎么想起来问他?"

迪文摇了摇头。"纯属好奇。顺便问一句,雷德劳博士好吗?"

"正在享受当母亲的快乐。"

7

1980 年 12 月 24 日写于耶路撒冷。

亲爱的教授:

人适应当地环境的速度这么快,说起来真是令人吃惊。我刚要开始写信,这才意识到你的实验室关门了,圣诞节放大假。在耶路撒冷这儿——起码在犹太人的耶路撒冷——今天只是另一个星期三。不管是放假的日子还是上班的日子,今天是一个真正值得纪念的日子:MUSA 成功了!我们在三十一岁至五十九岁的十二位自愿者身上进行了药剂量测试:四个糖尿病人,四个有血管疾病的人,其余的人都是因前列腺切除术导致的性无能。前列腺素 E1 的有效剂量——也就是说勃起质量良好,持续时间三十到六十分钟——在二百五十到五百微克之间(但最年轻的那位在注入一百二十五微克后就有了反应)。作为草案的一部分,我们制定了一套相当原始的计分方法来评估勃起质量——五分制;五分为最高分,三分为"有可塞性。"(我得强调一句,这个词不是我想出来的,是一位泌尿科男医生想出来的!)杰夫塔·可恩正在做一个可以把数据打印出来的设备。如果能用的话,我再给你细说。

我能理解(本人未亲临现场),开始的时候,每个男人多多少少都不愿将 MUSA 插入自己的尿道。但插的过程实在是又快又简单,效果又明摆在那儿,让你不信也不行(几分钟内便出现了三—五分的勃起),插第二轮的时候,他们就都没问题了。

我们正考虑将前列腺素 E1 的剂量加大到五百——一千微克,但做起来要小心。小心的原因是,有一位"正常"的自愿者(我们都知道引号代表的意思)草率地决定采用七百五十微克的剂量。结果我们采用了相当大胆的手段才帮他把勃起消退。这事让我确信,我们对剂量要格外小心,免得 NO 释放因子上临床试验的时候导致勃起过头。

目前,我们的任务是把用在 MUSA 里的 NONO1 和 NONO2 的灵验性表现出来,在做好这项工作前,我没必要在 NONOates 上做更多的化学研究工作。过完普瑞姆(Purim)节不久,亚急性毒理性试验就能做完了，到时戴卫逊教授就会给临床试验开绿灯。在老鼠身上做的急性 LD50 毒理性试验非常成功：它们打着哈欠勃起了，一点问题都没有，可等超大剂量注射下去——那一刻，用莫迪凯·鲁宾的话说，"它们含笑而死。"由于 NONOates 是种新的化学实体——和前列腺素 E1 截然不同，人们对后者了解甚多——莫迪凯正在兔子身上进行为期六十天的试验。MUSA 无法插入兔子的尿道，可他想了个办法，用小眼镊子将装有药物的微小丸子塞了进去。你要做的就是把兔子背朝下放倒，把它两腿分开，让它像瘫了似地躺在那儿就行了。稍加练习后我也能做。

只要 NONO1 和 2 在人身上应验，那作为治疗勃起障碍药物的 NO 释放因子就会像曙光一样在我们眼前冉冉升起（这恐怕是双关语的意思——但和我这几天在实验室里听到的话比起来，真是小巫见大巫）。

那位"正常"自愿者的经历清楚地表明，我们还需要 MUSA 能够输送一种消肿因子。在 MUSA 内装入有效的生物合成的 NO 阻聚剂也许能达到这个目的，但用 NO 清除剂的效果会如何呢？这应该远比口服传统的血管收缩药舒达菲得（Sudafed）效果要好得多。在开始阶段，我们也许会给 MUSA 装上去氧肾上腺素，以便观察此类化合物能否使用尿道插入的方法。

后附 NOS 阻聚剂清单。我从保罗·菲得曼（Paul Feldman）发表的文章里找到了精氨酸的化学结构和 NOS 活性位的最新模式。关于 NO 清除剂，我有些热门的想法，下封信里再谈这个问题吧。我联系了这儿药剂学院医药化学系的拉费尔·莫愁姆教授，看能不能借他们的实验室用一下。莫愁姆很善解人意，据我猜测，他是希伯来大学校长候选人，在当地有一定的影响。请告诉我你对这个计划的看法。

Shalom。

蕾娜

另：戴卫逊教授对第一阶段临床试验的最终结果相当乐观，他已授权我们那位药理学家，说，如果兔子的六十天试验没问题，他就可以开始着手在啮齿动物身上进行为期两年的毒理性试验。对我们在人身上开始做的试验来说，在兔子身上做的亚急性毒理性试验足够用了，但如果临床上要延长药物的使用时间，那就必须排除药物有致癌性（上帝不允许！他们这儿兴这么说）。生物学系统中的亚硝酸化合物，是谁也说不准的东西。现在开始两年口服喂食毒性试验的话，应该能为咱们赢得一点时间。

我不知道，如果我把杰夫塔和MUSA超载的事如实告诉教授，他会怎么想。

杰夫塔也许是个mamzer，但在某些方面，他又是个典型的以色列大男人：我们刚认识不久，他便对他的九十七号文档大吹特吹。我被说得一头雾水，根本不知道他在讲什么——这个缺点，他很快就改了过来。

好像每个以色列人过完十七岁生日都要去做体检——身体和心理两方面——为即将要服的兵役做准备。体检得到的分数便被用来做文档号。杰夫塔的体检分数，我猜，是九十七分。

"不错嘛，"我说，"怎么没得一百分？"

"一百分？"他听上去有点生气，"根本就没这种文档。最高分是九十七分。"

用杰夫塔的话说，没人得一百分是因为犹太男人的身体不够完美，想必是割过包皮的原因吧。如果这个理由成立，那是不是说割包皮是为了告诉男人他不够完美呢？是不是说他应该表露出一点点谦虚的态度呢？那参军的女人怎么计分？她们能拿下额外的三分吗？

我也许永远都找不到答案。近来我们的谈话总是围绕着研究成果的商业意义打转——他和梅赫纳姆·迪文谈过几次话的结果。迪文认为项目所涉及的一切——MUSA、NONOates、勃起药物的尿道插入法、就连最终的 NOS 阻聚剂——都应该申请专利。我没怎么想过这个问题，但迪文的观点很有分量。全球使用 MUSA 的人数大概有多少？当我把实际数字告诉迪文，说有成千上万的人遭受功能性勃起障碍的时候，他给我的感觉是，他已经在计算可以挣多少钱可以给本古里安校园盖几座教学大楼了。

就是这次谈话让杰夫塔坚信我们必须找出——越快越好——正常男人对这种治疗方式的反应。他们会不会也是潜在的使用者呢？

"谁算'正常'人？"我问自己这位差三分满分的男人。

"一直往下数，数到二十一号文档。"他哈哈大笑，这显然是部队的最低录取分数线。

于是，这事便在两星期前发生了，在我们行完云雨的安息日之夜，杰夫塔坚持要试一支装有前列腺素的 MUSA——他能搞到手的就这么一只：七百五十微克，第一次搞剂量测试时剩下来的。

他采取了一项防范措施：他要我在和他性交完半小时后帮他插进去。我们有一个星期没见面了，他想让药物导致的勃起区别于自然勃起。几分钟后，杰夫塔的反应达到了顶峰。我们又忙不迭地开始做爱。

最初，一切正常。比较好，说实话：我手中的 MUSA 能给男人如此威力，令我感到无比兴奋，杰夫塔也拿下了五分——少说也有五分。然后他就开始哼哼唧唧，到了最后，他侧身躺在床上，人蜷缩成一团，嘴里发出痛苦的呻吟，像是要把硬邦邦的阴茎藏起来。

我不知道该做什么，除了抚摩他的脑袋，嘟囔些没用的话，说很快就不痛了、阴茎很快就会软下来之类的话。但杰夫塔站起身，在屋子里走来走去，走了近三十分钟，他边走边咬手指头，不想让自己发出痛苦的呻吟。我说叫个医生吧，但杰夫塔听了直摇头。最后，我实在忍不住了，"杰夫塔，"我低声说，"我给耶胡达·戴卫逊拨电话。电话接通后，我就把话筒递给你，你跟他说，跟他说实话，但别说 *MUSA* 是我插的。"

剩下的就不用绕弯子了。戴卫逊没表示关心，更别提同情了。"脸朝上躺在床上，这样会减少流体静力的压力。不管出现什么情况，千万别站起来，也别来回走动。更不要侧躺。给腹股沟和大腿根做冰敷。"他说，并开了六十毫克的舒达菲得。杰夫塔从哪儿打来的电话，他连问都没问。"咱们最好谈一次。"他挂电话时扔下这么一句话。

我把小冰箱里所有的冰块都装进了杰夫塔的袜子，再把袜子塞进塑料食品袋，然后把食品袋塞进他蜷曲的两条腿之间。见没塞满，我又拿了一罐冰啤酒，让他夹在了大腿根。等他平静下来，我赶紧去敲隔壁邻居的门，问他们要了更多的冰块，也就这一家人能让我在安息夜前去打扰又不会让我感到不安。谢天谢地，他们不是犹太正统派教徒。

8

"克里斯南博士？"高个子美国人问，"我叫马丁·盖斯勒。我是学校的校董。可以和你聊聊吗？可不可以叫你蕾娜？"

Lama lo？她差点说出来，但她只是点了点头。他们正站在乱哄哄的人群中参加本古里安大学新教学大楼的动工仪式——梅赫纳姆·迪文校园规划图里又一座模型变成了实物。杰夫塔邀请她来参加，因为他的实验室将在新教学大楼里占据一席之地。太阳刺得人睁不开眼睛。

"咱们去那边阴凉地谈吧，"盖斯勒向怪柳的方向指了指，工地上灰尘太大，树叶上落满了灰尘，"去喝点冷饮。我有个提议。"

"我有个提议。"盖斯勒是这么开始的。仔细想一想，提议可以涵盖性和商业两大方面。在眼下这个场合，它和商业有关，这让我吓了一跳。

杰夫塔和梅赫纳姆·迪文提及专利问题的那天，我从他们嘴里听说了盖斯勒这个人。当时，他们并没提他的名字，只说"那个美国人。"尽管本古里安大学的好多校董都是美国人。

以色列的科研机构——像希伯来大学（Hebrew University），威斯曼研究院（the Weizmann Institute），还有本古里安——都爱把董事会搞得特别庞大。董事会的大部分席位属荣誉性质，是专门留给捐款人的，一来是希望他们继续捐款，二来是希望他们介绍新的捐款人，而新的捐款人又会加入到董事会中——慈善行为的一种扩散方式，而大学也乐意培育这种方式。董事会里挤满了慈善家、社交名流、干好事的人、甚至还有些骗吃骗喝的主。但除了这些人，总有些干实事的人，他们开会规模不大，但干的事不少。据迪文讲，"这个美国人"就属于那个特殊的小群体，而这个人，又像该群体中的其他成员一样，被校方看作是极有价值的人。以色列建国几十年后，有一部分美国人（真是少见，竟不是犹太人）成了犹太复国主义者，他就是其中的一位。这批人是新兴企业家，能让他们佩服的只有成功、只有令人骄傲的资历，而他们也准备以此（正如他们所说）"作为筹码"。他们不是带着浪漫的情怀目睹以色列从具有历史意义的合作农庄中诞生，而是戴上现代设计师的眼镜，用典型的美国风险投资家的眼光，将兴趣锁定在高科技企业和高价值的出口产品上，他们对当地的柑橘以及蒙特卡梅尔山（Mount Carmel）的红酒连看都不看一眼。

等他把提议说完，我这才意识到，这个马丁·盖斯勒，就是杰夫塔和迪文口中的"美国人"。我没把他想成是这种高大威猛的男人，跟个运动员似的。他看上去比实际年龄要小十岁。他的头发很短，很精干，脸上也没有以色列人脸上那层长了两天的胡茬子。在他的鹰勾鼻子上是一对非常漂亮的眼睛。我想忍住不看都不行，他两眼紧盯着我，没离开过一分钟。

作为开场白，他承认说，我们在 NO 神经传递方面所做的基础研究工作相当了不起。他对我说，他自己虽然不是科学家——实际上，他读的是 MBA——但他在制药行业呆的时间相当长，练就了识别好产品的敏锐嗅觉（在那一刻，当然啦，我无法知道他对这行是多么精通。我是后来才知道的）。他承认我的 NONOates 被认定——他稍一鞠躬，以示对我的认同——将会帮助（他没说"可能会"，这让我心生欢喜）有勃起功能障碍的人（他连正确术语都知道！）。但是，他提出了一个问题，他的身体向我斜靠过来，我们到底有没有从投资角度考虑过阴茎勃起将会是一项多么绚丽辉煌的事业呢？

"坦白地说，没考虑过。"我说。这是我本能的反应。我所受的教育是为了当一名学者，思想纯洁得很，没受过玷污，更不会触及利润这种粗俗的念头。

"那么，作为这所大学的校董，让我来告诉你吧，"他转身对着刺眼的太阳一挥手，"有一个千载难逢的机会摆在这所大学面前——也摆在布朗德和哈德萨面前。"说到后两者，他的声音低了许多，或许是想强调后两者对他不那么重要吧，"一个带来资产和收入的机会。通过股票获得资产，股票最终会变成财产，并通过征收特许使用费来获得收入。"

为什么要告诉我这些？我感到迷惑。

他似乎读懂了我的想法。"所有这一切的关键就是美国市场。你们这儿的人……"他又朝着太阳一挥手，"根本想不到要费多大周折才能让你的NONO——顺便说一句，这是个朗朗上口的名字（我忍不住面露喜色）——通过FDA的批准。而这正是你能起作用的地方。"

我的胃口被吊了起来，但就在这一刻，董事会主席打断了我们的谈话，他正发了疯似地到处寻找盖斯勒。两个人匆匆忙忙地跑进了炎炎的烈日里。

"回来感觉如何？"富兰肯沙勒的问话让人想到一位父亲的问话，"有……多久了？有一年半了？肯定想我们了吧。"

"其实……"蕾娜犹豫了。杰夫塔给她塞了一本薄薄的书，让她在飞机上读——中国老子的《道德经》。有一句话老在她脑子里打转："信言不美，美言不信。"她不明白老子为什么把话说得那么绝。

"没想过，"她鼓足了勇气，"没时间想。我同时干好几件事……"

"可你效率高呵。"

当然了，这是夸她的话，但她又想起了老子的另一句名言："信不足焉，有不信焉。"又说得那么绝！她提出了相反意见，"光有效率根本不行。结果噌噌噌地往外冒，就好比喝消防水喉里的水。"而我的个人生活不是更有过之而无不及嘛，她在心里补充说。"但是，回到老实验室是很高兴，就算只呆一二天也好。另外，我想感谢你让我发这个言。"

"该你发言，"他慈眉善目地说，"再说了，让那些泌尿学家听听我的女博士讲话没什么不好。"

"大多是泌尿学家？"

"应该是吧。团体的名字叫'国际性无能研究中心'，应该还有其他学科的代表，像心理学、精神病学、内分泌学……肯定有老年病学……也许还有研究流行病的怪人。不过，这个研究中心的大部分成员都是泌尿学家，也就是说都是男人。"

"我是想问，"蕾娜的声音听上去很好奇，"他们为什么不给自己起名叫'国际勃起功能障碍研究中心'？"

他耸了耸肩。"也许有它的历史原因吧。也许泌尿学家喜欢直截了当。"他哈哈大笑，"我想咱们也得和他们一样直截了当，你说呢？你先讲一遍。看看你在三十分钟内能讲多少。"

"这也是我刚才对名字好奇的原因。"她打开袋子拿出一叠幻灯片。她把第一张递给富兰肯沙勒。"我想一开始就亮出观点，说，'性无能'——通常是指无法达到或无法保持正常勃起以完成令人满意的性交——这个名称不仅所含意义有限，而且还带有许多贬义的成分在内。"她把幻灯片上的内容直接读了出来，"就算有严重勃起功能障碍，但性欲、达到性高潮的能力和射精的能力，有可能一样不缺，也许这些能力只是受到了某种程度的伤害。但是，有缺憾的性功能会导致自信心下降并出现忧郁症。"

"你听上去像个性理疗专家。你从哪儿听来的这些东西？"

蕾娜顿觉脸颊发热。她匆忙往下讲。"本古里安医学院的一些临床医生,他们在医院里重点强调'整体病人'这种叫法,他们特别喜欢将男性性无能分为两种,一种是器质性的,一种是心理因素造成的。我不想只做 NO 的基础研究工作,我想知道咱们的 NONOates 能对男人有什么帮助。戴卫逊教授让我参加了大部分临床问题讨论会,就连第一批自愿者的面试也让我参加了。顺便提一句,他们大部分是内科医生。"

"真的? 不简单呵!"

她又回到幻灯片的内容。"我会把去年在耶路撒冷讲的流行病的内容重复一遍,大约有一千万到两千万美国人遭受勃起功能障碍之苦,但要加上有部分勃起功能障碍的人,那总人数就要在原基础上增加百分之五十。然后我就把 NO 在勃起中起关键作用的证据总结一下,并且……"

"一定要说勃起的'圣杯!'你在耶路撒冷说这句话的时候,我好像真有听到歌剧《帕西法尔》(Parsifal)序曲的感觉。"

我的天,蕾娜想,还真起到了效果。"好吧,"她点了点头,没抬脑袋,"然后我就给他们讲咱们的 NONOates。用一张胶片就够了,因为在座的人里不可能有化学家。然后就给他们看这个放大的 MUSA 图片。我要让他们看清楚,微小丸子放在什么位置,然后又是如何将它推入尿道的。不过,发言的重点会放在最新临床数据上。这些数据都集中在最后三张胶片。"

"三张胶片全是数据,也许多了点——起码对我来说,味口有点重。"

"我和戴卫逊教授谈过这个问题。他觉得这方面的内容不应该一带而过,对临床医生组成的听众来说,这部分肯定最有说服力。不过别担心,我有办法吸引他们的注意力。我会先讲这个东西。"她又递过一张胶片,"这是我们对勃起硬度制订的打分方法。"

富兰肯沙勒将胶片快速浏览了一遍。最低分,一分,表示失败;二分表示有肿胀;而三分形成完全肿胀。在优质润滑剂的帮助下,达到三分的阴茎刚好可以插入阴道,因此,套用泌尿科医生的话就是"有可塞性。"达到四分和五分,当然,进行正常性交就毫无问题了。

"你还没看下一张,是杰夫塔的主意。"她递过胶片,等在那里。

"这是什么东西?"富兰肯沙勒满脸疑惑地问,"我不是指阴茎,我是指这个复杂的装置,杀鸡焉用牛刀。"

我无法绷着脸把事情从头至尾给教授讲一遍。这是杰夫塔的主意。在他看来,一——五的记分方法太粗糙。"太重质量值,"他说,并露出不屑的神情,"看我能不能找到更好的方法。"他找到了。

在一个例行云雨的星期五晚上——已不用避孕套了,因为我已改回服避孕药——我的杰夫塔挺着四点五分以上的阴茎面对着我。"用左手握住他,"他说。私底下,在我俩之间,总是说"他"。"现在用杯子压他的头。"他拿出一个自己做的小玩意,是个凹形橡胶杯,杯子用一根弹簧绳系在一个压力表上。我把杯子轻轻压住他的阴茎头。"大点力,"他说。我开玩笑说,指针要指向一千了,可他不耐烦地挥了挥手,让我闭嘴。"一直压到他低头为止,"他说,"不然压他干嘛。"我往下压,使劲地压,杰夫塔的眼睛紧盯着指针。"六百二十克,"他的阴茎刚一弯曲,他便大叫一声。他带着胜利的喜悦望着我,"看到了吧? 这就是用数量值来测硬度的方法!"

我眯起眼睛看了看指针,"六百二十?"我说,听上去很失望。

"还给我。"他一把夺回了那个玩意。

* * *

"弯曲值,"这是杰夫塔给它起的名字。在几个"正常"的自愿者身上做了试验——都是他部队里的老战友，那些人带着一争高低的心情前来接受挑战，压根儿就没把它当成是科学试验——结果表明，达到四百五十克以上就足可以性交。耶胡达·戴卫逊觉得这个东西很好玩，对它也很感兴趣。最后，他要求我在纽约发言时仍旧用——五的记分方法，但他说我可以透露这个消息，说以后的研究项目将采用杰夫塔的"阴茎弯曲表"来做数据分析工作。

蕾娜在最后一张胶片上所做的总结，虽然仍处于初级阶段，但还是给人留下了深刻的印象。总共有三十七人参与了由安慰剂控制的双盲试验，试验中采用了 NONO1 和 NONO2 的不同剂量。两种因子都令百分之八十的人达到了三—五分的勃起——很了不起的结果，这些自愿者都有勃起功能障碍史以及有导致勃起功能障碍的各种功能性疾病。由于 NONO2 造成的四分以上的勃起较多，所以这种因子被选中来做下一步试验，以确定阴茎异常勃起的概率，及其他副作用。对这项试验来说，阴茎异常勃起被定义为勃起超过三个小时。疼痛感，当然了，将被作为另一个问题来考虑，不过到目前为止，还没碰到过这种现象。

富兰肯沙勒听了很高兴，热情高涨，所以，当蕾娜说他们正在和哈德萨的项目审查委员会（Institutional Review Borad）进行抗争时，富兰肯沙勒差点发火。

"这个 IRB，所有临床草案都得他们批准，可他们却成了绊脚石。"蕾娜对富兰肯沙勒说，"对这些初期阶段的试验，他们同意说用兔子做毒理学试验就足够了，可现在咱们想增加试验人数并延长使用时间，他们的问题就来了。我承认 NONOates 是种新的化合物，用起来要小心谨慎，但咱们用的量多微小呵，你也知道，有效剂量特别低，用的时间又短,平均也就每星期两次吧。"

"那 IRB 想知道什么?"和蕾娜的语气一样,富兰肯沙勒对 NO-NO2 情有独钟。

"首先,他们提出有无可能致癌的问题,特别是现在,咱们不是想找一批自愿者,想在他们身上重复用药并做长期研究嘛。"

"这个问题不过分,"富兰肯沙勒承认,"咱们对付的毕竟是亚硝基化合物。"

"我们已经在老鼠身上开始了两年的喂食毒性试验。等第一年结束——再有几个月就结束了——他们要求在服用剂量最大的动物身上做病理检测。万幸的是,毛德才用的动物数量够多,可以牺牲一部分。"

"还有其他要求吗?"

"还有两个要求。第一个,我已经开始实施,就是用有同位素标志的 NONO2 做详尽试验,以确认可能产生的所有代谢物。但是,第二个要求,是我远远没有料到的。他们要咱们考虑 NONOates 对妇女的影响。"

"我不明白,"富兰肯沙勒闷声闷气地说,"没说要给女人注射这种东西呵。第一次用装有前列腺素 E1 的 MUSA 做试验的时候,没人提过这个问题。"

看到教授和自己有同样的盲点,蕾娜感到很高兴。"说起来,咱们是在给女人注射这种活性成分,通过男人射精来完成。没早提这个问题,是因为前列腺素是精液的自然成分。"

富兰肯沙勒猛地一拍自己的脑门。"怎么把这点给忘了!女人每天从射出的精子里得到大量的前列腺素——不是说每天,当然啰,但是……"他的声音越说越小。

"正是，"蕾娜严肃地往下说，"所以委员会提出了射精转移 NON-ates 的问题。'如果你因子的半衰期长达三十分钟怎么办？'IRB 一位当医生的委员这么问。"

"什么意思？咱们的目的不就是想让它那么长吗？"

"如果有的男人早射了，并且射得很多，怎么办？"

"对这些男人来说，这简直是天方夜谭，"富兰肯沙勒低声嘟噜，"大部分人都五十多岁了，还有更老的。不过，总得有人回答他们的问题吧。"

"当然了，"蕾娜说，"戴卫逊教授说，我们根本用不着争论这个问题。他正组织一群年轻、健康、'正常'的自愿者来做试验，"蕾娜用手打了个引号的手势，"大都是医学院学生，他们被分别要求在注入 NONO2 的三分钟、五分钟、八分钟、十二分钟、十五分钟和二十分钟之后进行自慰并射精。他们会在泌尿诊所做这个试验，有人负责掐秒表，我负责检查新鲜精液中的 NONO 含量。"

"就这些吗？"教授问，松了口气。

"目前就这些，"蕾娜点了点头。"IRB 会让我们进行第二阶段试验，试验对象是患有各种功能性疾病的一百五十名自愿者——和手术、神经系统及药物理疗有关的勃起问题。他们还需要一些数据，表明药物有更广泛用途的数据，只要两次插入 MUSA 的时间起码间隔四十八小时，而这么做是为了避免未代谢药物可能会延长药性。但真要进行第三阶段试验，得等到长达两年的老鼠喂食毒性试验结束，等到详尽的药理报告出来才行，也就是说要等到一九八二年的下半年。"她探过身，两眼放光。"你知道，我从来没想到参与开发一种有疗效的药物会令人如此兴奋。现在，我很想知道全部做下来需要……"

"全部做下来?"

"直到拿下 FDA 的批文。到目前为止,该做的在以色列全做了。不过要想将 NONO2 变成商品,美国是最重要的地方。"

"你真是雄心勃勃……"

"是的,"她语气坚定地说,"而且还很好奇。所以,开完会回以色列之前,我要到加利福尼亚去几天。"

"去干什么?"

"去见一个叫马丁·盖斯勒的人。这人以前是 ZALA 公司的CEO。这家公司位于巴洛奥妥的斯坦福工业园。我有四年多没回斯坦福了,不过,我读研究生的时候就知道 ZALA 这家公司。它以前叫扎法纳里实验室,是以阿尔法度·扎法纳里的名字命名的,这人是药物导入新方法的权威。据盖斯勒讲,要让新的药物导入器,如 MUSA,拿到 FDA 批文,需要通过纷繁复杂的手续,而这家公司熟知其中的每一个步骤。就给你举个不起眼的例子吧:盖斯勒建议,我们绝对不要把 MUSA 说成是一种'器'。"

"那他建议说什么? 小发明? 小东西? 小玩意?"富兰肯沙勒越说越气,这种建议明显不够数嘛。

蕾娜哈哈大笑。"实际上,他不是说着玩的。他说'器'有调节的含义在内,在 FDA 的眼中,这个词让他们想到起搏器、宫内避孕器等类似的东西。肯定批不下来。他建议咱们把 MUSA 说成是'平台',一种导入药物的新平台。那样的话,他们就只会将注意力放在两方面——NONO2 的安全性和灵验性上。"她又笑起来,"咱们有大把时间决定它该叫'平台'还是叫'装置',盖斯勒已经安排我和 ZALA 公司政策法规部门的人见面,以便了解我们在 FDA 那儿会遇到什么问题。更重要的是,我想感觉一下做这些试验需要筹多少钱才够。REPCON

的经费支付在哈德萨进行的临床试验肯定是不够的。而在美国要做的试验，范围更广、花的钱更多，两者相比那是小巫见大巫了。"

富兰肯沙勒在屋子里走来走去。他想换话题的时候总是这样。他停住脚步看着蕾娜。

"告诉我，"他缓慢地说，"REPCON 经费用完之后，你打算怎么办？我们可以，当然啦，继续申请经费，我想应该能批下来。但不能让你用没到手的钱继续做研究吧。你大可以成为优秀的科学家，没必要那么做。要不回美国找个大学老师的工作怎么样？你想过这个问题吗？"

"老实说，我想过。"

杰夫塔也想过。

"你会考虑在这个国家住下去吗？"

他问过好几遍同样的问题，我从来没说"不会"。但我也从来没斩钉截铁地说"会"。我总是用一句"看情况"来搪塞他。

归根结底，问题的关键在于，我们是不是会永远在一起。

我过了一段时间才意识到，他的 mamzerut 身份让他甚为烦恼。你也许以为像他这种不受教规约束的犹太人，其宗教情节仅限于在安息日点一点蜡烛、在赎罪日守一守斋，这种事不太会影响他。但我看得出来，杰夫塔对自己以色列公民的身份、对自己参加过赎罪日战争的退伍军人身份、事实上，对自己作为犹太复国主义者的身份做过思考，他——跟大多数以色列人一样——碰巧都没有宗教情结。他也把这看成是对他父母的极大侮辱——遵纪守法的正派人家竟被旧账新算，被认为是多年非法同居。我甚至怀疑他的单身汉身份，三十岁了还不结婚——在以色列同龄人中相当少见——和他的疑虑有关，他要想在以色列结婚，就得暴露自己 mamzerut 的身份。

最后，也说不清是谁向谁求的婚，谁说的 lama lo，"咱们结婚吧？"从正规程序上说，应该是杰夫塔问的。但实际上呢？全部说完做完后是谁求的婚呢？谁问的，谁答的？这个谜团如道教般神秘。

"是 Mamzer 还是合法子女，"我说，说的时候根本不知道这两个字是反义词，"管它呢！你要是和印度教徒结婚的话，是什么根本无所谓。"

"我还以为你会考虑皈依呢。"他提醒我。

我这才意识到和犹太人结婚对杰夫塔来说是多么重要。"是的，理论上可以这么讲，"我说，"但我肯定不会皈依犹太教正统派。"我从没跟他说，其实我已经去了拉比会堂，那是发布宗教律法的地方。杰夫塔在比希巴的一位朋友带我去的——英军统治时期留下的一间士兵宿舍。我一跨进门，还以为自己进入了十九世纪东欧犹太人住的小村子：成千上万的文卷被绳子绑在一起，从地板摞到了天花板，头戴黑帽身穿长袍耳边留两撮长发的男人们，有些还站在梯子上，正把文卷往地上堆，边堆边吹文卷上的灰尘。我掉头就逃。

"就算你皈依了，我的孩子还是 mamzers，"杰夫塔提醒我说。我说你能不能动动脑子。如果我们的孩子二十来岁结婚，那都到二〇一〇年了。到那时，时过境迁不说。中东和平了也说不定呢。他被我说得哈哈大笑。"也许我的梦想能够实现：从未开采之地——苏联，到以色列进行马拉松似的大迁徙，全都是些不合犹太教规的犹太人，最后只有让 mamzers 来接管了。"

我一旦意识到孩子身上那似乎不可撤销的 mamzerut 烙印在杰夫塔眼里是社会对他的羞辱，我便决定用自己的方法研究一下 mamzer 这个问题。花的时间不多，但收获甚大。犹太百科全书里是这么写的："犹太人和非犹太人结合,孩子的身份随母亲,孩子的父亲是mamzer 而母亲是非犹太人,那孩子是非犹太人而不是 mamzer;因此,经过合适的方式皈依犹太教后,孩子将获得合法皈依犹太教的身份,父亲是不是 mamzer 与孩子无关。"

然后我们就开始计划。要不就是做白日梦? 如果 MUSA-NONO 项目真要上马呢? 如果它真成了治疗勃起功能障碍的方法并被广泛采用了呢? 在美国? 我们两人都在那儿工作——在一起?

"咱们什么时候结婚?"杰夫塔从十重天落回凡间后问我(如果但丁的诗里有九重天,我们为什么不可以多一重天呢?)。

"等我从加利福尼亚回来再谈公事吧。"我支支吾吾地说。我没向他透露盖斯勒的提议。

没想到公事这个词被我用得如此贴切。

富兰肯沙勒又坐了下来。"那你怎么回答的?"

"一言难尽,"她说,"首先,我准备结婚。"

"Mazel tov,"他面露喜色。"哪个小子这么运气?"

"杰夫塔·可恩。"

"哦,"他说,语调降了四度,"他准备来美国?"

"我还没问。"

"你还没问?"富兰肯沙勒满脸困惑。

"问题的关键是我愿不愿意回美国。"她眉头紧皱,"真搞不明白,我干吗用回这个字? 怎么说我也是印度人呵。"

"因为你已经被美国化了。"

"你真这么想?"她盯着他,陷入沉思,"我觉得真正的答案是我被非印度化了。"

1981 年 6 月 3 日写于加利福尼亚巴洛奥妥。

亲爱的阿夏客：

从你上封来信看得出，你和妈妈为我要结婚的消息感到高兴，就算我结的不是印度式的婚也一样，这让我很开心。说到结婚的时间和地点，一言难尽。听我慢慢道来。

如你所知，这封信是从我加利福尼亚的老地方寄出的。这次来访太值了，也许它能回答你们的问题。你们是第一批——连杰夫塔还不知道——听到我计划的人。

我这次来巴洛奥妥是马丁·盖斯勒安排的，部分差旅费也是他给出的，他是 ZALA 公司前高层管理人员，但目前住在耶路撒冷（刚巧住在埃塞俄比亚大街，但住的绝对不是旅舍！）。ZALA 公司的创始人及董事会主席，一位叫扎法纳里的博士，是开发药物导入新方式的先驱人物。我把杰夫塔的尿道导入系统和我的 NONOates 介绍给他听，他表示出极大的兴趣。本来，我去 ZALA 公司是为了免费听取和 FDA 打交道的建议，但见过扎法纳里之后——他刚好是位极有魅力的人（绝对精通穿衣之道！）——我的脑子开始转动起来。

我听说 ZALA 公司内部有几个博士后的工作名额，所以我问他能否考虑邀请杰夫塔来工作一年，让他在这儿研究从尿道导入药物的新方法（这对 ZALA 来说是个新领域），并让我在他们的政策法规部门做兼职实习生。如果我只做兼职的话，就可以在圣塔克拉拉大学（Santa Clara）读 MBA 课程。当然，我得有点额外收入才行。有关这个问题，我准备和盖斯勒先生探讨一下。

那我为什么想读 MBA 呢？我觉得自己生不逢时。再过一二十年情况也许会有变化，但在眼下，在让我感兴趣的美国大学化学系，我放眼望去，没见有一位获得终身教授的女老师，就更别提印度女人了——带连字号的有吗？有也是屈指可数，用只有一只手的残疾人的手指都数得过来。你们明白我为什么不想以大学教师为终身职业了吧？另外，我上星期在"国际性无能研究中心"半年举行一次的大会上做了发言，你们要在就好了。我引起了相当大的轰动：唯一的女发言人，讲得还是对男人性无能的研究成果。NONO，乌拉！

转向学习对自己更有吸引力的东西，并不表示我要拒学术于千里之外。在过去的两年时间里，我一心扑在药品研发上面，采用的是跨学科的方式，要攻克的是药品的最终实际用途。如果要成立一家公司来专门营销 MUSA 和 NONO 的话，接受一些管理上的培训注定会有帮助的。

这些与我何时何地结婚有关系吗？等我回到以色列，我就向杰夫塔提议，说我们来美国结婚，在西雅图结婚，他父亲和妹妹都住在西雅图。你和妈妈从马德拉斯来西雅图，向东飞或向西飞都行，因为马德拉斯和西雅图正好成对角。咱们好久没见面了，真恨不得快点见到你们。爸爸要还活着就好了。

Shalom! 深爱你们的

蕾娜

9

我也许快六十了，但我集中精力的能力丝毫没有减退。可是，我坐在这儿，菲里斯·富兰肯沙勒——早已获得终身职务的布朗德大学教授——坐在蒙特斯库帕斯，听同仁们讲他们的计划，讲他们怎么让成千上万不幸的美国男人重新雄起的计划，而我却老是走神。难道这儿就我一个人走神吗？看着盖斯勒讲话；听他讲把 NONO2 推向市场所需要的巨大的人力物力，看他说话的劲头，你会觉得这个人这辈子就没休过一天假。

当然，他有兴趣帮助我们，那是我们的运气。他不仅不收我们一分钱，而且还可能会帮我们筹到这项事业需要的第一批一千万美金。我本以为自己的筹款能力一流，但和西岸的这些企业家比起来，我们搞学问的人只能算是小巫见大巫。他让我觉得自己又老……又爱嫉妒。爱嫉妒通常不是我性格上的缺点。我对别人的财富和地位从来没嫉妒过。唯一能让我嫉妒的，就是别人的书出得比我早——但那叫事业心，不叫嫉妒心。那又是什么令我心烦呢？

他把蕾娜和杰夫塔纳入他的麾下，我应该高兴才对呵。他自己掏钱赞助了他们的部分费用，以便这两个人能在美国住上一年。但是，这已经和科学本身不搭界了——起码对蕾娜是这样。能搭上界的是FDA 的要求、是美国的临床试验、是生产、是营销……我在乎这些东西吗？蕾娜和杰夫塔好像挺在乎的。为了两个人实习的事，盖斯勒快马加鞭地安排他们见 ZALA 公司的人，而这两个人也急吼吼地接受了这一切安排，显得我最初找 REPCON 总经理要经费的过程看上去跟老牛拉破车似的。

蕾娜似乎从盖斯勒身上学到了很多东西。当我想到她要做的那些事，我的头就犯晕：在 ZALA 学习有关 FDA 的事项、晚上去圣塔克拉拉大学读管理课程……还有她在光明节（Hanukkah）最后一天在西雅图举行婚礼的计划。说服她不要争取做大学终身教授的人难道是盖斯勒？如果是的话，他是怎么做到的，难道谈一两次话就成了？我敢打赌,她在巴洛奥妥住上一年后会重新考虑这个问题。

马丁·盖斯勒,ZALA 公司的前 CEO——我琢磨不透这个人。他五十来岁,正当壮年,看上去像是每天早晨做几千个俯卧撑的那种人。他干嘛要辞掉那份高薪的工作? 据我所知,那可是一家在药物导入方法领域最具创新精神的美国公司。我问迪文,他好像是他的好友,问他是否被炒鱿鱼了,是否得到了丰厚的补偿,迪文摇了摇头。"开什么玩笑,"他说,"盖斯勒分分钟都能找到工作。再说了,他仍旧是 ZALA 公司的董事。我们能赶在哈德萨和威斯曼那帮有钱的家伙前头逮住他做我们的董事,那是我们本古里安的运气。"我很想知道是什么令他如此抢手,迪文的回答极富浪漫色彩,这让我很吃惊。"对他来说,钱不是一切。起码不是为了挣钱而挣钱,除非挣钱是为了一项有意义的事业。我说的'有意义',是对以色列有意义。"他哈哈大笑。

"这个人住哪儿?"我问,迪文耸了耸肩,"你那么好奇,干嘛不自己问他?"于是我便去问他。

"我在安沙顿(Atherton)有房子——靠近斯坦福的黄金海岸——不管其他地方发生什么事,那儿的房价是一路飙升。不过,最近我们在耶路撒冷买了一幢漂亮的旧房子,我们把它从里到外进行了整修,房子位于埃塞俄比亚教堂对面一条很窄的巷子里。那我到底住在哪儿呢?"他咧嘴一笑,耸了耸肩,"我大部分时间在空中飞来飞去,我能说的只是,这次我是在耶路撒冷买的机票。"

盖斯勒说我们要在美国五十个不同的医疗点,使用不同的剂量在至少二千名自愿者身上进行试验。要满足这些要求,他提醒说,和他未提到的其他要求,不到八十年代中期或末期,我们是拿不到 FDA 批文的。但他看上去并没有打退堂鼓的意思。"这是必经的过程。"

他说。

梅纳赫姆·迪文乐得合不拢嘴。他达到了此行的目的：大家满足了他的要求，把制药厂——起码是生产 MUSA 平台的工厂——设在了比希巴。争取到这个项目之后，他又开始争生产 NONO2 的化工厂，说这个工厂应该建在 MUSA 厂隔壁，说这两个厂从一开始就应该按照 FDA 的标准来建。比希巴的市长特雅虎，已经拨了一块用地，免费的。这点应该有说服力吧。

我不停地看着桌子对面的梅纳赫姆。他做梦也想不到我今晚要对他发动突然袭击。我满脑子想的是他会说什么。

说"是的"，我默默地恳求，而满屋子的人都在说 NONO。

"Shalom，"梅纳赫姆和富兰肯沙勒打了招呼。"今天收获甚大。有盖斯勒参与真是咱们的运气，对吧？"他整个人往椅背上一靠，双手摩挲着下巴，"从你去年来比希巴到现在，发生了这么多事，真令人惊讶，不是吗？我们真得感谢你派蕾娜来以色列。不然怎么会有今天——多亏蕾娜手里有 REPCON 那笔小小的经费。如果这儿的临床试验成功的话，盖斯勒将从他那些风险投资家手里筹到一千万美金！"他转了转眼珠子。

富兰肯沙勒有点心不在焉。他想换个话题，谈一个和 NO 无关的话题。"去年还发生了许多其他事情……"

"你是指奥斯拉克（Osirak）的事？"

富兰肯沙勒听后一脸茫然。"奥斯拉克？哦，当然，那件事——你是说你们炸毁伊拉克核反应堆的事。"

"全球的媒体纷纷谴责我们，"梅纳赫姆说，"重创萨达姆都两个月了，可人们还在拿我们说事。下个星期，我要去加拿大，去路易斯湖开克斯博格会议。你根本想象不到我将遭受主办机构什么样的指责，被钉死在十字架上也说不定。"他用犹太人独有的发音生气地说。他用锐利的目光盯着富兰肯沙勒，刚才的好心情被气得一干二净。"太虚伪了，连科学家也这么虚伪，他们应该有清醒的大脑才对呵！但在所有的谴责声背后，在那些无聊的废话背后，还是有人为我们做了该做的事拍手称快。就算他们现在不拍手称快，将来也会拍手称快的，这我敢保证。"

"你还去参加这种会议？"富兰肯沙勒问，"你希望在那儿达到什么目的？奥斯拉克和克斯博格会议上讨论的问题有什么关系呢？"

迪文往椅背上一靠，脸色越发阴郁。"会让你感到吃惊的。"他没再多说一句话。

富兰肯沙勒刚想说他此行的目的，迪文却继续往下说。"顺便说一句，克斯博格让我想到马兰妮·雷德劳。我在那儿见过她一次。咱们去年谈过的专利问题，你有跟她提过吗？"

富兰肯沙勒被问得张口结舌。难道迪文能看出他在想什么？"是的，"他小心翼翼地开始说。"实际上，我的确跟她谈过专利的事。出乎我的意料，她对这件事好像无所谓。她说如果大学把特许使用费用于支持大学的科研项目，那 REPCOP 对此安排无任何异议。反正，他们关注的重点在节育方面。一旦制药公司的独家营销策略给新的避孕药带上偏见的色彩，他们便不想染指新避孕药的行销权了。'用氧化氮释放因子来治疗性无能？'她哈哈大笑，'利用公共部门行销的可能性似乎不大。'"

"顺便问一句，马兰妮·雷德劳还好吗？她孩子叫什么名字？"

富兰肯沙勒烦躁不安地回答。"亚当，"他简短地说，"我见你就是为了这孩子。我这儿有封信，你读一下吧。"

1981 年 6 月 24 日写于纽约。

我最亲爱的梅纳赫姆：

你可能感到奇怪，我为什么让菲里斯把信带到以色列亲自交给你。首先，我不想冒险，不管几率有多小，我都不想这封信落入他人手中。第二点，你肯定会问一个问题，我为什么不在一两年前写这封信，这是因为何时收信并不重要。最后一点，菲里斯对我信里写的内容已猜出了大概。因此，他是我唯一可信赖的人。

我没有回复你上封来信，因为那时我还没有准备好向你坦白一切。重要的坦白应该面对面进行才对。但是，就算这是我一生中最重要的坦白，我觉得也不应该让你在获悉此事之前面对我：你是我儿子的父亲。

我知道有很多事需要解释。我猜你这一刻最想知道的，就是这件事是如何发生的，而不是为何发生的。请（不知我还有没有让你容忍我的权利）耐心听我把为何讲完。相比之下，如何的问题简单多了。

如你所知，我从来没生过孩子。结婚以后，我也考虑过当母亲的事，但限于当时的情形，加上贾斯汀对此举棋不定，于是一拖再拖，直拖到一切为时已晚。直到我成为寡妇，直到生孩子变成遥不可及的事，我才开始珍惜失去的一切。也就在那个时候，失去的东西又回到了我身边，而采用的方法是我始料未及的——那个时候，我刚把生孩子的事撂到一边，开始全身心地投入工作。

我的新工作把我失去的东西还给了我。REPCON 董事的职务给了我安全感——专业上的和经济上的——或许更重要的是，它给了我自信心和百分之百的独立性。同时，我的生物钟越敲越响，我意识到自己想当母亲的愿望越来越强烈。我感觉到，就我目前的情形来说，我有足够的身体条件来完成此事，而且也有足够的感情来承受此事，为我自己，也为孩子。但如你所知，贾斯汀去世后我没有性伴侣，直到我遇见你。不错，我曾想过用无名者捐献的精子进行人工授精，可那样的话，我将对自己孩子的生父一无所知，这个念头令我产生了排斥感。生父的身份非常重要，我没法不这么想。

突然，你，我的梅纳赫姆，降临在我面前，像是从天而降的性爱天使。不仅如此，还是我孩子父亲的唯一合适人选。但我马上意识到和你一起生活的想法不现实。你在以色列，我在纽约；我是自由身，你不是。

现在，你肯定在想，和你打交道的这个人是不是满脑子罗曼蒂克的疯子呵。你，"无生育能力"的梅纳赫姆，怎么可能让我受孕呢？还记得在克斯博格的第一晚吗？你告诉我说，所罗门王（Solomon）每个月只临幸希巴女王（Queen of Sheba）三次，但重要的是质而不是量。REPCON 的职务给了我一个最大的优势，那就是我可以最先知道这个世界上关于繁殖生物学的最新发现，包括男性不育领域内的最新发现。还记得你在伦敦问过我的问题吗？你问我比利时人在搞什么，我说在搞"ICSI"。当时我没告诉你，ICSI 是"胞浆内精子注射法"的缩写，用这个方法，只需要一粒正常的精子，就可以让女人的卵子受精。

我打赌说，我的所罗门，梅纳赫姆·迪文，仍然有生存能力足够强的精子，而这粒精子应该能在皮氏培养皿里穿透女人的卵子。应了这个假设，我对你撒了谎。这是我要坦白的第一件事，你必须相信我的话，这是我唯一一次故意撒谎。有时候我没说出事情的全部真相，就像你没说出事情的全部真相一样，但那只是漏说事实，而不是故意编织谎言。还记得吗？因为怀疑感染了所谓的酵母菌，我拿出了避孕套，你看到后吓了一跳。我知道你肯定忘不了那一幕，为了不让你宝贵的精液撒出来，我给你带上了安全套，你当时带着陶醉的表情看着我做这件事,小弟弟也挺得雄赳赳气昂昂的,我现在想起来还历历在目。你无法记住的是,你在我体内射完精,我就立即奔向卫生间,表面上是去扔装有你无价精子的避孕套。但我没把它扔掉。相反,我把它放进了一个小小的杜瓦瓶(Dewar)里,瓶里装有液体氮气,剩下的你猜都猜得出来。

你的确还有一些正常的精子;虽不足以令任何人怀孕,但采用胞浆内精子注射法将其注射进健康的卵子内,其能力还是绰绰有余的,那个健康的卵子就是我提供的。几个月后,当菲里斯·富兰肯沙勒把我怀孕的消息告诉你的时候,对孩子的父亲是谁,我没说假话。我只是没主动把父亲的身份透露给菲里斯。我觉得只要我知道父亲是谁就足够了。

(当然,亚当需要何时知道这件事,以及知道多少,这是我们会遇到的问题,但这在某种程度上取决于你如何答复这封信。)

既然我现在对你敞开心扉,像是在做忏悔(对一位新犹太女人来说,这是个多么可怕的比喻),我得承认说,在怀孕期间和生下亚当的头几个月,我对掠夺你那颗精子的行为没有感到丝毫内疚。这之后,在晚宴或一对一的谈话中,我不止一次提起自己的壮举,但用的多是假设句。我要谈这个话题很容易。我只要跟人们讲 ICSI 就行了,这是我的基金资助的一个热门的新项目,然后就问,"假如……?"

令我大为吃惊的是,我的问题引起了人们的强烈反应。"她那是偷他的精子!"是其中的一个反应——不光男人这么说,女人也这么说。最初,我极力为之辩护,假装是为受到谴责的偷精子的人说话。我不停地强调说,那个男人拿那颗精子又没用。"那她也不能拿来用!"一个女人曾对着我大吼,好像她真知道是你那颗珍贵的精子令我的卵子受了精。"她和她的卵子独自成不了事。她要借助 ICSI 才行,而那个东西不属于她！"

我之所以仍然记得那次谈话，是因为那次谈话最后深深地触动了我。我几乎想跟她解释说，在某种程度上，ICSI 的确属于我；我，通过REPCON，间接地促成了这项发明；那位生父，他不相信自己有生育能力，不可能认为自己的精子有什么价值。如果某样东西没有价值，怎么能说偷呢？菲里斯对此做了回答，"被偷的东西和东西的价值，这两者之间没有区别。"

另一个向我提出的问题是，如果那个男人不相信传宗接代，如果他固执地认为这个世界已经人满为患，认为活在这个世界上太悲惨了，你怎么办？我只好一耸肩膀，因为你在上封来信中向我提供了假定事实，证明你对生儿育女是感兴趣的。大多数犹太男人和你的感受相同。那么，你的非犹太女人、你的爱，在床上你不止一次这么唤过我，又是如何知道这点的呢？因为，我在前面暗示过，我成了新犹太女人，我皈依了，但皈依的不是东正犹太教——但这不是问题的要点。虽然我们从未认真谈过宗教的事，但我觉得你会在意的，你会想要你孩子的母亲是位犹太人。看到了吧，在内心深处，我一直把亚当看成是你的儿子。

我已经把生命中一个重大的事实告诉了你。在信的结尾，我必须提一个较为假设性的问题——关于死亡。我上次做体检的时候，发现身上有个纤维瘤。我准备去做子宫切除术。每年不说有成千上百万，也有几十万妇女做子宫切除术。没有生命危险是肯定的（除此之外，再生孩子是不可能了——亚当对我来说也就更显珍贵），但我不得不考虑这个问题。如果出现万一该怎么办？

我是家里的独生女，父母早已过世。我没什么亲戚，但有些朋友。至少有两位朋友，菲里斯和雪莉·富兰肯沙勒夫妇，和我走得比较近。

他们已经答应（过完赎罪日不久，你说巧不巧！）万一我有个三长两短，万一没其他人愿意担当法律监护人，他们会收养亚当。但我觉得，为了亚当，也为了我不再有内疚感，你应该知道你是他父亲。我不想给你增加负担，这不是你自找的，除了富兰肯沙勒夫妇，没人知道你是他父亲。读完这封信，你只要对菲里斯说行或不行就可以了。他向我保证说，他不会以任何方式劝你，不会劝你在我死后担当亚当的法律监护人。

让我用所罗门和希巴女王的神话故事来结束这封信吧，说起来，就是这个故事让我们走到了一起。这个故事还有个埃塞俄比亚版本，你知道吗？我也是最近刚从研究埃塞俄比亚问题的爱德华·兰道夫教授那儿听来的。据他说，《国王的光荣》（Kebra Nagast）对埃塞俄比亚人来说，这本书的重要性，相当于《旧约圣经》和《古兰经》上说，所罗门和希巴女王的确有肉体关系。但书里暗示说，所罗门不知道女王回埃塞俄比亚的时候已经怀孕，她在本国生下了儿子，取名叫曼涅里克（Menelek）——埃塞俄比亚王朝的创始人。这是和我们两人密切相关之处，也是令人伤感之处——这也是我引经据典的原因，表明我没有杜撰——就是。最后，女王把男孩曼涅里克送回了以色列，请求所罗门负责教育他。后附照片取自兰道夫的一篇文章，呈现了埃塞俄比亚版的神话传说，原作由四十四幅连环小画组成。也许有一天，你和我可以结伴去耶路撒冷的圣墓教堂（Church of holy Sepulcher），去教堂的埃塞俄比亚部分看看原作，特别是第二十六幅画，画上所罗门和女王相拥而"睡"；第三十一幅画，画上曼涅里克说，"把父亲的事告诉我吧"；还有第三十五幅画，画的是父亲和儿子。第四十三幅画就不用看了，画的是女王躺在床上作临终忏悔。

你和我在维也纳欣赏了亨德尔（George Frederick Handel）的歌

剧,并体会到了欣赏这个词的深切含义。几个月前,我平生第一次听到了亨德尔的清唱剧《所罗门王》。在歌剧结尾,所罗门王和希巴女王唱起了二重唱。在最后一句歌词中,两人唱到"praise unbought by price or fear"。亚当的出生绝对值得赞美。

保重,我的梅纳赫姆和我的所罗门。

马兰妮

10

"蕾娜,这个消息 estupendous(西班牙语太棒的意思)。祝贺你!"阿尔法度·扎夫纳里跟她打招呼,他热情洋溢地跟她握了手,手摇动幅度很大,震得他那头精心梳理的银灰色头发一颤一颤的。而他细心修饰过的双手和细长的手指握上去软绵绵的,他是那种皮肤白皙的男人,看到他的皮肤,你会联想到儿科大夫的皮肤。阿尔法度·扎夫纳里直到二十几岁才离开自己的国家巴拉圭来到美国。他的西班牙语偶尔还会脱口而出,在西班牙语中,e 音是必须发出来的,sp 或 st 前面的 e 音听上去尤其悦耳。

那是一九八三年的春天,是蕾娜在 ZALA 的第二年。她在这家公司呆了这么久,已经习惯了阿尔法度·扎夫纳里在语言上的疏忽。她正准备婉转地提出反对意见,说从以色列传来的这个好消息,也就是NONO2 第二阶段试验圆满结束的好消息,当属大家的功劳,还没等她张口,扎夫纳里抢先一步,"说说看,可恩太太,"他探过身子,用充满信任的语调轻声问，"你们打算怎么办？"

"叫我'可恩太太'挺 estupido（西班牙语傻的意思），"她想这么说，但她管住了嘴巴。蕾娜对自己的印度名字感到十二万分的骄傲。骄傲的原因，倒不是因为她发表的文章全部署名蕾娜·克里斯南——现代职业女性婚后不改姓的一个普遍原因，而是因为她有那么一丝民族自豪感，伴随民族自豪感的还有一种个人自由度，要保持这种个人自由度，就要保持出生姓名的纯洁性和连贯性。

蕾娜突然明白了扎夫纳里问话的意思。我的天，她想，他知道了。他不是在说 NONO，他是在说……马丁肯定告诉他了！

对蕾娜来说，马丁·盖斯勒没有变成父亲的替身，而是成了她的高参，几乎成了她交心的朋友。早在第二次（"叫我马丁好了"）见面的时候，他就说服了她，说改变职业方向是一件值得考虑的事。他的办事作风自然务实，他说服人的方式直截了当，不带任何煽动性，让她不由得不说"lama lo"，而她说这话时还没来得及跟杰夫塔商量呢。她肯定自己的爱人会同意，因为他的性格自然务实，而她则刚刚开始向这种性格靠拢。开花结果靠的是马丁的指点，别说，还真开花结果了。

"我没说让你放弃不当老师，也没说让你掉转头不搞科学。不过你早晚得决定，到底是只做一样，还是两样都做……"

"上帝不允许，"她说这话带着浓重的犹太腔调。两个人哈哈大笑。

"上帝也不是老不允许，尽管某些犹太人给人造成这种印象，好像上帝不许这不许那的。他也帮助有准备的人，"马丁说，他口气之认真让她大为吃惊，"说起来令人惊讶，多少当老师的人都认为自己选择了理想的生活模式，他们从来没想过自己在外面的世界能做些什么，也从不往这方面做丝毫努力。可话说回来，你运气实在太好了，你参与了一项重大发明，而这项发明有可能带来实际的用途。"他用"纯"科学家不屑的语气比划说,"在此过程中,要趁年轻赶快了解 R 和 D 的另一面。D 的方面,"他干巴巴地补充说,"有其独特的精彩之处和回报。在制药行业,只有当 D 完成后,药品才成为药品。在这之前,它不是药品。"

"但是……"

"等会儿再说'但是',"他打断蕾娜的话,"我就快讲完了,就算你将来再回去当老师,那也是权衡之后回去的,这段经历会令你成为更出色的老师,或更出色的科研人员。你还年轻,花一两年时间探索一下其他可能性,对你的影响不大。"他语速慢下来,"你想说的'但是'是什么?"

"但是我同意,"蕾娜脱口而出,"门开着,你还使劲敲。"她听教授用过这个比喻,于是决定留到合适的场合用它一次。今天这个场合再合适不过了。

"哦,"他吐了口气,大笑起来。"我就知道你够聪明。"他加了一句,然后滔滔不绝地说出了他的"提议",让蕾娜去加利福尼亚的ZALA 公司接触药品开发中更硬的骨头和"更肮脏"的一面。就在他为蕾娜详细解释专业计划的过程中,她的婚姻问题被提到了桌面上。听到未来新郎的名字,马丁大嘴一咧,"你比我想象的还聪明。"

* * *

马丁·盖斯勒,作为阿尔法度·扎夫纳里的晚辈,是后者的得意门生,也是扎夫纳里实验室的第一批员工。等到公司上市的时候,实验室已更名为 ZALA 公司,盖斯勒也成了公司的 CEO。他两年前辞去了 ZALA 公司的日常管理工作,转而在巴洛奥妥和耶路撒冷两个城市之间来回跑,而跑的频率取决于犹太复国主义者发起的一些企业活动和公益性活动,但他和 ZALA 公司以及扎法纳里的关系仍旧相当密切,他可以不用请示就自行决定一些事情。这么说来,派蕾娜和杰夫塔去加利福尼亚,对他来说实在是小菜一碟。从去年夏天到现在,一年多过去了,一切都很顺利。说实在的,太顺利了。麻烦的时机成熟了。

* * *

"马丁,"一九八三年四月,在 ZALA 公司的写字楼里,蕾娜向马丁走去,那一刻,走廊上异常安静。盖斯勒来巴洛奥妥是参加 ZALA 公司的董事会。"我得和你谈谈,"她平静地说,"我需要听听你的意见,"她加了一句,"一个小时就够了,就你和我。"

他们再见面的时候,她推掉了递过来的咖啡,"这几个月不能沾咖啡因,"她宣布说,"我怀孕了。"

"恭喜恭喜。太好了!"他说,但却露出半信半疑的神态,"那你打算怎么办?"

"我就是想和你探讨这个问题。我觉得我们应该回以色列,那儿带孩子比较容易。杰夫塔的家人在那里,有叔叔、姑姑、还有几个堂兄妹……"

"这个理由站不住脚,"盖斯勒说,"难道加利福尼亚的人就不生孩子了? 你在这儿干得相当出色。ZALA 公司很愿意留用你,你要想有一份全职工作也行。"

"我不想。"

"我知道,"他很快说,"你要说想,我会失望的。你是个干大事业的人。但干嘛现在就放弃? 你年底就能拿到 MBA 了。我要是你,绝不会轻易放弃这个学位。"

"要它有什么用?"

"你要想在大学教书的话,当然没用。"

她往后捋了捋头发，叹了口气，全身陷进椅子里。"我还没作最后决定。特别在目前这个阶段。"

盖斯勒把椅子朝她身边挪了挪，"既然如此，你需要补上风险投资这门课。我知道，我知道。"他说着挥了挥手，让她别出声，"你在大学里听过这门课，知道的够多了，写本书也绰绰有余，但我觉得你现在应该从两个角度去了解这个问题：从投资者和企业家这两个角度。"

"为什么？"她疑惑地问。

"嘘。"盖斯勒说，"你得洗耳恭听。"

＊　＊　＊

盖斯勒很快给她讲起了课，这几乎令她忘掉了晨呕。刚开始，盖斯勒还弯腰坐在椅子里，因为他不想比坐在身旁的蕾娜高出太多，可他说着说着就站了起来，边说边在屋子里晃来晃去。

"坐下来讲，好吗，马丁。"蕾娜忍不住打断他，"我感觉有点头晕。早饭没吐出来就够我难受的了。"

他坐下继续解释为什么到目前为止还未开始在美国为 NONO 这个项目筹款。他说，这么做的理由，源于两方面的因素，而生物医学领域新成立的高科技公司都离不开这两个因素："一方面，要有一名科研人员，他得是个有点子、或真有发明创造的人；另一方面，要有一位风险投资家，这人不光得有钱，还得有准确的判断力……"

"听你这么说，好像准确的判断力大多情况下只存在于一方。"蕾娜苦笑着说。

"就生意上的判断力来讲，通常如此。"他回答，"当有点子的这个人是个学究，那就尤其如此。"

她哈哈大笑说，"这个世界的马丁·盖斯勒们是如何垄断了准确的判断力呢？"

"啊,"他得意地吐了口气,"准确的判断力来自经验。而经验又来自糟糕的判断力。"

"哦,"她说,好像认错了,"继续往下说。"

盖斯勒的观点是这样的,有点子的这个男人需要钱来论证点子的可行性。点子越有意思越不着边,赌注就越高,对风险投资家来说,谈判也就越困难。他们玩的是数字游戏,依据的是风险分散的原则。对风险投资家来说,失败是意料中的事,盖斯勒强调说,因此,他们必须偶尔获取巨额利润。所以在第一轮融资谈判中,他要有铁石心肠。

"铁石心肠?"

"对,'铁石心肠'。"盖斯勒又靠过来,好像距离不近就无法解释似的。"铁石心肠很硬,但经碰撞也能冒火花。硬的部分就是要求——通常能达到目的——就是要求持有新公司相当一部分股票。火花要在后面才冒。如果这个风险项目没有完蛋,就需要投更多的钱,就需要在点子的可行性得到初步证明的头一二年频频投入更多的钱。"

"马丁,我不该老打断你的话,这么做显得我挺傻的,但你老是说'这个男人的点子'……"

"我知道你想说什么,"他打断她的话,"你说得没错。从现在开始,我就用中性词——那个人的点子——但事实上,到目前为止,有点子的差不多都是男人。待会儿你就看到了,我将乐意改变这种状况。别再打断我的话,不然咱们永远也讲不完。"

在第二轮或第三轮的融资过程中,用盖斯勒的话讲,第一批风险资本家有可能投更多的钱,而较为通常的做法是,他们会在较高价位引入其他投资者,这样既降低了大家的风险,同时又令他们的原始股产生了纸面利润。他伸出手指以示警告,并露出诡秘的笑容。"这是纯纸面利润,因为股票还没上市。游戏真正开始变得有意思的时候——出现第一批火花的时候——就是当生物高科技公司论证了其发明对人具有潜在的适用性,而且,"他越讲越得意,越讲嗓门越大,"设法对该发明拥有了某种形式的所有权,通常是指拿到了专利或至少提交了专利申请。这时,一种真正的融资渠道就形成了——通常是指上市。也就是说,当然啦,通过券商把股票卖给大众,而这个时候,股票价值也就从幻想中的钞票变成了真正的钞票,也就是美元。伴随美元而来的是:贪婪、贪婪、更贪婪。咱们可以先忘掉这个问题,因为NONO还有很长一段路才能走到那一步,但我们不能忽略更重要的一个问题。"

盖斯勒又开始踱起方步,"就算一种药或一种设备对人的适用性在原则上得到了论证——这个事实也许足以让你上市——但这并不意味着,"他停住话,单脚打转,突然停下,"它会被市场接受,我是指医学界。"

"那 FDA 呢?"蕾娜突然插话。

"这是个难题,那是肯定的,因为,你在这儿呆了一年,对这个问题了解得很清楚。在这点上,"他用奇怪的姿势毕恭毕敬地鞠了个躬,"你和 NONO 风险项目的大部分同事,不说全部吧,大不一样。"他突然收住口。"'风险项目?'说漏嘴了,因为我用这个词有双重意思。说回到现实中来,也就是说回到股市中来。假设咱们现在是一家上市公司。坦白了讲,咱们的股价是吹起来的——必须靠吹——就算让投资人盲目乐观地吹,也比让券商和公司管理层盲目乐观地吹强得多。而我说的'乐观'只是贪婪的代名词,就是说想吃一顿免费午餐。所以你经常发现新公司的股票价格都高得离谱,和它的实际价值根本挂不上钩,和那些基础稳固、运营状态良好并创利的公司的股价也挂不上钩。"

盖斯勒用抑扬顿挫的声音对某些词汇进行了强调,这种特有的讲话方式非常有效。蕾娜以 MBA 学生的胃口接受并消化了被强调的每一条信息,而不是以象牙塔里学者的身份对他的话嗤之以鼻。

　　"所以,等咱们新公司有新药问世,一切就由市场说了算。"盖斯勒强壮的男中音突然变成了倾诉似的轻柔乐章,"假设,比方说,公司初期的亏损远远超出了盲目乐观人士的想象。"他发出一声低沉的苦笑,"或者说利润没有真的呈几何数字增长。你应该明白,蕾娜,因为你正在读管理课程。"

　　盖斯勒越说越快,"内部人员根据他们要治愈的那种病的患者总人数来制订业务计划。"盖斯勒从说我们转到说他们,刚开始显得有点令人迷惑不解,但蕾娜是这么理解的,他是想从内部和外部批评者两个角度来看这个问题。"他们将患者人数乘以每位患者每年用药的成本,因此得出了一个大概数字——这个数字通常非常乐观——就是产品占市场的潜在份额。然后,"盖斯勒的声音又得意起来,但这次他没能完全掩饰话里鄙视的味道,"他们假设市场最初的占有率是适中的,对所谓年增长率的预期也是保守的。但这两个词——适中、保守——表示的完全是主观愿望。因此,他们大可以预测初期会占整个市场份额的百分之十,这个数字当然'适中'了,"他不屑一顾地说,"然后就加入百分之十、百分之二十、百分之三十等,他们认为'保守'的年增长率。如果真有那么多的销售额,那股票也能维持它的初始价值,除非整个股市受到严重干扰,而这种干扰,你必须承认,不在他们的控制范围之内。还有一种可能,那就是公司的预测真的非常'适中'和'保守',而股价却一飞冲天,结果令大家都很满意。但是,"他点了点头,装出悲痛的表情,"通常的情况是,最初的市场占有率也许只有百分之一,而不是百分之十,而增加市场份额也许真的需要投一大笔钱,这样就造成了巨额亏损,亏损的时间比外界——甚至比公司内部管理层——预想的时间要长得多。这也是火花真正飞舞的时候——股东群体起诉案接踵而来。"

"给我讲讲那些案子吧。"蕾娜在 MBA 课上听老师讲过那些案例,特别在做实际案例分析时遇到过那些案子。她希望从盖斯勒这儿听到不同的观点。

但盖斯勒不想跑题,"改时间再给你讲吧。我要讲起那些案子来,三天三夜也讲不完。我讲这些话只是开场白,是为了给你讲接下来的内容。"他在她身旁坐下,短促地一拍她的胳膊,"NONO 这个项目有本质上的不同。我就是想和你谈论这个问题。这个问题,还有你在其中可能担当的角色。"

"我的角色?"蕾娜脱口而出,"可我怀孕了。我甚至连当妈的事还没想好呢。"

"听我解释,"盖斯勒说,又拍了拍她的胳膊。

如果说一九八三年四月三日是我生命中的一个重要日子,那一点也不会令我感到奇怪,就像我的生日、来到美国的第一天、相遇杰夫塔的日子、发现自己怀孕的那一天,再就是现在听马丁讲他对 SURYA 公司的计划。当然 SURYA 这个名字是后来才起的;先有的是计划。看马丁对计划的描述,那是再清楚不过了,他对这个计划做了缜密的思考,依据的是过去多年的经验,而那些经验中很多糟得简直令人无法想象。因此,他向我保证说,他的判断力正以迅雷不及掩耳之速变得无懈可击。

SURYA 公司,我们的 NONO 项目,和他那天给我描述的所有生物高科技公司的模式都不同。不同的关键在于时机,而时机,用盖斯勒的话讲,是一生成功的关键要素。如果让他在合适的时机和好的运气两者之间选其一,他说,无论作为投资家还是企业家,他都会选时机,而这一次,他准备两者都要,好好享受一下。

到目前为止,我们已经跨越了几个重要难关:我们已经提交了药物专利申请(我的那组 NONOates),我们已经提交了 MUSA 的专利申请,我们甚至还提交了使用专利申请,使用范围包括经尿道注射的任何勃起药物,而不仅仅是 NONOates。

我们这项所有权所处的地位很独特,因为,到目前为止,审批专利的人没来打扰过我们一次,也没让我们补交这文件那文件的。事实上,我们在华盛顿的专利申请顾问——马丁挑选的一家公司——正想方设法争取不让申请批得太快。没有理由让只有十七年期限的专利在仍欠东风的情况下开始倒计时吧。为什么要在产品推向市场的前夜零星浪费专利使用权呢?

更重要的一点,我们还未融资。可我们也没白等,在未咨询任何外部人员的情况下,我们想办法通过了初期的大部分难关。我们不仅论证了 NONO2 在临床上的效用,也在几百名以色列病人身上论证了该药的使用模式。在马丁的力劝下(我还能看到他眼中闪烁的得意光芒),我们把融资的步骤推迟了,推迟到两年期的啮齿动物致癌性试验结束,等试验结果出来再说。马丁说他不知道还有哪家生物科技公司在没筹到一分钱的情况下——他的话,不是我的话——就发展到了如此高的水平。

当然,我们也得筹点儿钱才行(如果那些试验不是在以色列做而是在美国做的话,需要的可就不只这点儿钱了),但那是成立 SURYA 公司之前筹的钱:我做所有化学试验用的是布朗德出的钱,两次去以色列靠的是 REPCON 的经费(还有,更重要的一点,它促成了我的婚事),再就是本古里安和哈德萨的科研经费。据马丁说,由哈德萨资助的装有 NONO2 的 MUSA 的第二阶段临床试验,如果放在美国来做的话,费用至少高达五百万美元。

"而我还没说到——甚至没悄悄说出,"马丁加了一句,并露出令人放心的微笑,"这个项目的精彩之处呢。你们坚持称这个项目为'勃起功能障碍,'那是你们的事。你们搞的这个东西可是男性在性方面表现的关键,是男人(大部分风险投资家都是男人)愿意出高价买的商品。看出来咱们的厉害了吧,蕾娜?咱们啥事没干,筹码就涨上去了。等到和风险投资家谈判的时候,双方的角色就会颠倒过来:铁石心肠的人将是咱们。"然后他继续解释"我们的"和"我们"的多层意思。

首先,是企业家。在"我们的"项目里,没有"有点子的男人"——连"人"也算不上——而是三家科研机构:本古里安、布朗德和哈德萨。我还以为这是按照字母顺序排列的,但马丁即刻打消了我这个念头。他是本古里安的校董,出资最小的一所大学——事实上,小到不起眼——而最想打赢这场仗的也是这所大学。就算这所大学叫真古里安,他也会把它排在第一位。由三所非赢利大学作为"创始人股票的拥有者"(后来才看出这个关键词至关紧要的重要性),贪婪的要素在机构层面上、而不是个人层面上被重新定义——用马丁的话讲,这个区别极其有趣。

但"我们"指的不仅是三所大学。它还包括马丁,他准备作为投资人投入部分现金,并充当"有准确判断力"的那个人,那个引入其他主要投资者的人。用他的话讲,说服阿尔法度·扎法纳里参与这个项目是了不起的成就。"以后再谈这个问题,"他说,然后把话题转到了和我关系最大的"我们"的外延——也就是我。

他的切入点很聪明,"蕾娜,现在,我摘下投资者的帽子,换上公司未来管理者的亚莫克便帽（yarmulke），并将该帽一直戴在我的头上。两年前我跟自己保证说再也不干了，但这个公司前途无量，所以我决定重出江湖，重新做回管理层的工作。实在太富有挑战性了！公司的操作部门在以色列，却要在美国融资，并将产品打入美国市场。负责打理公司的这个人，从一开始就应该能够两边跑。不论我多么谦虚，我还是得出这个结论，我就是那个合适的人选，而我的心中刚好又装有其中一位发起者的利益。本古里安的人会同意我这么说的，这我就不用补充了吧。"

"那布朗德大学和哈德萨大学呢？"我问。

"他们运气好呗，"他回答，一挥手挥走了我的问题，"他们搭上了本古里安的顺风车。本古里安赢，他们也赢。"

剩下的就简单了。他将担任新公司的董事会主席——公司至今无名——公司将在特拉华州注册（那个州对公司的管理比较松），但总部将设在旧金山海湾地区（San Francisco Bay），那儿是美国风险投资家和企业家的温床。"这儿啥都不缺，"他的语调不允许有反对意见，"有一大批雄心勃勃的风险投资家，有聪明、受过专业培训的技术人员，有无与伦比的气候，有两家非常棒的医学院，还有一家一流的国际机场。"他说到这儿喘了口气，"偶尔也会有一两次地震。但这些对你来说并不陌生，你现在就住在这儿。"他还会暂时担任公司的 CEO 和总裁，但这些职务不会占用他全部时间，也不用他放弃在以色列买机票的愿望。

"我要怎样才能做得这点呢？"他天真地问，"要由你来主持公司日常工作才行，"他说，他伸出食指指着我，手指像是一把金子做的手枪，"当然啰，好处是可以购买股票期权——得有点儿油水才行。"他咧嘴一笑，我发誓他的后牙一定镶了钻石，我看到他嘴里发出一闪一闪的亮光。

"油水有多厚?"我结结巴巴地问。

他说了个数,时至今日,我也无力重复那个数字。我当时差点没晕过去,只顾张大嘴巴呼哧呼哧地喘气,"为什么是我?"

我已经料到了这个问题的答案。初期阶段,操作部门的工作仍将集中在以色列。梅纳赫姆·迪文已经将 MUSA 的生产设施及 NONO 化工厂的手续报批完毕。美国的大部分工作也分配好了:将报批 FDA 的文件整理出来,最重要的一点,就是规模庞大的临床试验。在巴洛奥妥主管这个精练团队的人,对该项目的各个方面都要非常熟悉,这个人最好是位科学家,因为,最终——假设产品成功打入美国市场——还要进行更多的研究工作,以便公司永远处于"阴茎勃起领域的最尖端。"

哎哟,我想,我得把这句话记下来,绝不能让它登在公司的宣传手册上。

"可我怀孕了。"我呆板地回答,这也许是我那天早晨第三次说这话了。

"你不相信工作的女人也可以当母亲?"他问我,但他根本不给我时间回答,"我相信。如果你不相信,就别跟我发牢骚说怎么女人总也得不到升迁的机会。我不是说让你为了事业放弃做母亲的机会……"

"那你想说什么?"

"我说的这份工作,你连实验室都不用去。你会有一份不错的收入——虽说不是特别高,因为咱们公司的钱不多,得把钱花在刀刃上,好让产品尽快打入美国市场——你认购的那部分股票期权,如果一切顺利的话,会让你这辈子不再为钱发愁。眼下,你会有足够的钱请人来帮你,是请保姆还是别的你自己定。斯坦福周围的托儿所很多——

很多研究生都有孩子。你还有丈夫。他怎么样？他扮演什么角色？”

　　我的老天爷，我想。我听他唠叨到现在，一次也没想到杰夫塔。他扮演什么角色？不是指父亲的角色——我知道他会是个好父亲。但是……什么角色呢？

11

　　“该向印度教的哪位神表达我们的谢意呢？”杰夫塔说着话给蕾娜端来一杯茶。她又有要吐的感觉。“是湿婆神（Shiva），对吗？”

　　“Mehra prem，”她调皮地拧了拧他的腮帮子。她时不时用印度话说“亲爱的”，这既是私底下的爱称，又表示出她对印度礼教的反抗，印度礼教禁止太太用这种爱称来称呼丈夫。对印度人来说，mehra prem是留给男人用的。“不是湿婆神。如果公司需要徽标的话，用湿婆神的男性生殖器像也许很合适。但我已经怀孕了，所以阴茎不阴茎的和我关系不大。”

　　“无男性生殖器的婚姻？上帝不允许。”他假装恐怖地大叫一声。

　　“别闹了，你这个男性生殖器携带者。眼下，我感觉好辛苦，我得向那个关心我受精卵的神祈祷，而不是向要我再怀孕的神祈祷。上帝不允许。不过咱们先别为神的问题争吵了。”她安静了一小会，一只手放在胸口上。“可是，”她若有所思地补充了一句，“他的宗教信仰怎么办？”

　　“他的？”

“咱们儿子的呀。”

“是个女儿。”杰夫塔的语气不容质疑。

“你怎么知道？”

“我能感觉到。”

“好吧，就算是女儿。咱们给她起什么名字？”

“纳奥米。”

蕾娜张口结舌。“纳奥米？就它了？没其他选择？”

“在希伯来语里，它表示'美丽、可爱、快乐'，咱们的女儿注定如此。看她的父母就知道了。”

“自吹。”她半开玩笑地拍了他一记脸颊，“你什么时候作出这个重大决定的？”他调皮的笑容令她愉悦起来。

“一九八三年三月十六日，下午六点零五分，在你告诉我怀孕消息的五分钟之后。”

蕾娜招手让他过来。“过来，mehra prem，亲我一下。就算你固执己见，你还是我最亲爱的。”

杰夫塔靠近她在沙发上坐下，胳膊搂住她的肩膀。“纳奥米·可恩”，他小心谨慎地念着这个名字。“纳奥米·可恩听上去完美极了。两个名字都这么短，人们绝对不会念错。我最烦昵称了：'苏'表示苏珊娜，'伊'表示伊莱特。”他假装恐怖地一哆嗦，“那些名字都缺胳膊少腿的。”

“哦，哦，”蕾娜大喊，“我不知道自己是不是摁错了按钮。苏珊娜是谁？”

“我从来不认识叫苏珊娜的人，”杰夫塔赶紧说，“我也是刚好想到那个名字。难道你不认为纳奥米·可恩这个名字很理想吗？”

“我得好好想一想，咱们有近八个月的时间来做决定——就算生女孩的话。但'纳奥米·可恩'?"蕾娜的声音里露出一丝挑剔的味道，"我觉得这个名字太短。叫纳奥米·克里斯南·可恩怎么样?"

"为什么不叫可恩·克里斯南?"

"没啥理由。名字的事先放一放。"在这之前，她一直用的是开玩笑的语气，但她突然变得严肃起来，"她的宗教信仰怎么办?"

"犹太教。"他毫不含糊地说。

"你会带她去犹太教堂？除了婚礼那一次，咱们到加利福尼亚以后，你一次也没去过。"

"其实……"他躲躲闪闪地说，"咱们过几年再担心这事也不迟。我只是说她应该感觉自己是个犹太人……就跟我似的。"他两手往上一抬，这个手势表示既成事实的意思。

"讲话的这个人是我的 mamzer 吗?"她柔声问。

"你干嘛提这事?"他尖厉地说，身子往后一靠，像是要在两人之间拉开距离。

"别激动，我亲爱的杰夫塔，"蕾娜伸过手去拽他，想把他拉过来，"你知道我和你站在一边。反正，咱们的孩子不会是 mamzer。"他们在西雅图教堂犹太教改革派的拉比面前成婚的那一刻——尽管蕾娜仍然是非犹太女人——mamzer 这个烙印便自动从他们孩子的身上抹去了。请拉比来主持和非犹太人的婚礼，就是为了消除这个不公平的印记。

"这会给咱们在以色列的生活带来诸多益处。"杰夫塔忿忿不平地说。

"咱们没必要非得回以色列，"蕾娜赶紧说，"至少近期不用回去。我们可以在这儿抚养纳奥米。等她三四岁的时候，你可以带她去犹太改革派教堂并且……"

"并且什么？"

"给她洗礼或皈依，不管当地拉比用的是什么词，反正让她成为犹太人就是了。"

"在这儿待三四年？"他一字一句地问，"我还以为咱们回比希巴呢，"他心不在焉地补充了一句。有那么一会儿，他眼睛盯着墙壁，一声不吭。然后他转向妻子，"我今天接到梅纳赫姆·迪文的电话。他说可以让我做比希巴 MUSA 厂的厂长，同时在本古里安大学兼做项目。对我来说，这种组合太棒了——大学加企业——而比希巴的确是一个抚养孩子的好地方。"看到蕾娜的表情起了变化，他心虚地说。

"那我在比希巴干什么？"

"带纳奥米和……"

"杰夫塔！你不是开玩笑吧。抚养孩子是咱们两个人的事——也许不止一个孩子呢——但我也得工作。我读了维斯里，读了斯坦福，读了布朗德，去了哈德萨，现在又在读圣塔克拉拉大学，读这么多书，可不是为了在比希巴带一个小女孩或小男孩。不是的，"蕾娜挺直腰杆，"你接到了迪文的电话？那让我来告诉你，马丁今天上午对我说了什么吧。"

* * *

他从头听到尾，一句话没说，但蕾娜看得出来，他的情绪越听越糟。她想不如用公司新起的名字来逗逗他。

"叙利亚（Syria）？"杰夫塔气呼呼地吐出那个词，"你不是开玩笑吧。"

"Surya，"她小心清晰地念出每个字母，"ＳＵＲＹＡ，"她把名字拼了出来，"印度教的太阳神。"

杰夫塔不屑地一耸肩。"如果你和盖斯勒觉得应该紧贴印度神话，那为什么不叫湿婆产品？你们搞的东西是阴茎，不是吗？"

"人们也把 Surya 作为疗伤的神来膜拜,"她用安抚的语调说,"根据印度神话,Surya 有十二种化身。既然氧化氮在人体内担当了这么多不同的生物角色——从阴茎勃起到癌症到大脑功能——难道我们不能把 NO 看成是细胞状的 Surya 吗?"看他半信半疑的表情,她匆忙加了一句,"反正,马丁喜欢这个名字。"

"那我呢?"他问,"我的位置在哪里——除了当父亲?"

"我肯定 SURYA——不管公司最终的名字是什么——会有适合你的位置。"她赶紧补充说。

"我要想加薪的话,是不是得向你申请呵?"

这是我们婚后第一次发生严重争吵。是我对结婚三年的老公了解太少呢? 还是自己这三年的变化太大? 我猜两方面的因素都有。在这之前,我从来没碰过杰夫塔作为男人的那根神经,但按字面意义理解的话,我确实碰过,在那件事上,我们各自的角色不仅得到明确规定,也都得到了充分的享受。

那天晚上,我的反应厉害极了。我一直吐到凌晨——也许是早期妊娠反应加上极度不开心的原因。杰夫塔不是个爱生死气的人,他把我揽入怀中。"咱们先别谈什么印度神灵了,"他轻声说,"至少等过了这三个月再说。"但不论是他还是我都没等那么久。

杰夫塔先提到了原来的话题,当时离我们俩第一次意义重大的争吵还没到两个星期。"我跟阿尔法度谈过了,"他宣布说,"我认为有一个解决办法。起码可以过渡一下。"

"阿尔法度?"我正要问,但很快意识到他指的是阿尔法度·扎法纳里。原来人家是"杰夫塔"和"阿尔法度",而我却死守着"扎法纳里博士"……他是如此高雅,又如此善良。然而他却被一条无形的壕沟包围着——散发出一种威严，他令人敬仰的声望削弱了矛盾性。也许是年龄上的差距吧。如果我早生三十年，我肯定会找一位高个、英俊的拉丁人做我的罗密欧。这人嘴上要留一层薄薄的黑胡子——让浓密的毛发来强调拉丁男性的高傲性格——和地中海东部地区男人满脸浓密的黑胡子有天壤之别。如果那个男人对我说，"叫我阿尔法度好了，"我会脱口说出 si como no，这是西班牙语，相当于希伯来语的 lama lo，这句话已经成了我脑海中表示同意的万能词。但扎法纳里的胡子已经成了银灰色，头发也成了银灰色；他的言谈举止既慈祥又威严，让我对他直呼其名，打死我也办不到。那扎法纳里博士对我的杰夫塔说了些什么呢？

当然啰，我得到的是二手资料；我真希望自己是"阿尔法度"肚子里的蛔虫。杰夫塔真对扎法纳里博士说过他想"放弃尿道"？说他认为通过尿道输送药物的研究"限制性太强"？起码他声称自己是这么说的。我不太相信他的话。这话听起来太无礼，几乎可以说鲁莽，而且太……不公平。

我不停地想这个问题，我知道这话听上去有点怪怪的，但我不停地想这个问题，不就是尿道把我们撮合到一起的吗？不知怎么的，我感觉这里面含有一个信息，一个丈夫传给妻子的信息，一份独立宣言，在宣言中，尿道变成了 SURYA 具贬义味道的同义词。

不管怎样，他说他想拓展自己在技术方面的视野，而"阿尔法度"就在这个时候向他提供了一份工作，我不得不说这份工作好得实在令人无法拒绝。如果马丁的提议不具有足够的诱惑力，诱惑我去尝试做公司管理层的工作——权力的同义词，尽管权力不大，考虑到SURYA开始的权力范围非常小——我也会接受扎法纳里博士的这份邀请。接下来的几分钟，我不再为这个问题伤脑筋了，我不再管谁告诉了谁什么,也不管谈话是如何开始的,更不管是什么驱使杰夫塔连说都没跟我说一声就当场拍板接受了这份工作(话说回来了,我又有什么权利提这个问题呢? 我也许还没在马丁的合同上签字——说到底SURYA还不存在——可我不也没跟杰夫塔商量就自己拍板决定了嘛)。当我们谈到扎法纳里那份诱人工作的科学含量时,一切都变成了学术讨论——科学家老公和科学家老婆之间的学术讨论。

"ZALA正在搞一个新的R与D项目——几乎是一家自负盈亏的公司——公司起名叫电导入治疗系统(Electrotransport Therapeutic Systems)——简称ETS,"杰夫塔开始说。"以阿尔法度的声望和他赚钱的本领,人们争先恐后地给他送钱。他已经筹到了差不多五年的费用,这笔费用不会体现在资产负债表中。换句话说,ETS的研究经费不会拖ZALA的后腿。这点很重要,因为作为上市公司,ZALA必须注意公司的股票价值。这些股票不是一夜冲高的新股票,而是已经带来营运收入的股票。"

蕾娜两眼盯着自己老公,"到底谁是这家的MBA?"

杰夫塔不屑地耸了耸肩膀,"这一点很重要,ETS公司的新员工要明白这些游戏规则。R与D前五年的经费一次性付给你了,但五年后我们得拿出成绩来。我说'我们',因为阿尔法度让我做研究小组组长。ETS像是一家新的生物高科技公司,不同的是,它仍然被放在了ZALA的框架内,因此它比那些新的风险项目要安全得多。"他用猜测的眼光看着她,"当然,我没有股票期权,不像你……"

"杰夫塔,求你了! 我的就是你的。再说了,不是还没拿到手嘛,还没最后决定呢。"

"那自然,不过……"

"不过,ETS 到底是做什么的?"她打断他的话。她本想说争强好胜解决不了任何问题,但她没把话说出来。不管怎么说,她对此事挺好奇的。

"哦,对了,"他说着话把脚往茶几上一搁,"这一点你应该比我更清楚,ZALA 在被动性皮下药物导入系统领域里的领先地位。"

蕾娜点了点头,显得有点不耐烦。她在 ZALA 公司的政策法规部门接受培训的时候,读过 ZALA 公司科研人员研发的新皮肤贴片的大部分说明文件,其中有治疗心绞痛用的硝酸甘油贴片,有荷尔蒙理疗用的雌二醇贴片,有降压用的可乐定贴片。她最近的一项任务是帮助收集送交 FDA 审批的尼古丁贴片资料。

"接着讲。"她说。

"到目前为止,这些系统只限于用来导入不充电的有机分子。ETS 要解决的问题是,"杰夫塔宣称,"将充电的分子穿过皮肤送达目标,特别是大分子,像肽和蛋白质。你知道目前的状况,这些药不能口服,因为药在到达目标之前就在肠胃里被降解了,所以人们得靠打针的方式维持治疗水平。如果我们可以让分子穿过皮肤到达目标,不管分子有多大,也不管它们有无亲水性,这难道不是一件很了不起的事吗?"

蕾娜毫不掩饰不耐烦的表情,"快说重点。你说 ETS 会解决这个问题。怎么解决?"

"离子电渗疗法。"他宣布说,六个字让他说得有滋有味。

蕾娜知道什么是离子电渗疗法——离子在外部电流作用下穿过膜的运动。"很好,"她说,"但怎么解决?"

他向前一靠,他刚才也许还一肚子牢骚,现在却变得热情洋溢——她爱上的那个杰夫塔又突然重现在屋内。"原理很早就知道了,说实话,知道得太早,当时一点用处都没有。我在以色列的时候还做过这个实验，就是二十世纪初的勒迪克试验（Le Duc）。往串联的两个兔子身上不停地输送电流。经过正极充电的的士宁，以硫酸盐的形式，通过正极输入第一只老鼠的皮肤，而经过负极充电的氰化物离子，通过负极送入皮肤。两只动物都死了，一只死于的士宁中毒，另一只死于氰化物中毒。但是，"他一挥手，让她闭嘴，"当把输送的两个电极掉转过来，动物却平安无事，就像刮完胡子后把的士宁和氰化物涂在脸上，在没有电流介入的情况下，什么事也不会发生一样。而这个试验结果在 1900 年就发表了！看看我们现在可以调用的资源吧——特别是在 ZALA 公司——公司内部在过去十年研发的膜技术，以及近在咫尺的硅谷和它所有的电子和微型化技术。我们将研发出和电导入系统结合在一起的皮肤贴片；我们也许不仅会用直流电，还会用脉冲电，以便我们用稳定电流或脉动电流将药物导入……"他停下来喘了口气，"几乎可以肯定地说，用电导入药物的速度和施加的电流量应该成正比。就像加大压力能够让更多液体穿过小小的洞口，加大电流量应该也能达到同样效果，也许能传送更大的分子，充电的分子，比方说蛋白质。"

"不错，"她说，她的好奇心快赶上他的兴奋度了，"别把病人电死就行。你们打算什么时候开始？"

"比你们开始要早。"他说。

12

"到了该筹真金实银的时候了，筹得越多越好，这样就不用老去井边打水了。每去井边打一次水,大家的股权就被稀释一次。让我说,筹它个一千万,安全系数大一点。"

马丁·盖斯勒的情绪焦躁不安,他在蕾娜的办公桌前走来走去。办公室不大,刚租的,写字楼的名字叫巴洛奥妥广场。写字楼位于 Page Mill 路和 El Camino Real 路的拐角处,斜对面就是 ZALA 公司总部。这个位置很好,马丁解释说,"写字楼里有律师行和会计师行(CPAs)。要用 ZALA 的资料室也很方便,就在街对面,起码在初期阶段,需要他们办公室人员帮忙——给钱呗。"

他走到墙角,单脚打转,又说回到第一个话题,"通常来说,新公司第一轮融资过程是件头痛的事,但……我……们……不……同。"他每迈一步说一个字。

"等着瞧好了,小菜一碟。咱们每股要它四块钱,我敢打赌,就这,买的人还是会打破头。说到这个问题,"他停住话,朝四周围看了看,好像是第一次看这个地方,"这个房间的确够简朴的。"他的目光落在蕾娜·克里斯南身上,她正坐在租来的办公桌后面。"不像扎法纳里办公室的装修风格。他的品位很高。就像他的衣服一样。"马丁低头看了一眼自己穿的灰裤子,裤子没熨过,皮带以下部分皱巴巴的,他发出一声尴尬的笑声,"不像本人——不过我从不以貌取人。"他解开衬衫第一粒纽扣,松了松领带,"要问我对这间办公室的意见,这就是咱们要的风格——起码初期阶段是这样。咱们应该保持简朴的风格,把筹来的钱尽量用在营销方面,把 MUSA 打入美国市场,而不是把钱用来装修漂亮的办公室。"

"每股四块钱,你是怎么算出来的?"蕾娜问。

"靠技巧。"他说完,等在那儿。

蕾娜没让他失望。"技巧?"她重复一遍,"我不明白。"

"这是技巧，不是科学。如何来决定一家新公司的价值呢？在既无销售额又无产品的情况下，能做的就是技巧加——当然啰，加吹，吹也有吹的理由。但我现在谈的是SURYA。正如我不停地在说——对本古里安董事会说，对你说，对阿尔法度·扎法纳里说（顺便提一句，他同意我的说法）——我很快也会对投资者说，说我们的确与众不同。我们有产品，我们知道这个产品能用，而且我们还拥有这个产品的所有权。"

　　"但是？"

　　他点了点头，"我就说过，蕾娜，你很聪明。是有一个分量很重的但是。其实有两个但是：要拿到FDA的批文，我们还要做很多昂贵的临床试验才行，而对阴茎勃起的市场到底有多大，我们还只处于猜测阶段。先别说话，"他说着举起手，"我知道你想说什么：'是勃起功能障碍市场'。我保证以后用词准确，等咱们筹到第一个一千万美元以后吧。在那之前，叫'阴茎勃起'或其他粗制滥造的名字都无所谓。"

　　"但那都是吹呀。"蕾娜皱了皱鼻子，"先是技巧，现在又是吹。"

　　"醒醒吧。"刚才说话的时候，盖斯勒一直笑眯眯的，这会儿他却把脸一板，"'吹'？也许是吧。但说到咱们的产品，吹的成分少多了。蕾娜，热情的吹是一种PR，就算纯科学家也爱用这一招。想想你们是如何向同事炫耀自己刚完成的那个有争议的实验吧——每项实验都是'突破'。突破的东西如此之多，已经没多少可再突破的了。"盖斯勒的嗓门又大起来，"还有你们要经费说的那些话：保证会治愈癌症什么的，但你们要做的只是些基础研究工作，这些研究离在第一只老鼠身上做试验还差十万八千里呢，就更别提人了。这难道不算'吹'吗？"

　　"从某种意义上讲，是的，"她同意说，"可你还是没解释是怎么想到每股四块钱的。你怎么跟人说？你说过先筹一千万股。那公司就值四千万美元,而公司连……"她扫了一眼简朴的办公室,声音减弱下来。

"你的算术无懈可击,"他说,"如果我说服不了他们接受四块,那就开三块五。"

"那也够高的,"蕾娜提出反对意见,"那也有三千五百万美元呢。"

"好吧,咱们就来练习一遍。"他拉了把椅子在蕾娜桌前坐下,"你要明白这一点,这非常重要,因为股价是咱们能利用的最重要的工具,特别是你能利用的工具,"他的手指从桌子对面点过来,"以此来吸引还未到手的主要客户。没有客户,就没有一切。其实……"他避重就轻地说,"也不能说没有一切,因为 SURYA 已经拥有了不少东西,但要想成功,光有这些还不够。"

盖斯勒拿过几页纸,抽出自己的钢笔。"一千万股股票,咱们卖出去百分之二十五——不能多卖,我希望——卖给外部投资者……资深投资者。"他强调说,"个人、或基金,起码一次扔十万美元的主。对人所共知的穿网球鞋的老太太来说,这笔钱数额太大,但我祖母要还在世并能把这笔横财派上用场的话,我绝对建议她投资这个股票,因为我自己也会在四美元的价格吃进一部分股票。阿尔法度·扎法纳里也会这么做,这会让外界相信咱们不是闹着玩的。"他不耐烦地摇了摇头,"咱们在投资者身上花的时间太多了——未来四美元股价的持有人——他们也许很重要。我和你有必要谈一下公司剩下百分之七十股票的分配方法。首先,百分之六十的股权由三家创立机构平分——本古里安、哈德萨和布朗德——而这是'创始人股',面值一分钱的特别普通股。看到了吧,这才刚开始,只要投资者以每股四美元的价格买入股票,各自拥有二百万股股票的每所大学,即刻就获得了近八百万美元的纸面利润。不错吧? 当然,在这个阶段,还没有纸币让你用回形针来夹，更别提用它来盖新大楼了。我知道你会有疑惑，一分钱的创始人股，相对于最初投资者所花的四美元，我们如何才能自圆其说呢。请耐心听我讲完。"

盖斯勒边说边在纸上潦草地写出数字。他先把创始人股几个字圈了起来。"他们有权利获得百分之六十的股票，这是对他们在项目上的付出所作的回报：专利申请、你的 NONO2、还有临床试验——他们在项目风险最大的时候投入的人力物力及其所作的贡献。他们所做的这一切当然具有很高的价值，特别是现在，当外部投资者进场的时候，失败的风险已大幅度降低。记住，投资关乎的就是风险和回报。他们能接受这个巨大差价，是因为他们，"他把外部投资者圈了起来，"将得到优先股。你正在读工商管理课程，应该知道它的意思：公司万一解体，剩下的资产由他们先分。"他不怀好意地窃笑，"其实他们知道，每个人都知道，公司要是完蛋了，哪还有什么值钱的东西好分。但是，话说回来了，游戏规则就是如此。这不同于通用汽车，不同于可口可乐，也不同于 IBM。这是投机生意，既纯粹又简单，在这项生意中，投资者打赌公司不仅不会破产，而且好得和他们做的美梦不相上下。"他又呵呵一笑，"但是，给他们优先股——当然，如果公司上市或当公司上市的时候，他们的股票也将最终成为普通股——等于给了他们股票一个另外的法定身份，在这个意义上讲，也就是给了他们股票额外的价值。不付出怎么得到。现在，"他在纸上画了三个惊叹号，"咱们来看未分配的百分之十五股票，我讲这么多，也就是为了讲这一点。这是你的，当然啰，也是我的弹药。这一百五十万股——高于通常比例——留作公司内部的股票期权。咱们给员工开不了高工资，能付给顾问和董事成员的就更少了。所以……"他往后一仰，"咱们不发工资，咱们让员工认购股票期权，允许他们在十年时间内，以每股四毛钱的价格购买 SURYA 的普通股。这个主意不错吧？"

蕾娜快速计算了一下。早几次谈这事的时候，马丁曾保证说让她认购七万五千股股票期权。如果她能在四毛钱的价位买入，那么当投资者以四美元价位买入股票时，每股利润按三元六角计算，她一下子就能净赚二十七万美元！

"四毛钱，"她叫起来，"你如何向四美元的投资者解释这个价格？"

盖斯勒向空中一挥手。"根本不需要解释。你打交道的人都是老手，特别是这儿海湾地区，人人知道股票期权的事。在新公司搞股票期权再正常不过了，这批股票包含普通股和未流通股两部分，未流通股部分还未在 SEC 登记，其价值也只有优先股的百分之十。记住啦，在这个阶段，优先股的法定地位比较高，还有，在这个阶段，所有利润——包括你的利润在内——纯粹是纸面利润。"

蕾娜的脸刷地红了，她计算股票的那一幕好像被马丁窥视到了，股票期权套现后，横财滚滚而来。

"人们要真想开始挣钱，蕾娜，"他细声细语地补充说，"得等到公司上市的那一天，这是外部投资者非常期盼的——而且越快越好。如果拥有股票期权能让管理层和普通员工朝这个共同目标努力奋斗的话，为什么不让大家分享这个好处呢？股票很多，够大家分的。"他从椅子上站起来。"资本主义行得通。我们知道它在皮奥利亚（Peoria）行得通。现在就看它在学术界能否行得通了。这是你将从这份工作中得到的唯一一货币。它的价值也许被大大地高估了，但它看上去仍旧像是金子，起码它发出的是金灿灿的光芒。"

结果我就坐在了这儿，怀着七个月的身孕，搭乘经济舱向波士顿飞去，想用股票期权请到最优秀的科学顾问团成员。

我的言谈思维越来越像马丁。这难道有什么不妥吗？我喜欢他的风格，他的风格夹杂着冷嘲热讽、夹杂着碰了一鼻子灰后学会的务实、还有他做事的热情也极富感染力。我喜欢他。

不久前，他承认说他正用别人二十年前考验他的方法考验我。他刚从斯坦福拿到 MBA 就成了扎法纳里实验室的第一位管理人员。扎法纳里从一开始就明确表态，只要马丁圆满地完成扎法纳里交给他的任务，他就是第一把交椅的继承人——对一位刚走出校门的年轻人，这种试用实在是真刀实枪的磨炼！如果我也表现好的话……

我想我能胜任这份工作。有一件事，从一开始，就让马丁给分担了一半。"在咱们从投资者手里拿到钱之前，"有一天他宣布说，"咱们需要一个规模庞大的董事会、一个科学顾问团（SAB）和一个医学顾问团（MAB）。"马丁将负责组建董事会，而 SURYA 的威尔士公主，也就是这间屋子里的唯一科学家，将担负起组建 SAB 和 MAB 两个顾问团的责任。

当我把这件事告诉杰夫塔的时候，他只顾盯着我的大肚子，"你得把顾问团男主席人选尽快定下来了……"

"主席人选。"我纠正他的话，但他没笑。

顾问团的组建有个秘诀，那就是关系网，你找几位在学术界有魅力的专家作为候选人，他们就会帮你找到其他人。我决定先从富兰肯沙勒教授下手，我要亲自去见他。自从 1981 年回布朗德住了几天，那以后就再也没回去过，我有好多年没见他了。我没在搞研究工作——至少在教授眼里，这不是什么研究工作——所以我们的联系仅限于圣诞节写封信什么的，但他送了我们一个很漂亮的银制大烛台作为结婚礼物。他是一位超级织网手——永远立在网中央——尽管他从未涉足过企业，但跟他谈这件事，我感到很轻松。考虑到他在 NO 领域掌握的知识和经验，难道他不是一位一流的 SAB 主席吗？

马丁听了直摇头，"这事由你做主，"他说，"但我要告诉你，这个主意不怎么样。首先，咱们需要的这位主席，不光得在科学界有名，还得是个带光环的人物才行。说穿了吧，要获过诺贝尔奖才行。我知道这些人物小钱请不动，但你把一大摞股票往他们跟前一放，我想肯定会有人落网。当然，这个人应该有相关领域的经验。太可惜了，还没有人因 NO 得过诺贝尔奖——还没有吧。"

我忍不住说，"会有的。"他盯着我看了好长时间，长得令我尴尬，我赶紧问他反对教授的其他理由。

"他是你的前任教授，不是任意一位教授。不只是博士后导师那么简单，"他说，"他把你送到了以色列，是你和他真正启动了这个项目。我这辈子见过许多科学家，知道一个重要的项目可以让参与其中的人员关系变得多么复杂。你真想这样一位父亲般的人物来当 SAB 的主席吗？就算只任董事的话，你真想吗？"

马丁很有绅士风度。他说，"别急着回答我的问题，先好好考虑一下。"然后他讲了自己组建董事会的过程，他的话给了我启示。从一开始，三所大学就一致认为马丁是理想的主席人选——起码在目前这个阶段：他早就在以色列和加利福尼亚之间飞来飞去了，他把自己奉献给了犹太人的事业，他在融资和生物医学领域具有丰富的经验，他甚至愿意自己掏腰包来投资这个项目。对这样一个人，你还能要求什么呢？他，反过来，觉得主要股东——也就是三所大学——应该有人来代表才行。本古里安立刻选出了梅纳赫姆·迪文。理由再明显不过了。他在大学里既担任行政职务又肩负筹款的责任，而他从一开始就参与了该项目，至少做了很多外围工作吧。

哈德萨的代表也明摆在那儿。SURYA 目前的重点放在了勃起功能障碍上，很显然，理想的人选是一位有医学博士学位的董事，最好还是位泌尿学家。马丁组建董事会，历来遵循小而精的原则，他认为让耶胡达·戴卫逊任董事有一箭双雕的效果。那布朗德呢？马丁不认识教授，所以他联系了打过交道的布朗德主管财务的副校长。"别找那些教授，"这是他的建议，"让我们知道进展就足够了——当然，还有套现的事。"按马丁的话说，他这么做有他的道理，反正布朗德的利益和持有的股票与另外两所大学完全相同，由他们派代表就行了。但马丁办事很圆滑，他给富兰肯沙勒打了电话，看有没有在这件事上得罪他。

出乎他的意料，教授公开承认自己没有做生意的头脑，也没有这方面的兴趣，他建议了另一位人选，马丁也觉得那个人太合适了，就是马兰妮·雷德劳，REPCON 基金的董事总经理。有她参加，SURYA 董事会就会有一位女士，就会有一位有繁殖生物学广博知识的科学家，而她又代表了最早支持 NO 部分研究的基金会。她接受了吗？我问，被这个提议引起了好奇心。

"我还没能约到她。"马丁说。他和她从未见过面，他觉得应该去纽约和她当面谈一次。

就这样，我怀着身孕，坐上了去波士顿的飞机。马丁也认为，我让教授对 SAB 的人选提建议是个明智的做法，或许大有收获也说不定。我可以从他那里得到一些诺贝尔获奖者的线索，因为众所周知，他和这些人保持着良好的关系。而我也很好奇，这我不得不承认，我很想听听他的说法——关于 SAB，也关于我的肚子。

* * *

我喜欢他和我打招呼的方式：没有大惊小怪，而是直奔主题。"你的体积确实大了许多，"他用眼睛盯着我的肚皮说，"看来你又要多一份工作啰?"我不敢肯定,他是指我当母亲这件事,还是指另外的行政职务。但我肯定,他已经放弃了那个念头,他曾想让我再一次考虑在大学终身教授这个阶梯的最底端找到我的一席之地。教授很快对我找人的事情产生了兴趣。他强调说,干企业不对他胃口,但他对这种做法表示理解(尽管我根本没要求他考虑担当这个职务)。他连顾问的工作都没接过,现在就更不可能接了。"我对诺贝尔获奖者怎么看?"他若有所思地说,"要我说,他们可以派上用场。"他哈哈大笑,笑得有点造作,但他很快恢复常态,大脑飞速转动起来。

"I. C.。"他说。

我一脸茫然,以为他说的是"I see(我明白的意思)。"

"艾沙德·肯特,"他说出全名,"这个人因癌症方面的研究与人分享了诺贝尔医学奖。大家都叫他'I. C.'。"

我又问他要其他人的名字,可他却假装没听见。"想想吧,你们并不需要请专家来当主席,你们只是想摆样子给人看罢了。你们搞的是氧化氮,肯定能和癌症扯上关系——人们一直担心亚硝基化合物潜在的致癌性。请一位因研究癌症获诺贝尔奖的人当你们 SAB 的主席,会让人觉得你们对这个问题很关心。另外,NO 已显示出有抑制肿瘤生长的作用,这应该能引起 I. C. 的兴趣,我和他很熟,我给他打个电话,看他想不想见你。"

我喜欢教授的这个提议。他立刻就明白了我们组建 SAB 的意图,它不是面向投资者的公关机构,可是马丁提醒过我,说再过几年,等人们对 IPO 产生疯狂的热情,就不能小觑 SAB 在这方面的作用了(两年之前,我只是个身无分文的纯科研人员,根本猜不到这三个字母是业内表示"首次公开募股 Initial Public offering"的行话;现在你就是凌晨三点钟叫醒我,我也能精神抖擞地念出这几个魔幻字眼)。如果治疗勃起功能障碍的 NONO2 真能成功,那公司就不能只做一种产品,除非我们愿意被大制药公司吞并且失去自己的名号。这也许是我们的命运——绝大多数生物高科技公司都是这种命运,至少那些得以生存下来的公司是这种命运——但这不是我们目前的策略。我们的策略很简单:第一步,把 NONO2 推向市场;第二步,开始研制下一代产品;再就是第三步,探索 NO 释放因子或阻滞剂治疗其他疾病的可能性。我们有可能成为制药行业氧化氮的脑库! SAB 将起到关键的作用,它会让我们紧跟最新的科学成果——那些还未出版的科研成果,并帮我们想出新的研究课题。关系网,关系网,关系网。

"马克思·威斯如何?"他突然说,"他也许合适。""普林斯顿的生物化学家?"我问,"当主席吗?"我实在不愿承认,说除了诺贝尔获奖者,其他人我们概不予考虑。"一流的生物化学家。"教授把右手大拇指和食指圈成一个圆圈,就像说某种甜品非常好吃那样,"你们的 SAB 需要生物化学家,如果你们请不到我,为什么不要威斯呢?"我感觉我们突然进入到一个棘手的领地。"他不是退休了吗?"我问,"难道我们要成立一个老年 SAB 吗?"

教授露出痛苦的表情,"为什么不说成熟稳重、经验丰富、能起到顾问作用……"

"那当然。"我赶紧说,但他没有善罢甘休。

"肯特可能和我年龄相当,也可能六十出头。威斯也许快七十了,但他还活跃在实验室里。谣传说他正在搞一个很热门的项目。"我紧张起来,感觉被人逼到了死角。

"这个建议很好,"我说。"但我们得先集中精力把主席定下来,主席定了之后,再由他来决定其他人选。"

"也许是一位女主席。"他说。

"也许是一位女主席。"我附和说。但这不是我的真心话。马丁向我发出了挑战，要我找一位诺贝尔奖得主，我也准备撒下大网去找，先从密西根湖找起，据我所知，这个湖里只有公鱼。我还不知道去哪儿找有母鱼的诺贝尔湖。

13

"克里斯南博士，你喜欢做换字母的游戏吗?"肯特教授问。他给蕾娜拉过一把带扶手的椅子，蕾娜欣然接受。谢天谢地，总算有扶手，椅背也够直。

我可以要他们，也可以不要他们，不要的机会大一些。她这么想着，便模棱两可地摇了摇头。她是来请人的，而肯特答应在位于芝加哥的公寓里接待她，其表现出乎意料，显得非常善解人意。密西根湖的景色——诺贝尔奖金能买到的那种景色——就是单来看湖景也值了。"你干嘛问这个?"

"拿 Pithecanthropus eretus 这两个字来说吧……"

"古生物学恐怕不是我的强项。"蕾娜采用了先发制人的手段，对自己所知甚少或根本不感兴趣的话题，最好的办法是把它挡回去。她还有整整四小时就要搭飞机从波士顿返回旧金山。她没有兴趣聊旧石器时代的东西。

"我谈的不是人类动物，"肯特一脸和气，笑呵呵地说，"如果有人让你给那两个字做换字母游戏，你会想到什么字?"

"我得先把那两个字写下来，免得拼错了。"蕾娜老实回答。

"我喜欢你的回答，克里斯南博士，诚实并切中要害。知道谁问过我这个问题吗？"肯特没等她回答，"你的富兰肯沙勒教授。想知道他的答案吗？'Pursue the person, catch it（追上那个人，抓住他）'。"他说，"聪明吧？"他探过身子，像是为了更好地吸引她的注意力，"你在布朗德待了那么多年，就没听他说过此事？"

"从来没有。"她斩钉截铁地说，她惊奇地发现，用那句话来描述她此行的目的是多么地贴切。

"令人佩服。我要能想到那个换字游戏的答案，我会见谁跟谁吹。"

"也许他就没想吹。也许有人刚告诉过他这个答案。教授从来不把别人的点子占为己有。"

肯特眯起双眼，"I see，"他说，听上去像在念自己姓名的头两个字母，"也许这就是我注意他的原因吧。他昨天打电话说了你的事，我一听就上心了，难道就是这个原因吗？他对你神秘的任务惜字如金，难道也是这个原因吗？但你来得早不如来得巧，我得说，实在是太巧了。我这个周末在芝加哥参加室内音乐活动，而我那几位同事得过几个小时才到。"

他的话音刚落，一位身材高大的漂亮女人走了进来。只见她一手拿琴，一手拿弓。"实在对不起，亲爱的里奥纳多，"她大喊一声，"我还以为就你自己呢。"

"过来，过来，"他对着她指了指客人，"这位是蕾娜·克里斯南博士，菲里斯·富兰肯沙勒的明星博士后，他以前的学生。她是来劝我的。你，我亲爱的，比其他人都清楚，我对明星博士后是多么地重视。这位是宝拉·嘉里，"他指了指手拿大提琴的高大女人，宝拉，还记得菲里斯·富兰肯沙勒吗？他一月份来听过咱们的音乐会？那次演奏的难度相当大。开始拉的是辛德米特（Hindemith）作品第五号，接下来是巴托克（Bela Bartok）的四重奏……"

"打住，里奥纳多，"她把琴往地上一杵，转向蕾娜，"里奥纳多是我们四重奏里的中提琴手，所以免不了要拉上一段辛德米特的作品。但别让我的话打断你。"

"要不要和我们一起坐，宝拉？你介意吗？"他赶紧看了蕾娜一眼。蕾娜看出自己精心准备的计划将被打乱。

"可以，要是谈音乐的话。"宝拉说。

"恐怕和音乐无关，"蕾娜赶紧说，"只谈科学。"

"那样的话，我就去琴房看谱子了。"她对蕾娜说，"我们要演奏肖斯塔科维奇（Dmitri Shostakovich）F大调第十四号作品。我们还从来没演奏过这部作品。"

* * *

"确切地说，你是公司食物链的哪个环节？"

"请再说一遍？"蕾娜问。

"那我换个问法，"肯特不经意地动了动身子，"你在公司管理层的哪个位置？"

"在 SURYA，我们不这么看问题，"她的回答稍显唐突，"我们不靠别人喂饭吃。"蕾娜觉得明智的做法是不主动说出公司目前只有七名员工。

"那是什么？难道是以色列的合作农庄？"

蕾娜扑哧笑出声来。笑声打破了僵局。"既然临床试验是在以色列做的，也许免不了有那种色彩。不过，每个人拿的钱还是不同。"

"如我所想。"

"肯特教授,你这话是不是有点刻薄? 难道学术界就没有食物链吗? 你的实验室是如何运作的? 肯定是拿研究生当早餐,我敢打赌,拿博士生当午餐。"

肯特盯着她看了好久,看得她心惊肉跳。"你说的没错。那咱们就谈谈你此行的目的吧。我为什么应该加入你们的科学顾问团? 也就是 SAB,你们肯定是这么叫的吧。"

蕾娜脸红了。是他的中西部口音作怪呢,还是他真把它念成了 SOB? 要真那样的话,她趁早打道回府算了。

肯特继续往下说,"……我,和你的教授一样,一个从来没和企业打过交道的人? 要不就是我看错菲里斯了? 他有没有加入你们的 SAB?"

蕾娜听了一哆嗦。她在心里发誓再也不用那个缩写词了。她忽略掉最后一个问题,"其实,我们不光想请你加入。我来是想请你做顾问团主席的。还有,当然了,由你来甄选合适的顾问人选。"

"我为什么要加入?"

"我们的科研项目很有意思。NO 是当代生物学中最令人着迷的分子之一。"

"也许是,"肯特附和说,"但这不是我的领域。我的专长是癌症。"

"在肿瘤发生的某个阶段,也应该有 NO 的参与吧。不然就是参与了抗癌。"

"人们对其他许多分子也抱有如此虚无缥缈的希望。我想你不会把它当成奖金来发吧。"

"那就当成是接触一门和你专长无关的领域好了,就当成是接触一个有意思的科研项目怎么样?"

"这么说可就没边了。"

"没边?"蕾娜一反常态,摆出一副好斗的架势。她现在已经肯定肯特会拒绝她的请求,但她绝不能无缘无故接受这种八竿子打不着边的自负言论。她此行也许会以失败告终,但是,败也要败得理直气壮。

"应该还有其他两个理由可以吸引你,吸引作为男人的你和作为科学家的你。"

"说来听听。"

蕾娜被他的唐突吓了一跳,欢迎她的时候,他彬彬有礼,甚至还带着股绅士派头,这会儿简直是换了个人。难道他在考验她?好吧,她对自己说,我相信自己会通过这一关。

"前列腺癌和性无能,"她回答,直截了当如他的提问,"你也许知道,前者常常导致出现后者的情况。比方说,考虑到所有前列腺切除术……"

"我的前列腺依然处于良好状态,"他口气生硬地说,"还有其他理由吗?"

蕾娜不由得慌了手脚,谈话怎么会到了这种地步。"其实……"她嘀咕说,"男人也会发生功能性性无能,像糖尿病人、心血管病人……"

肯特又打住她的话。"我是说,还有没有其他理由,和科学及医学没关系的理由,会让我考虑当顾问……"

"当主席。不只当顾问。"他能打断我的话,我也能打断他的话,蕾娜这么想,"还有就是钱。"

"啊!"

蕾娜不敢肯定那声啊是否有讥笑的意思在内。"参加董事会没什么报酬——我们公司太小,现金也太少。但每位董事都可获得数量可观的股票期权,而主席可认购的数量是董事的两倍。"她接下来大概说了一下三万股的潜在利润,如果每股按四十美分买入的话,她说的时候还特意指出 IPO——也就是这些股票期权真正有市场价值的时候——的股价很可能是每股十五美元，而不是现在的每股四美元。"那可是四十多万美元呵，如果我们的氧化氮释放因子真像以色列的临床试验展示的那么有效，股票价格说不定会冲得更高。"

"钱再多对我也没什么用处，"肯特说，"除非我想买一把瓜奈里（Pietro Guarneri）制作的大提琴给宝拉当生日礼物。不知你是否知道，"他补充说，"有一位瓜奈里也制作大提琴。"他耸了耸肩，"我过得很舒服，收入也够我用了，可以想干啥就干啥。我又没负担……"

"挣钱的理由很多，"她打断他的话，"就算你决定不买瓜奈里制作的大提琴给……"蕾娜再一次慌了神。她本想说"给肯特太太"，但这个大提琴手在这个家里扮演的好像不是这个角色。

肯特在毫无意识的情况下给她解了围，瓜奈里的话题被丢在了一边。"再说一个理由。"他说。

"如果诺贝尔奖金不是一百万美元，而是一美元的话，你和你的同事还会这么重视那个奖吗？"话刚出口，蕾娜就后悔了，不说就好了。但她实在火透了，他也太拜金了。

"我得诺贝尔奖的时候，奖金只有八十万，不是一百万。"他一本正经地说。蕾娜总算领教到了诺贝尔奖得主对奖金的敏感程度。"再说，奖金还是与别人分享的。"

"对不起，我说错了。我不是指你的诺贝尔奖。"

"接着说。你正想告诉我说挣钱的另一个理由。"

"可以送人呐。"

肯特露出吃惊的表情，"这就是你挣钱的动机？"

"说实话，是的。别忘了，把钱送给别人，不仅让你感觉良好，还赋予了你一种权利。"

"权利对你很重要吗?"

"开始变得重要了。"

* * *

"你愿意在办公室见我,我对此深表感谢。"马丁·盖斯勒说。尽管他宣称不在乎衣着打扮,但他今天还是穿上了仔细熨过的蓝色西装,黑色皮鞋被机场的擦鞋机擦得油亮油亮的,白色衬衫上了一层薄薄的浆,脖子上系了一条蓝灰条领带,领结打得很精致——他衣橱里的选择有限,这是最保守的一条领带了。

马兰妮·雷德劳低下头,"我对菲里斯·富兰肯沙勒提的建议总是很上心。我倒不一定按他的话去做,但我会多加注意的。菲里斯对我说,你想和我谈一谈,让我做你们公司的董事。我对你的这种想法表示感谢,但我在谈话开始就应该告诉你,谁家的董事我也没做,除了REPCON 的董事,而这是出于职务上的需要。"

"太好了,"马丁说,"这就免去了不必要的利益冲突。"

"别急着下结论,盖斯勒先生!"雷德劳觉得又好气又好笑,"首先最重要的一点,我不做其他公司的董事,是因为没有时间,我是 REP-CON 的董事总经理……"

"但是其他基金的董事和大学校长都有兼职做公司董事的呵!"他插话说,"双方都认为这是互利的事情。"

"那是自然,"她说,但有句话她不想说,那就是,你到现在还没邀请我呢,"可我还要当母亲,我的儿子很小。"

盖斯勒不想一球定胜负,当他跨进 REPCON 办公室、和马兰妮·雷德劳握完手之后,他就对自己说,这是位合适的人选。他第一眼的感觉很少出错。"很多人都有孩子。"他的笑容令人火气全消,"全年的董事会不超过六次。必要的话,可以在你们曼哈顿安排一两次。这种时候,自然可以让孩子他爸接手照看一下。"

"孩子没爸。"

"明白了。"他一反常态,露出尴尬的表情。

雷德劳帮他解了围,"说说你的打算吧。还记得吧,早期的氧化氮研究和我是有关系的。我们资助蕾娜·克里斯南去了以色列。对了,她最近在忙什么?我听菲里斯说,她去了你们公司。"

盖斯勒松了口气。她的问题打开了好几个话题,他决定全部给予回答。他先从蕾娜开始讲起,强调说他为一位年轻的女科学家设想了一个重要的角色,而这位科学家马上就要生第一个孩子了。他的直觉,一如既往,总是对的:这正是马兰妮·雷德劳想听的话。最后他告诉她说,蕾娜正在四处请医学顾问团成员。

"为什么要两个顾问团?"

"问得好,"又是一个让他解释公司规划的好机会,"SAB 为的是长远打算,我们得为下一个阶段的发展做准备:NONO2 成功之后,我们应该研究开发什么项目。他们不仅要想出氧化氮的其他医学用途,还要对下一代产品的研究提出相应建议。"

雷德劳点了点头。"那 MAB 的作用呢?我想这是你们医学顾问团的简称吧。"

"是的。理由相当简单。我们的当务之急,是在本国尽快完成第三阶段临床试验,试验将涉及两千多名不同类型的病人和五十多个医疗点。"

雷德劳看上去很惊讶,"那么多?"

"要想通过 FDA 的审批,也许就得那么多,要是给的数目少了,再回头去补,那就浪费老鼻子时间了。你也知道,这种临床试验费用昂贵,多达一百万美金。这也就是为什么在开发新药的过程中,光有

REPCON 这样的基金是不够的,还得有风险资本的介入。公司不想花钱请医学博士——目前来看费用最高的一批雇员。克里斯南博士将领导一个小组,小组成员大多是实习的护士和一位生物统计员,他们将整理收集到的临床数据。但我们需要一些独立于公司之外的医学人士来把关,也许还有更重要的一点,就是帮助缓冲和外部临床医生的关系。他们大多是泌尿科医生——很难对付的一群男人,他们不会瞧得起公司内部这批人,这批人大多数是女性不说,名字后面又都不带医学博士头衔。这就是 MAB 肩负的任务。"

"成员也都是男泌尿科医生?"雷德劳带着讥笑的语气问。盖斯勒早料到她会这么说。

"希望你没说对。克里斯南博士负责组建 MAB,可以说她将努力达到性别平衡。也许达不到 50%……"

"跟 SAB 一样?"她笑起来,"接着讲吧,我没想打断你的话。"

他松了口气。"就跟 SAB 一样,当然,也跟我们的董事会一样。"马丁向雷德劳打了个手势,感觉好像雷德劳已经是董事会成员了,"MAB 的收入大多通过股票期权来完成。这会节省许多现金。"

雷德劳的眉毛明显往上一挑,"我猜你该告诉我股票期权的事了。"

果然不出我所料,盖斯勒这么想,我打赌她上钩了。他为她描绘了一幅无比乐观的画面,并时不时指出一两点需要引起注意的地方,最后他说,"当然,我们无法预测股票的短期走势,但从长远来看……"他双眼朝天,看着想象中主宰股票的上帝。

但雷德劳不为所动。

"明白了,"她说,"告诉我,都有谁加入了你们的公司。"

盖斯勒采用了缓兵之计,他太清楚 SURYA 公司的人员状况了。

"我跟你说说 SAB 的成员吧——起码那些已经答应做我们顾问的人选。主席人选,我们请到了艾沙德·肯特——你知道的,"他装出一副无所谓的样子,"就是那个因肿瘤发生理论获诺贝尔奖的人。"

"还有谁?"她面无表情地问。

"马克思·威斯,普林斯顿大学生物化学系的荣誉教授。但在科研方面仍然很活跃,"他匆忙补充说,"还有迈克·马里塔(Michael Marletta),密西根大学一位相当年轻的全职教授。据克里斯南博士讲,他在 MIT 的时候,她和他共过事,他就是那位研究氧化氮生物合成的权威。一个非常复杂的领域,据我所知,你最好去和克里斯南博士谈这个问题。让我想一想,"他装出沉思的样子,"还有谁接受了我们的邀请?"他知道自己已经触到那个小而精的桶底,但不到万不得已,谁会主动承认这一点呢?

"相当不错。但目前董事会成员都有谁?我都有哪些同事,要是我决定加入的话。"

"哦,是的,"他热情洋溢地大叫一声,"下个月开第一次董事会,相信到时候我们会恭候你的光临。我还是从主席说起吧,"他的微笑令人释怀,"就是本人。董事会成员有阿尔法度·扎法纳里博士,ZALA 公司创始人,之前是 Syntex 的总裁。他是科班出身的生物化学家,创立过好几家令人感兴趣的公司,像……"

"还有谁?"

"耶胡达·戴卫逊博士……"

"哈德萨的?一流人才。REPCON 资助过他早期的临床试验。恭喜你。还有谁?"

"董事会成员还有一位律师,叫莫特·寒石,顺便提一句,他的心是肉长的,不是石头做的,心的大小和肚子差不多,巨大。他也是公司的法律顾问。有人说绝不能让法律顾问担任公司的董事,因为你永远无法知道他在以何种身份说话。但我们愿意冒这个风险,因为他还担任董事会秘书,我们尽可以免费获取法律上的建议,而这么做还让他觉察不出来,这能帮我们省不少钱呢。"他诡秘地一笑。

"你把钱袋看得真紧,盖斯勒先生。也许我们应该请你来作 REP-CON 的董事。就这几位董事吗?好像人少了点,是不是?"

"公司内部章程只允许有八位董事,对我们这种规模的公司来说,这算相当正常。我们给外部主要投资者留了两个位置,目前都还在谈判阶段。还有就是你,当然啰,如果你肯接受的话。"

"我想考虑一下。给我一个星期行吗?"

* * *

她在送他去门口的路上突然停住脚。"你说是八个人,其中包括两个投资者和我。可这才七个人呀。"

盖斯勒一下子没回过神来,众所周知,他从来没在数字上犯过错。只见他猛地一拍脑袋,"你说的没错,"他大喊一声,"我怎么把梅纳赫姆·迪文给忘了?他代表……"雷德劳表情突变,把他吓了一跳,"没事吧?"

"没事,"她说,"一点事没有。"

14

"这是历史性的时刻:SURYA 有限公司第一次全体董事会议现

在召开。"马丁用自豪的声音说出这句话,他没打领带,衬衫袖子撸到了胳膊肘。"当然,这是我们借来的办公室。"他用手势向坐在左边的阿尔法度·扎法纳里表示了感谢,后者是这儿的业主,他们围着一大片茶色玻璃坐成了一圈。扎法纳里谦和地点了点头,稍有不同的是,他不想让人把他当成这儿的主人。"再过几年,"马丁接着说,"我希望咱们坐在自己的写字楼里,坐在咱们自己的董事会议室里开会,就像这儿……"他停住话,做了个稍显夸张的动作,把手指划过又凉又滑的长长的椭圆形玻璃桌面。

"开会之前,"他补充说,"让我们热烈欢迎从阿姆斯特丹远道而来的客人,一位对时差有免疫力的人。"他向坐在右边的马格纳斯·凡·兹瓦博格男爵一鞠躬,那是位仪表堂堂的男人,带着股军人的威严,他亚麻色头发不分线全部梳向了脑后,鼻子极具贵族气,脸颊红扑扑的,和其他部位极不协调。

男爵的笑容似乎有点漠然,"我们这些银行家满世界飞,已经学会了如何与时差打交道,这也许就是我们老坐头等舱的原因吧。"

马丁·盖斯勒露出痛苦的表情。他最恨别人当众嚷嚷这事了,跟个小喇叭似的,为了让男爵来参加董事会,他作出了妥协:让他坐经济舱肯定是不行的。马丁只好顺他的意思,因为有男爵在场,不仅能增强欧洲那批投资人的信心,确实也是了不起的成就。一个有爵位的阿姆斯特丹银行家,同时身兼荷兰皇家壳牌、菲里普电器和鹿特丹 Boymans-van Beuningen 博物馆的董事! 只提这几个名字就能从真正意义上提高股东授权委托书的档次。

马丁赶紧瞄了一眼另外两位从国外赶来的客人,耶胡达·戴卫逊留意到了对银行家——也许说男爵更合适——的旅行标准所作的让步。马丁肯定,会后他会向自己唠叨这件事。他从戴卫逊的举止表情已经看出来了，只见戴卫逊把下巴突然一收，在面前的黄本子上胡乱涂起来。

坐在戴卫逊旁边的梅纳赫姆·迪文是什么反映呢？马丁瞥了他一眼，便下出断语，迪文一句话都没听进去。迪文一直在观察桌子对面的马兰妮·雷德劳，而后者，与之相反，正全神贯注盯着男爵。她听是听到了，但好像觉得这件事挺好玩的。最好趁早改换话题，盖斯勒这么想。

"莫特，"他对坐在椭圆玻璃桌另一头的公司法律顾问说，"该你了，说说公司的决策？"

* * *

寒石问所有董事是否都收到了公司章程，听到肯定答复之后，便问大家有无问题要问。没有问题，寒石是这么理解的——参与公司董事会的长年经历告诉他——大部分人嫌麻烦根本就没读章程，将来也不会读的。他才不在乎呢，如果他将来必须为某些所作的决定找借口，就可以把公司内部章程抬出来，说应该照章办事，让人无法把他驳倒，而这只会加速事情的进展。他把目光沿玻璃桌扫视一圈，注意力集中在同事的腿上——这也是他喜欢在董事会议室里放玻璃桌的一个原因。只有他太太知道他能从董事们放在桌子下面的腿看出他们在想什么。他自己的腿，他知道，根本就给不出什么信息，地心吸力把心理作用吸得是一干二净：他的肚子如巨无霸，致使他坐的椅子要离开桌子一大截距离，他的两条腿矗立在地面，岿然不动，像两根柱子似的支撑着沉重的中楣。但其他人呢？

马丁·盖斯勒懒散地靠在椅背上，两条腿四仰八叉，没比他更放松的了。扎法纳里跷着二郎腿，笔挺的裤线一点没起皱。寒石心想，他坐下来之前，肯定把裤子往膝盖上方拉了拉。与他们形成鲜明对比的是男爵的双腿,自然弯曲但紧紧靠拢,双脚平稳地踩在鞋子里,呈一前一后状,那架势像是会随时站起身向人猛扑过去。迪文和盖斯勒一样,坐姿呈轻松状,两腿分开,但远没达到 CEO 四仰八叉的程度。戴卫逊的腿他看不到,而他要把雷德劳的腿留到最后再看,因为女董事的腿仍属稀有物品,需要慢慢品味。就在这个节骨眼,盖斯勒的声音中断了他的审视。

"咱们快把行政人员选出来。我想把委员会的任务仔细说一遍。"就这家公司来说,选行政人员完全是走过场,而且这个过场走得相当快,考虑到目前的管理层没有多少人:盖斯勒是总裁和首席执行官;蕾娜·克里斯南是副总裁并主管科研项目;还有就是罗杰·奎沙,新来的,主管财务及出纳,并兼任主管行政的副总裁。大家身兼数职是为了省钱。招聘其他人员则不需要董事会批准。

"现在把董事会下属委员会的任务定下来,我让莫特把委员会的暂行任务说一遍,任务是我和他共同草拟的——当然,"他收起双腿,稍稍坐正,"要你们同意才行。我们不强迫人做他不愿做的事,要自觉自愿、有自发的工作热情才好。"

"好吧。"寒石尽可能地身体靠近桌子。他看着桌上的名单,"首先,是审计委员会。这个委员会,需要公司外部的两位董事担任委员,这两个人最好懂金融。我们建议由男爵……"

"叫我马格纳斯好了。"

"谢谢你,马格纳斯。我们提议由你和阿尔法度·扎法纳里来担任委员。同意吗?"见他们点了头,他接着往下说,"酬金委员会的委员,我们建议由戴卫逊教授……"

"叫我耶胡达好了。"

"那就是耶胡达和马丁。没意见吧?"

见没有人反对，他把身子转向马兰妮。"第三个委员会，虽然不需要占用太多时间，但在目前的初期阶段极其重要，就是股票期权委员会。我们需要两位外来的董事，所以我们提议由你，雷德劳博士……"

他停下来等那句"叫我马兰妮好了"，但没等到，"和梅纳赫姆。"他说完了要说的话，有点心虚的样子，"有反对意见吗？"

梅纳赫姆直直地看着马兰妮，这是第一次，他们四目相对，锁定了目光，"为什么不行？"一阵尴尬过后，迪文说。

马丁·盖斯勒又接过话头，"这个问题解决了，咱们转到下一步，看一下董事会议程，你们应该早就收到这个议程了。第一项议程，财务报告。该报告由罗杰提交，"他用头朝那个年轻人点了一下，后者正背靠墙坐在蕾娜·克里斯南身旁，正将椅子翘起来做平衡游戏。听到念自己的名字，罗杰·奎沙猛地把身子往前一探，放平椅子，脸上挂着既自信又迫切的表情。

"可是今天，我要利用董事会主席的特权先说几句，然后再把会场交给你，罗杰，如果你不介意的话。"

奎沙一耸肩，又玩起了椅子平衡游戏。

"我这么做，是因为我想先给大家报告一个特大喜讯，咱们公司以每股四美元的价格筹到了一千万美元。"

"也许你该要五美元的。"迪文哈哈大笑。

"贪心不足蛇吞象，"看到男爵眉头紧锁，马丁赶紧这么说，他可是每股四美元的买主，并以此身份进的董事会。"对那些用硬货币购买股票的投资者来说，这个价位非常好。我知道你在想本古里安大学挣了多少钱，但要真想挣大钱，还得等股票上市才行。"

"如果上市的话，"男爵插话。

"等它上市的时候，"马丁语气坚定地回答，"等你听完克里斯南博士的临床计划之后，你肯定会和我一样乐观。"

蕾娜露出微笑，她感谢马丁用姓加学术头衔来称呼她。但疼痛，从肚子左边慢慢地痛到右边，令她收住笑。这是开会以来第二次这么痛了。这种散发性收缩——医学名词叫布希收缩（braxton Hicks），从书上看来的——差不多有两个月了。但两次阵痛隔得这么近？是不是因为她僵坐在屋子里造成的？她一坐下来便把沉甸甸的大肚子搁在膝盖上。要不就是临产前的阵痛？预产期都过了快一个星期了。还好，杰夫塔在同一座楼里上班，可以马上开车送她去斯坦福医院。

她举起手。"马丁，"她犹豫地说，"希望我的要求不过分，能不能让我在罗杰之前先发言。我感觉不太舒服。"她轻轻地拍了拍肚子。

"当然可以，"马丁赶紧说，"正如大家所见，克里斯南博士快生产了，所以咱们应该让她说完先走。开始吧，蕾娜。"

* * *

蕾娜先把申报 FDA 要做的试验讲了一遍，其中包括把在以色列得到的数据重复一遍，这么做似乎很无谓，而且还要没完没了地做毒理学试验和似乎不相干的试管试验，一样也不能少，考虑到临床对 NONO2 的活性成分已经有了相当了解，这么做实在没有必要。她能体会耶胡达·戴卫逊的感受，他对美国相关部门的官僚作风以及对以色列数据的漠视翻了不止一次白眼，以表示自己的愤慨。但蕾娜在 ZALA 公司的政策法规部门呆了一年，已经成了 FDA 问题专家，对戴卫逊的疑问，她的回答斩钉截铁。

"和审批的人理论，咱们得不到什么好处。那样只会浪费更多时间，搞不好把他们惹恼了，反过头来为难咱们也说不定。记住，是咱们处于劣势，谁让咱们想做第一个吃螃蟹的人呢。想推新药，就得回答他们提出的所有问题，就算八竿子打不着边的问题也要回答。萨立多胺(thalidomide)给了 FDA 一个惨痛的教训,他们批得再快也没人说好话,可一旦出现问题,那可是要掉脑袋的。"

她接着汇报了临床部门最初的人员情况——三位护士实习生和一位生物统计员,目前现有的人员——接下来就说到了医学顾问团。"对我们来说,MAB 将起至关重要的作用,特别是在目前阶段,我们还没有一位全职的医学博士。想省钱是一个原因,"她看了马丁一眼,她已经学会了这一招,当众夸奖他勤俭节约的品质能给她加分,将来要起钱来会容易得多,"这么做的另一个原因,是因为我们已经从以色列和戴卫逊教授那儿拿到了丰富的临床数据……"

"'耶胡达,'蕾娜,"戴卫逊打断她说。"你也叫我'耶胡达'好了,现在我可是在为你打工。"

蕾娜吓了一跳。她听到他们说'叫我马格纳斯好了,叫我耶胡达好了'之类的话,但那是平起平坐的男人之间的游戏呵。她如此敏感,是不是残留在自己身上的印度种姓的观念意识在作怪呢?"我试试看吧,"她羞赧一笑,"耶胡达答应派一位年轻的同事过来,叫沙里博士的,来巴洛奥妥两个月,帮咱们把五十个中心用的临床草案搞起来。"

"MAB 的人选定了吗?"雷德劳问,"谁是主席?"

蕾娜用余光瞟了一眼戴卫逊,除了马丁·盖斯勒,他是唯一了解这个秘密的人。诺兰几天前刚接受了邀请。"M. L. 诺兰博士,"她说完,停在那儿。

"我的天呀,"雷德劳大叫起来,"是斯坦福的诺兰?"见蕾娜骄傲地点了点头,她接着往下说,"她读耶鲁的时候,REPCON 赞助她搞过几个项目。我也许应该趁此机会去拜访她一下。"

"女的?"男爵问。

扎法纳里一直在纸上漫不经心地涂写,抬起头来问,"什么系?"

"OB-GYN，对吧？"雷德劳答。

"其实，在斯坦福这儿，和别的地方不一样，他们称为'妇产科'，"蕾娜补充说，"她是科主任。就我所知，她是建校以来该科的第一位女科主任。"

"怎么又是产科，又是妇科的？"男爵听上去很不耐烦，"这家公司不是治疗阴茎勃起……"

"等一下，马格纳斯，"雷德劳从未被正式邀请叫他"马格纳斯，"但她觉得这是顺理成章的事，并把它当成了男女董事通用的特权，"阴茎勃起和妇科不是没关系。想想勃起的阴茎大都去了哪儿就知道了。"

蕾娜被她的话吓了一跳。看得出来，男爵的脸颊也由粉红色变成了深红色。蕾娜没看他的脚，要是看的话，会注意到现在踩在地板上的是他的脚指头。但雷德劳好像没注意到自己的话造成的轰动。"和产科也不是没关系，"她自鸣得意地说，"大部分时间，勃起导致射精，并经常有意无意地导致怀孕和……"她用双手做出了 QED 的手势，用来表示没说完的话。"此外，阴茎勃起也许很快会在人类繁殖方面降到次要地位，考虑到目前很多项目集中研究辅助繁殖的技术，像 vitro 受精项目……"

"还有 ICSI 项目。"梅纳赫姆用低沉的声音插了一句。

"还有 ICSI 项目。"她重复说，她看了他一眼，然后落下目光。

蕾娜·克里斯南，当然了，对两人刚才对视的重大意义一无所知，"正是，"她还是大叫一声，很感激由别人将男爵反对的声音压了下去，"斯坦福的这个科好像和泌尿学家的关系特别好，而这批人，毕竟是我们 SURYA 公司打交道的一批人。诺兰博士在男科方面还有一个合作项目……"

"那是什么专业？"男爵问。

"应该是和妇科对应的一门学科,但很少有医学院教这门课,也很少有人知道这门学科的存在。"马兰妮探过身迎住男爵的目光,也因此避免了和梅纳赫姆的对视。

"但是,"蕾娜接着往下说,"斯坦福在男科方面有一些很有意思的合作项目,主要和内分泌有关。在 ZALA 公司,"她指了指扎法纳里,"我们,也许应该说他们,他们已经完成了女人用的雌二醇皮肤贴片项目,目前他们正在进行男人用的睾丸贴片项目。这么说你明白了吧,男爵,有男科医生参与的话,就由他们来给男人开处方。说回到诺兰博士,我们认为由一位女士担任 MAB 主席说起来比较好听,反正在任何情况下,这个委员会都是男人说了算……同时,不论美国谁有机会先试用咱们的设备,这位主席都无真正既得利益可言。"

"祝贺你,蕾娜!"雷德劳对她露出开心的笑容,"让 M. L. 当顾问团主席,这个主意一流。但也要,"她晃动手指劝告她说,"一定要给 SAB 找几个女顾问,据我所知,这个顾问团着眼的绝不只是氧化氮在男科方面的用途。所以没理由只选男人,对吧?"

蕾娜刚要回答,一阵剧痛袭来。她痛得两只手紧紧抱住肚子。马丁·盖斯勒,他一直在静静地聆听双方的交谈,这会儿他突然注意到了。"蕾娜,"他赶紧说,"你歇会儿吧。看你这样子……"

"谢谢。"她说完赶紧离开了房间。

* * *

喝咖啡的间歇,迪文示意雷德劳跟他去隔壁的阳台,附近僻静一点的地方也就是这儿了。两个人谁也不吱声,肩并肩靠在阳台栏杆上,看着楼下修剪整齐的草地。草地中央立着一个水泥柱子,柱子上有很多钢球,球上串了两个巨型字母 L——乔治·里奇(George Rickey)创作的不锈钢活动雕塑。在微风轻轻吹动下,两个 L 在慢慢地移动,各自沿着自己的轨道,好像随时都会撞到一起,但是,当然了,它们永远都撞不到一起。建筑的简洁性和两个巨型字母摆动的复杂性结合在一起,形成了它独特的魅力。

最终,马兰妮打破了沉默。她指着摇动的里奇雕塑说:"等两个字母走到对应的位置:就是一个 L 面向右,另一个 L 面向左的时候,你再看一眼……快看!"她大叫一声。"看到了吗?"这是第一次,她转过脸来看着他。

"这个 L 字母,"他用低沉的嗓音说,没用眼睛迎视她的目光,"或许是英语中最好的字母:自由(liberty)、光明(light)、欢笑(laughter)、休闲(leisure)……"

"别忘了还有爱(love)和利比多(libido)。"她哈哈大笑。

"我还没说完呢。还有运气(luck)和欲望(lust);嘴唇(lips)和腿(legs)……"

"是的,"她喃喃地说,"还有联络(liaison),逻辑(logic),损失(loss)。"

他看了她一眼。"你说得对。它不是个完美的字母。也有谎言(lie)、盗窃(larceny)……"

"别,梅纳赫姆,"她请求说,"还有宽容(leniency)呢?"

他点了点头。"lama lo。又多了两个 L,但它们不算数,这两个字是希伯来语。"他轻轻地碰了碰她的胳膊,"告诉我,马兰妮,我想知道一件事,他们请你当董事的时候,你知不知道我也是董事?"

"刚开始不知道。"

"后来知道的?"他急切地问。

"是的,我接受邀请前知道的。"

"可你还是接受了邀请?"

"难道你还看不出来?"她说,"我不是在这儿嘛。"

* * *

"杰夫塔,在这个时间和这个地方谈公事,我也知道不太合适,但家里出了点事,我今晚得赶回以色列。"

在斯坦福医学中心产科的走廊上,两个男人在走廊里走过来走过去,迪文的一只胳膊搭在杰夫塔的肩膀上。

"别紧张,杰夫塔。每年有成千上万的男人过这个坎。你老婆生孩子的时候,你除了等,什么忙也帮不了。"

"是呵,"杰夫塔嘟噜说,"不会出什么事吧?"

"肯定不会,"迪文捏了捏他的肩膀,"现在注意听我要跟你说的话。咱们去院子里谈吧。"

两个男人在板凳上坐下来,杰夫塔弓着腰,两手托着头。他的双眼紧盯地面。

"如你所知,我是来参加 SURYA 董事会的,会议一个小时前刚开完。我的位置不同寻常。正如公司法律顾问所说,我们是公司的董事,代表着所有股东的利益。但他知道,我们也知道,这有点异想天开:我们都在为自己代理的机构寻求最大的利益——在我说来,是为本古里安大学。当然啰,也不能太过分,得和其他股东的利益相符才行,每位股东的利益在我这儿都有着同等的分量。"

年轻人抬起头,也就一眨眼的工夫,但眼神呈扑朔迷离状,"是这样的吗?"他问。

"呐,你看嘛,"迪文的语气转攻为守,"耶胡达·戴卫逊代表哈德萨的利益;荷兰男爵当董事,是因为欧洲一群重要的投资人要他当;阿尔法度·扎法纳里,也就是你挂名的老板,假模假样地坐在那儿,就因为他是主要投资人,但他肯定也会考虑 ZALA 在 SURYA 的利益。你比我清楚得多,ZALA 公司在新的药品导入方法上利害攸关,而我们的东西,经尿道送药的那个东西,肯定符合他们要求。如果我们成功了,可能会有其他公司愿意买下 SURYA,他们出的价钱会让我们的股东——特别是这几所大学——难以抗拒。这样的话,ZALA 可能有优先投标权。但有他加入,从总体上讲也不是没有好处。我刚认识他,已经觉得他是一位令人钦佩的人物了。他在投资界的声望有口皆碑,公司上市的时候,这肯定会起作用。"

"蕾娜喜欢雷德劳博士。"杰夫塔漫不经心地说。

这次,该迪文双眼紧盯地面了。"是的,"他说,"她是例外。在很多方面她都是例外。"

"你认识她?"杰夫塔想起了和蕾娜的那次谈话,在谈话中,他们提到了迪文和雷德劳。

迪文耸了耸肩,眼睛仍旧盯着地面。

"雷德劳先生是谁?"

"你怎么想起问这个问题?"迪文转过脸,看着发问者。

"蕾娜对我说,她孩子很小,但却没妨碍她继续全职工作。我俩最近一直为这个问题争论不休。"

"啊,对了,"迪文挺直腰板,"我就是想跟你谈这件事。我刚跟你说过,我是 SURYA 的董事会成员,代表的是本古里安大学的利益。大家都知道这点,黑字白纸写在发给股东的股东授权委托书里。但本古里安和所有其他股东有所不同。我们还是临床试验使用的 MUSA 的独家供应商,这是我们的利益所在。也许最重要的是——这个功劳,我可是当仁不让——我说服了咱们比希巴的市长,让他拿出部分资金,在咱们刚落成的工业园建立了生产 NONO2 的工厂。这是你搞的研究,杰夫塔,你应该为此自豪。没有你的 MUSA,就没有这一切。"

"话不能这么说,"杰夫塔说,但难掩愉快的神情,"还有蕾娜研制的 NONOates,还有……"

"正是!"迪文打断他的话,"是你和蕾娜两个人搞的研究。这就是我想和你谈的事。如果 SURYA 在美国大获成功——就我来说,我看不出有理由质疑这种可能性——那我们一定会从股票中获利,而且还能和哈德萨、布朗德分享专利使用费。我们——我不光指本古里安,我们还包括了比希巴和整个内盖夫——也会从这种工业发展中获益:生产高科技、低产量、高价值的出口产品。说到底,这也是为什么咱们增加成本、严格按照 FDA 标准来建造所有工厂的原因。"

"所以?"

"所以,工厂要想从试生产阶段进入正式生产阶段,就应该有高素质的人来管理这些厂,这个人同时还要能想出工厂能做些什么辅助产品。能符合这些条件的,非你莫属。你有搞技术的背景,你总想让自己设计的东西有实际用途,你在这儿的工作经历肯定会派上用场,你太太也一样……"

"是呵。但那是在蕾娜怀孕前的想法。"杰夫塔抬头看了一眼二楼的窗户,好像突然想起自己为什么会在这个地方,"我得上去看一眼。"

"等一等。"迪文用手摁住杰夫塔的胳膊,"我知道蕾娜在 SURYA 的位置。马丁在比希巴开校董事会的时候和我说过这事,那时他还没跟蕾娜提,也不知道她怀孕了。你们商量过没有,她又要带孩子,又要承担繁重的管理工作,她应付得了吗? 特别是一家刚起步的公司,意想不到的问题会一个接一个地冒出来?"

"还用得着你说!"杰夫塔气哼哼地说,"我们第一次吵架就为这事。"

"结果呢?"

"没啥结果。蕾娜觉得,她和我一样有追求事业的权利,生孩子她不能找人代劳,但带孩子应该是两个人的事,我们两个人一起带就行。

马丁还特别给了请保姆的钱。"杰夫塔的语气变得忿忿不平。"她说很多职业女性都有孩子。看人家马兰妮·雷德劳,她说,她就应付自如。"他转向迪文,"顺便问一句,雷德劳博士的丈夫是干什么的?"

"她没有丈夫。"

"没有丈夫? 那孩子的父亲是谁?"

迪文回避了这个话题。"蕾娜不想在比希巴带着孩子搞事业吗?应该不想吧,"他自问自答,"马丁给了她这么好的机会。我想他在培养她做接班人。"

杰夫塔又回复到最初的姿势,两手托腮,双眼直盯地面。"我知道,"他咕噜说,并挺直腰杆,"我问过自己,这个家里谁更有事业心?我以前从未考虑过这个问题。现在我知道答案了。咱们走吧。"

他刚要走又停住脚步。"要换成是你,你会怎么做?"

"不知道,"迪文回答,"我从来没遇见过你这种情况。"

"我忘了,"杰夫塔说,"你没有孩子。另外,你太太还好吗?"

"不好。所以我今晚得回去。"

1983 年 12 月 1 日写于巴洛奥妥。

我亲爱的阿夏客:

见信内所附相片,你已经荣升为舅舅了。纳奥米比预产期晚了一个星期(难怪她几乎重达七斤八两!),然后决定在十一月二十一日,也就是我们第一次开董事会的那天降临人世。毫无疑问,你也注意到了,她的星座是天蝎座。

到目前为止,只要定时给她喂奶,她白天晚上都不闹,可好玩了。下星期要给她断奶,让她改喝牛奶,看她有什么反应吧。杰夫塔对此很不高兴。他坚信孩子应该喝上几个月的人奶才好。原则上我也不反对这么做,但临床试验即将开始,许多事情等着我去做。我不得不承认,我很享受这个过程,凡事由我拍板,凡事由我来定日程——为别人也为我自己。我说过了,杰夫塔完全不赞同我的做法,但他只是在实验室里做一做实验,而我对其他人,当然也对 SURYA,肩负着重大责任。

你或许纳闷,我是怎么又当母亲又管理公司的呢。马丁·盖斯勒,我们公司的 CEO,他把钱看得可紧了,但他该大方时就大方。他给我提了薪水,提的幅度还很大,这样我就可以请帮佣照看孩子了。请的是一位二十二岁的英国保姆,有驾照,皮肤好得让多数女人嫉妒,牙齿糟得像许多英国人一样,还有一头让人惊讶的红头发。她读过两年大学,准备在加利福尼亚呆一段时间。我的理解是,她想在这儿找老公。目前,纳奥米和她睡一间房,再过几个月,我们得搬个大点的房子才行。用杰夫塔在 ZALA 下属子公司 ETS 公司当全职科研人员拿的工资,加上我当副总裁的报酬(你不为你妹妹感到骄傲吗?),我们将有能力支付那笔数目庞大的银行贷款。你无法想象巴洛奥妥这儿的房价有多高,但我不想开车或坐车上班。我肯定会加夜班的,而几分钟就能走到公司的话会很方便。

我会另外给妈妈写信。

爱你的,蕾娜

15

我认为自己三年以来没哭过一次。产房那一次不能算哭,那是喜悦的泪水，当时医生剪断脐带，擦干纳奥米的身体——皮肤仍旧皱巴巴的，头发又黑又涩，身子仍旧保持着出生前的胎姿——把她抱到了我的胸前。她眼睛张得大大的，像是问我"下一步做什么呀?"几分钟之后，杰夫塔被带进了产房，她也是这么看着他问。我这位坚强的以色列男人竟没胆量看着我生孩子。

也许还有过其他愉悦的泪水，这儿一滴，那儿一滴的，但都不是痛苦或悲伤的泪水——起码我不记得有过——也肯定没流过昨晚那种季风雨。哭被当成是倾泻情感垃圾的方法，如果真是这样的话，那昨晚的泪水量应该能解决所有的问题。说到起因，我把它归咎于去中西部出差的那四天，我先去了迈克·马里塔位于安哈巴（Ann Arbor）的实验室，之后去了肯特位于芝加哥的公寓，去参加 SAB 会议。

公寓？我怎么会想到用这个稍带贬义的词来形容他装修华丽的湖景豪宅呢？那可是位于十五楼可以俯瞰"二百六十九度密西根湖景的豪华公寓呵"，马克思·威斯说这句话的时候带有少许嫉妒，但他说的确实再精确不过了。难道是因为我还没搞清楚他和宝拉·嘉里之间的关系？我第一次见她的时候，还以为她住在那儿，少说也是睡在那儿吧。"里昂纳多，亲爱的，"怎么也算不上是演奏伙伴之间的正常称呼吧。可现在，两年过去了，我反而不肯定了。我第三次去的时候，她肯定不在那儿，那次 SAB 团的顾问在芝加哥会面，大家围坐在那张打磨光滑的古董桌子旁，我的笔记都是在那张桌子上记的。

* * *

"我已经叫了外买，街角的印度餐厅会送上来，有各种三明治、意粉沙拉和新鲜水果。"等大伙在餐桌旁坐定之后，肯特宣布说。

"乔治王朝的?"马克思·威斯指着红木桌子问，圆形桌面亮得能照见人影，桌腿仿狮子脚型。

"不是，没那么早，摄政时期的，"肯特回答，"大概是一八一五年的吧。那边的餐柜是安女王时期的，比乔治时期早一点。没想到你也对英国古董感兴趣，马克思。"

"我刚结婚的太太感兴趣，所以我也学了点。"

"哦，对了，你太太。据我所知，她得过马克亚瑟'天才'奖（Mac-Arthur'genius'awards）。跟天才过日子是什么感觉？"

"到目前为止，感觉良好。唯一能预见到的不利因素，就是我永远也不会得到马克亚瑟奖了。我想他们不会让两口子齐齐获奖吧。"

"我知道你的感受，马克思，"肯特用狡黠的眼光盯着他，"诺贝尔奖好像也不颁给家属。他们肯定觉得咱们该知足了。"

"你知足了吗？"塞思婷·普里斯问，这位到场不久的年轻女子一直在听他们两人的谈话，越听越烦。

"这你应该知道，"肯特冷冰冰地说，"和你同吃同住的人不就是嘛。"他转过身对着众人说，"餐厅保证十二点以前把外卖送上来。还有红酒，当然……味道还过得去，要我说的话，加利福尼亚的红酒，这自然是为了感谢公司的赞助，感谢蕾娜的光临，她千里迢迢飞来芝加哥，为的就是迁就咱们这些整天忙于搞科研的学究们。"他朝蕾娜的方向点了点头，把塞思婷·普里斯晾在了一边，她也是大老远从洛杉矶飞来的。"不过在谈完公事之前，咱们应该滴酒不沾。想喝什么的话，那边有很多不含酒精的饮料，"他用手朝厨房方向大概一指，"有软饮料、果汁、矿泉水……"他的眼睛沿桌子巡视一周，跳过四个同事，将目光落在塞思婷·普里斯身旁装矿泉水的塑料瓶子上，脸上的不满一览无余。起码，他观察到，她还算有礼貌，把瓶子搁在了自己的笔记本上，但这也不足以平息他的怒火，特别是看到她每隔几分钟就要喝上那么一口。肯特是个老派的人，最见不得时下年轻女子那种时髦的做派，尤其是崇尚"自然"的那群人，她们无论是跑步还是看歌剧，到哪儿都装模作样地带着瓶装水，就好比穿西装配跑鞋。这种事发生在他家，绝对有损他的审美情趣，极不得体，她是不是想暗示说，他家厨房的水龙头里连"普通"的 H_2O 都没有呵。有这么一幕，他永远也忘不了，有一次表演四重奏，他正拉得陶醉，突然瞄到一位年轻女听众咕咚喝下一大口水，害得他当时就乱了阵脚。可塞思婷·普里斯怎么也这样！

令他火上浇油的是，这件事除了自己怪不得别人。当 SAB 主席说不上有多劳心劳肺——这是两年中开的第三次会，就这还让他说服了蕾娜，让她把开会地点移到了芝加哥。"马里塔在安哈巴，就在芝加哥旁边，"他上次在巴洛奥妥开完会后这么说，"而威斯从纽瓦克（Newark）飞过来也就两个小时。就在我芝加哥的公寓里碰头吧。开会地址又不在学校，多合适呵——说到底，咱们也不应该在大学神圣的地盘上干和学校不沾边的事，"他一反常态，诡秘地一眨眼睛，"而且大家当晚都能回家。都可以，就你除外，蕾娜。想想吧，要是我们都飞去西岸，那得花公司多少钱。"

不过，肯特偶尔也会有一种内疚感。两个月前，他听说 SURYA 准备通过私下认购的方式进行第二次融资，股价定在每股八美元。肯特不由自主地想到，如果那样的话，他认购的三万股股票期权的账面利润就达到了二十三万美元——或用蕾娜文绉绉的话说，"快够买一款瓜奈里制造的大提琴了。"肯特不得不承认，自己偶尔发表过一些言论，表示瞧不起自己和企业的联系，甚至还义正词严地驳斥过这种关系，但那都已经是过去时了。他，一个搞纯学术研究的人，从不屑于和那些给公司当顾问的同事为伍，认为那些人一身的铜臭气（他的观点）。他为 SURYA 所做的工作微乎其微，丝毫没有影响自己的学术研究工作,但他股票的纸面价值却呈几何数字上升,变得绝对有分量。没有人会对二十多万美元——不管它是纸面利润还是真正利润——不屑一顾的。而外界的那些人——比方说他的系主任和带有一身"铜臭气"的同事们,他曾经明里暗里表示瞧不起他们迎合企业的那种做法——难道真会相信他两年中只参加了三次会议就拿到这么多钱吗?其中的一次会还是在自己家里开的,而给他这么多钱,既没要他付出珍贵的东西,也没要他去搞违法的活动。肯特已经意识到了——这并没令他感到十二万分的骄傲——到目前为止,他对 SURYA 的价值主要体现在他诺贝尔获奖者的身份上,公司乐于拿它来当点缀,令年报光彩夺目。

塞思婷·普里斯的矿泉水瓶子让他感到不爽,这种感觉远远超出了视觉上的冲击。这件事提醒了他,让他觉得将来一定要尽到 SAB 主席之职。当蕾娜给他打电话,说她想邀请一位新成员加入 SAB,那人是加州理工(Caltech)有机化学系的副教授,一位很有前途的年轻教授,刚发表过一篇激动人心的论文,内容是有关一组新的 NO 释放因子,他听了连问也没问就答应了。蕾娜提到了一组有机化合物,她把这组化合物称为 polyzeniumpolyolates,他不清楚那是个什么东西,虽然他曾对自己的有机化学知识备感骄傲。但一位获过诺贝尔奖的人是不会轻易承认自己无知的;再说,蕾娜的话有她的道理:有机会的话,SURYA 应该将产品多元化,这是明智的做法。"目前阶段,能吸引人才的方法就是一万五千股的股票期权,"蕾娜解释说,"每股八十美分,"她强调,"比董事会成员最初的价位高了两倍。但作为奖励还是很丰厚的,特别是对那些从未接触过企业的年轻教授来说。"肯特没操这个闲心,他没问加州理工大学那个搞出 polyzeniumpolyolagtes 的大人物叫什么名字,也没问那个人是男是女。"没问题,"他说,"试试也没坏处。"

* * *

蕾娜当天飞到了帕萨德那(Pasadena)。她不光想当面见一见普里斯，还想当面感受一下加州理工那个科研小组给她的第一印象，有可能的话，再顺便探听一下有关 NO 释放因子的小道消息。普里斯的小组规模相当壮观，有六位研究生加一位博士后，还有三位高年级本科生，特别要提到是，加州理工高年级本科生的能力，相当于其他大学的二年级研究生。

蕾娜飞去帕萨德那请人的当天，这两个年轻女子——年龄只差五岁——便一拍即合。等她们去科学俱乐部吃午饭的时候——真想不到，加州理工还有为非犹太员工准备的俱乐部——蕾娜发出了正式邀请，塞思婷欣然接受。

"希望你别介意，SAB 顾问团就咱们两个女的，"蕾娜说，"和女权扯不上关系，是因为……"

"不用道歉，"塞思婷插话说，"我上中学的时候，我妈就跟我说过，说女权运动对每个人都有好处，尤其是对男人。当时我跟她打哈哈，但现在我知道了，她的话确实有道理。特别是对人类另一半有好处的话。但是，我不想因为我有卵巢才受到邀请。我希望你邀请我，主要是因为我们有 triazeniumtriolate 这个项目。"

"项目当然有帮助。我们的顾问团需要一位优秀的有机化学家……"

"那好。我就是一位优秀的有机化学家。再过两年，我保证加州理工的同事也会同意我的说法，"她拍了拍木桌子，咧嘴一笑，"希望她们会，因为要得到她们那一票，光有卵巢——跟她们的卵巢一样活跃——远远不够。"

"希望你不介意我问你这个问题，你有孩子吗？"她哈哈笑起来，像是强烈反对自己问这个问题。"自从我有了孩子,就老想找和我同乘一条船的其他职业女性。"

"当然不介意。"塞思婷挥手赶走了反对声。"你也知道是怎么回事,"她用沉思的语气说,"有的女人生来就是当母亲的料,有的女人要慢慢地学,而有的女人当母亲是赶鸭子上架。我属于第三种女人。我当时连婚还没结呢。当我发现自己怀孕的时候,就毅然决然生下这个孩子,同时把婚也结了。"

"那你是位称职的母亲吗?"蕾娜又哈哈笑起来,这次她没掩饰自己的尴尬,"不好意思。我这么问不太礼貌。我只是一直担心这个问题。你知道我的意思吧? 你觉得既当好母亲又能争取到终身教授,有这种可能吗?"

塞思婷想了一会儿才给出答案。"我希望自己是一位称职的母亲——我是说我希望我的孩子这么认为——可是,不是的,总的来说,我不是一位称职的母亲。我的儿子福气好,有一位顶级的好父亲。加州理工附近的托儿所也不错,加上我运气好,住的地方离实验室不远。我骑单车十分钟就到了。我丈夫要开车上班。"

"他是做什么的?"蕾娜问。

塞思婷抬起头,露出惊愕的表情。"你不知道他是谁? 我还以为你查过三代才来的呢,但我很高兴你没那么做。他的名字叫杰拉米·斯塔福。我结婚的时候没有改姓。"

"斯塔福? 那个斯塔福? 和肯特分享诺贝尔奖的那个人?"

塞思婷一点头。

"肯特认识你?"蕾娜问。

"肯定认识。你是说你没跟他提起我? 看我不告诉我姨妈!"

"你姨妈?"

"她的名字叫宝拉·嘉里。"

到目前为止,SAB 开会的次数太少了,我感觉早就该向他们汇报最新的临床进展情况了。SURYA 准备开足马力前进,SAB 也得加速才行。"该让一批科研人员参与进来了,"马丁对我说,于是我安排自己出了一趟差,并去了马里塔的实验室。马里塔对 NO 的最新研究进展无所不知。我觉得比较策略的做法是,我给他单独汇报一下情况,然后由他出面把我的想法提交给 SAB。我还决定把我升为总裁的消息也告诉他,到目前为止,我只把这个消息告诉了自己老公。杰夫塔对此事的态度模棱两可——起码这是我的感觉。说起来令人吃惊,这些天来我对他的问题缺乏洞察。这些问题也许只是对事物的不同看法而已,但如果不好好谈一谈,不同看法就会变成问题。

马丁通知我说,他决定向董事会宣布放权,放弃三个职务中的一个,也就是总裁的职务。公司内部明显只有两个合适人选,而他又死不同意从外部招聘。不算比希巴派来的人,我们已经有了四十多名正式员工,分别由罗杰·奎沙和我这两位副总裁分管。马丁的这条船人员精简,罗杰分管出纳和财务、还分管人事和行政,但他手下的员工屈指可数。说到我这边,我分管临床辅助人员,还有和 FDA 不停打交道的事情。除此之外,我还要负责质量监控部门,这个代谢分析部门的事情越来越复杂,还有最后一项——筹建一个小型科研小组,小组由八位科学家组成,其中一半科学家有博士学位。就因为我负责筹建这个小组,另加上我 SAB 顾问的身份,我来到了安哈巴。照常理来讲,出这趟差应该很有意思——项目本身有意思,加上见的又是自己本科的导师——可当我把自己想成 SURYA 的下一任总裁的时候,这趟差出得比我想象的更有意思,你说奇不奇怪?

事实证明，马丁·盖斯勒是一位了不起的导师。从一开始，他就对我说，公对公的时候，千万别让人对你直呼其名，除非他们也想让你对他们直呼其名。他喜欢随意，他强调说，但单方面随意会立刻改变双方平起平坐的局面。"蕾娜，别忘了你现在是公司高层——就算这个层不够高规模不够大。"所以我现在称扎法纳里博士为"阿尔法多。"而且叫起来一次比一次顺口。说到 SAB 也是这个道理，虽然我已经开始"直视"肯特，但我还是意识到自己绝大多数时间尽量避免对他直呼其名。"你"成了妥协词，英语里说你太容易了。天晓得要说法语或德语我该怎么办。难道是他头顶上的那圈诺贝尔光环？要不就是因为年龄的差距？光环他是肯定不愿抹去的，而年龄在学术界又起着举足轻重的作用。

不管是什么原因吧，我在马里塔这儿可就轻松多了，在维斯里读本科的时候，我就对他"迈克，迈克"的叫开了。他只比我大十四岁，而女人到了马里塔的实验室里都有宾至如归的感觉，至少他在 MIT 工作的时候是这样。不知道他到了密西根是不是还这样？

"迈克，你一点都没变。"

蕾娜的愉快之情溢于言表，马里塔履行义务似地带她参观了自己位于密西根大学制药大楼里的实验室，然后把她带回到自己的办公室。"你周围还是大把美女，只是名字变了：爱米、瑞吉娜、克里斯汀、马丽莎……一如既往的是，你的助手没有一个有姓的。"

"姓是肯定有的，"他说，他和蕾娜同时咧嘴大笑，"但我看重的是她们聪不聪明、勤不勤奋……"

"跟很多女人想的没两样，"她打断他的话，"咱们来谈公事吧。SURYA 的事。"她把椅子拉到他办公桌前，"明天我会在芝加哥向

SAB 提交正式进展报告，一切都在按计划进行。我们刚刚筹到很多钱，这样就可以完成审批所需的临床研究和其他数据。"

"你们准备什么时候送报 FDA 审批？"

她两眼谨慎地盯住他。"这属于高度机密。我们准备一年之内报批。如果一切顺利，我们再过六个月就上市了。今天没必要说这些，明天你就知道了。我来是为别的事情。现在我们筹到了二千多万美元，而报批 FDA 的工作连一半钱也花不了，我已经说服董事会扩大公司内部的研究项目，而且必须马上开始。氧化氮的用途如此广泛，咱们得找出它在临床上的其他用途，不要只局限于阴茎。阴茎是个了不起的器官，但也要考虑其他器官。"

马里塔带着惊叹的表情摇了摇头。"蕾娜，你变了。"

她哈哈大笑，"我想自己不再是维斯里那个黄毛丫头了，对吧？但说到你呢，我在 MIT 和你一起工作的时候，你还是位助理教授，想当终身教授也当不成，可看看现在的你吧：在制药厂和医学院身兼二职，还是财大气粗的主席。你是全职双教授！"

"这只是量的变化，"他没拿她的夸奖当回事，"可你呢，你跟换了个人似的。那么自信，在一个完全不同的领域里升得那么快：先是印度，后是美国；先是搞学术，后是搞企业。我……"他发出呼哧呼哧的像是什么东西漏气的声音，"我开始搞学术，现在仍旧原地踏步。"

蕾娜好奇地看着他。"你刚才想说什么，是什么？"

"哦……"他犹豫了一下，"你还有了孩子，对象还是当年的那个老公……"

"你怎么会想到说这个？"她用手指轻轻地戳了他一下。

"成家立业当父母不是一件容易的事。就说我吧，不光没在 MIT 拿到终身教授，还把自己的终身大事搞砸了。这是我第二次结婚——

喜结良缘,我得补充说。可你第一次上手就把什么都搞定了。"

"看上去像是吧。"她缓慢地说。

* * *

"我很乐意做这件事。"蕾娜请他向 SAB 提议增设顾问的事,马里塔回答说。新顾问在氧化氮生物学某些领域要够活跃,蕾娜举了几个例子:像癌症肿瘤学、微生物学、心脏病学、高血压……诸如此类。"拿了钱就该干活,这是我该做的,"他说,"看着我购买的股票期权价格节节上涨,我深感内疚。我知道这只是纸面利润,可你们要真那么快就上市的话……"

然而,到了第二天,马里塔发现他得排队:肯特的内疚比他早一步。

"到了该用 P 字的时候了,"主席说,"我百分之百愿意承认科学家——至少是学者,像本人——对这个字厌恶透顶。但既然我是一家追求利润的机构的科学顾问团主席……"他狡黠地看了蕾娜一眼。

"'追求利润'听上去有含沙射影的味道,"她插话说,"我想你也不是这个意思。如果你真是这个意思,那我就要提醒你一句,对一家企业来说,追求正当利润没什么不对。与其躲藏在'P 字'后面,搞的像是在说珍惜(precious)这个字,还不如名正言顺地公开承认对利润有兴趣呢。"

肯特紧皱眉头。"我说的是重点(priorities),不是利润(profit)。"

"我还以为,"马克思·威斯插话,"你说的是阴茎(penis)呢。"

肯特没理睬他。蕾娜的批评令他气不打一处来。"我承认就算学者面对利润的诱惑也会低下尊贵的头颅。反正不是钱就是名呗。但要说到重点?谁会喜欢重点呢?"

"说实话,我喜欢,"马里塔插话说,他正乐滋滋地坐山观虎斗,他很欣赏蕾娜的胆量。"关于咱们未来的重点,我想说两句。"

"迈克,在你说之前,"蕾娜插话,"让我把代表利润的 P 说完。我想简要地给大家介绍一下 SURYA 公司的潜在利润,"她的目光在顾问身上扫视一圈,"和咱们大家的潜在利润。"

蕾娜把她在安哈巴给马里塔透露的消息又重复了一遍,内容包括 SURYA 又筹到了多少钱、大家持有股票期权的纸面利润又涨了多少、计划上市的时间以及 FDA 的报批时间。"你们也许纳闷,为什么报批 FDA 还要再等一年。他们要从外面请专家组成一个特别顾问委员会——要找到有名的泌尿学专家不是那么容易的事,有点名气的都已经被咱们列入了临床试验的名单。"她呵呵笑了起来,"但是,"她的食指一指冲天,"咱们的赌金高呵! 咱们将会是市场上第一个用这种方法治疗勃起功能障碍的公司,而 FDA 要依靠他们的顾问团来提各种各样的问题,要把有可能发生的情形都想到。"

"比如说?"马克思·威斯问,他的右手指不耐烦地敲打着肯特摄政时期的红木桌,"我认为有勃起困境的人会容忍所有的问题。"

蕾娜没忍住,"'勃起困境',多么细腻体贴的说法。你们说是不是该把这个叫法用在产品的营销上?"

"请便,"他气呼呼地说,"但请先回答我的问题。"

"对不起,"她说,"对患有下列病症的人,你的说法也许没错,像帕金森症患者、多种硬化症患者、还有因手术伤到阴茎神经的患者。别忘了,每个做过前列腺切开术的人,都冒着阴茎神经受损害的危险,光是美国每年就有上三十万人患前列腺癌。接下来是糖尿病患者,最后是各种各样的血管病,像动脉粥样硬化、高血压……种类多的是了。我们已经从以色列所做的试验中了解到了这些病人的数量,这,顺便提一句,也是为什么美国的试验没有像最初估计的花那么多钱的原因,我们只要把以色列的数据加以扩充就好了。但 FDA 会把网撒得更广——谁又能说他们这么做不对呢?"

"有多广?"马克思问。

"比方说吃降压药和治心脏病的药、荷尔蒙失调、肾透析和骨盆手术造成的勃起问题,这个清单可以无限长。他们还担心人们会滥用此药。肯定会有各种各样的人觉得,想勃就能勃一个小时真是太棒了。关于这一点我可有故事与他们分享。"蕾娜打住话题,她看到威斯的表情不对劲。

她捂住嘴,脸刷地红了。"不好意思,"她说,"我是想说在以色列听到的一些传闻。"她该以何种方式告诉马克思和其他在座的各位关于杰夫塔所做的试验呢?"可以很痛苦,"她只能说这么多,完了便用更专业的语调接着往下讲,"我们必须了解剂量与发生概率以及不舒服程度之间的关系。在第三阶段临床试验期间,有百分之二十至四十的病人向我们报告了这种情形。这可不像葛秋德·斯泰因(Gertrude Stein)写的'一朵玫瑰就是一朵玫瑰就是一朵玫瑰就是一朵玫瑰'那首诗,勃起不见得就是勃起。"

"你要不要详细解释一下?"马克思问。

"你要我详细解释一下?"蕾娜反问。

"我要不想,就不问了。"

肯定是戳到了他的痛处,蕾娜这么想。"好吧。首先,你如何……对不起,"她收住话,"不是说你,马克思,而是泛指大家,如何确定勃起的标准?"她接下来解释了他们设计的打分标准,也就是杰夫塔的"弯曲表",还解释了达到三分"有可塞性"的标准。

"明白了。"马克思一本正经地说。

"但不只这些,"蕾娜越说越起劲,这让她有点吃惊,"有病人告诉我们说,他们虽呈完美勃起状,但却无丝毫性的欲望。有位病人,是位小说家,他用非常优雅的句子表达了自己的感受:'每一公分的充血肿胀带来每一公分的失望。'"

"我得把这句话记下来,"威斯大叫一声,他伸手拿起笔,"是帮我太太记的。"他自言自语地补充说。

"让我继续往下说,"蕾娜说,"勃起功能和欲火分家这种可能性,涉及到了我们正在做的一项试验,这项试验说得上是耗时持久。这项试验不是第三阶段临床试验在美国的延续,它和病人数量及各种医疗中心无关,和双盲测试及有安慰剂控制的试验无关,就算和造成勃起功能障碍的不同器质性的原因也无关,它是我们对'生活质量'所做的试验。我们从参加第三阶段临床试验的名单里挑选了六百一十二位人士,对他们和他们的配偶进行一年半的跟踪调查,以研究他们的性生活质量。看他们达到的满意程度——包括男人和女人。当然,软管里装的都是 MUSA,因为我们从第三阶段试验里挑选的人至少都遭受了三年勃起功能障碍的罪。而性生活遭受三年损失的人应该没那么挑剔了,你说对吧?"

全场沉默,正当场面变得令人尴尬的时候,塞思婷·普里斯打破了沉默,"还有什么需要这么长时间?"

"妇女和未出生的婴儿也会引起关注,但这种反应不能说不正常。幸运的是我们有一位女士,诺兰博士,担任我们医学顾问团的主席。"

"我想应该重复一遍马克思的问题,"塞思婷说,"可否详细解释一下?"

"在耶路撒冷的时候,哈德萨的 IRB——项目审查委员会——已经提出了这个问题,就是男人在射精时将非代谢物质射入女人体内会对女人产生什么影响。我们让一批自愿者在尿道输入 NONO2 后的不同时段进行自慰,我的任务是分析收集到的精子里面 NONO 的含量。但报批 FDA 需要更多的人数,覆盖的年龄面要更广、精子量要更大。也就在这个时候,诺兰博士提出了另一个问题:碰到女人月经周期怎么办?"

"不明白什么意思。"塞思婷说。

"这么想就明白了,与排卵前或排卵后相比,排卵期间宫颈分泌物的粘度及其他因素都会产生变化。如果一个使用 NONO 勃起的男人让一个女人怀了孕,那残留的 NONO 代谢物在受精的头几天会否对胎儿产生影响,会否令胎儿畸形或诱使胎儿产生遗传基因突变。我们认为,明智之举是做相关的毒理学试验。最后,再次回到男人身上,我们注意到有这么几例,他们用的都是最大剂量,这些人的血压有明显下降。碰到心脏病患者,问题就严重了。等我们将扩大的维护试验做完就会得出结论,到时真相就会大白于天下。"

"了不起,"肯特说,"实验室里的科学家就是意识不到临床试验有多么耗时。"

"和多么费钱,"蕾娜补充说,"但是,就因为等的时间长,所以我们应该提早考虑下一步做些什么产品。塞丽(赛思婷的昵称),"她看着桌子对面的同事,"请你解释一下,为什么我们要特别重视你的 polyzeniumpolyoates 项目?"

塞思婷·普里斯用略带傲慢的目光沿桌子扫视一圈。"当然啰,你们都知道什么是有机化学,不然也不会在各自领域获得如此重要的地位。但是,我敢打赌在坐的各位从未听说过 polyzeniumpolyates,因为就连百分之九十八点六的正统有机化学家,"她放肆地咧嘴大笑,"也想不出它们的正确定义和 formulas。"

"Formulae。"肯特轻声嘀咕说。

"再说一遍？我没听清楚你说什么？"

肯特露出尴尬的表情。"当我没说好了。是个拉丁词，中学时学的，老也忘不掉。"

"我也学过拉丁语，"塞思婷说，"通过英国医学杂志学的。"

"你学过？那你也许会明白。我说的是'formulae'。"

"哦，"塞思婷哈哈大笑，"我过去也老爱用 formulae 来代替说化学公式，直到我的一位研究生——不用说，是个女生了——对我说这个字听起来太矫揉造作，造作的程度就像说'hippopotami'（河马）和'octopi'（章鱼）那两个字。所以我现在只说'formulas'，但我要看到 media（媒体）后面跟动词单数还是会火冒三丈。对 data（数据）后面跟动词单数我也举双手反对。我解释得够清楚吗？"她用天真的眼神看着肯特。

"继续讲你的化学吧，塞思婷。我不该打断你的话。"肯特就这么投降了，在坐的每一位都看在眼里——但在座的没有人能说清楚，他为什么举白旗投降，而普里斯又为什么一副神气活现的样子。

"Okay。那就再说回到 polyzeniumpolyoates。如我所说，不知道它们是什么也无需内疚。蕾娜属于剩下的百分之一点四，如果她承认说自己的 NONO1 和 NONO2 的正规名称叫'diazeniumdioates'的话，问题就会简单的多。"如你们所知，普里斯将注意力集中到三位男同事身上，"在她的 NONOates 里，两个 NO 分子附在一个亲核试剂上——亲核试剂是一种有机化学尾状物，它可以通过无数种方式来进行修改。这，就是 SURYA 公司申请的 NONOates 专利覆盖面如此之广的原因。尾状物在大范围内的化学变异成全了这件事。虽然蕾娜的 diazeniumdiolates，"她故意说回正规的化学名词，"稳定性如固体盐，但在液体状态，它们会释放出两摩尔的等量 NO，就是这一点令她的化合物在临床上有着无限的魅力。听起来好像没什么稀奇的，但你要能在实验室里把它搞出来算你有本事！没点创造性是搞不出来的。”

“你跑题了，塞丽，”蕾娜的语气很友好，“你就别宣传我了，赶紧宣传你自己的项目吧。”

“Okay，”塞思婷说，语速明显加快，“我们决定把更多的 NO 分子串在一起，看这么做会不会物尽其用。首先，我们给迄今为止未知的一类 triazeniumtriolates 找到了合成法……”

“换一种叫法，就是 NONONOates，”马里塔得意洋洋地打断她的话，“你们这些有机化学家！怎么就不说人话呢？”

“你们这些酶学家，”此类言论不出塞思婷所料，“如果我们真把六个 NO 分子连在一起呢？顺便说一句，我们刚把它搞出来。你是不是更喜欢叫它“NONONONONONOates”而不是叫 hexazeniumhexolates 呢？”

“唉，这些女化学家，”马里塔在桌子对面假装一鞠躬，“她们总是比我们精明。说真的，那样叫是有点儿拗口。但你们能否控制 NO 的释放速度以便药效更长久呢？”

“要说的就是这个问题，”蕾娜插话，“这就是我们想让塞思婷加入的原因。”

“蕾娜，你还是承认吧，SURYA 公司的双 NO 专利不包括我们的三 NO 相似体。”塞思婷的话精确无误掷地有声，“我已提请加州理工的专利顾问注意此事，我们的结论是，我们拥有多 NO 类型的广泛所有权。”

“没错，”蕾娜承认，“所以我们和加州理工进行了谈判，和他们签了独家授权书，用部分认股权证（stock warrants）作为担保。”

“打不赢，就把他们强行增为会员，”肯特说，“至少，蕾娜跟我提塞思婷的项目时,我是这么跟她讲的。"

"你知道是我?"塞思婷极不情愿地看了肯特一眼。

"就事实而论,不知道。蕾娜谈的是激动人心的项目,而不是做项目的人。"

"那你怎么知道蕾娜可以'强行把我增为会员'?"

"或许我没用那个词。我很有可能用的是'贿赂'这个词。当然,我指的是股票期权。这难道不是我们坐在这儿的原因吗?"

"也许这是你(你们)坐在这儿的原因,"塞思婷冷冷地说,她没有说清楚是单数的你还是复数的你们。"我觉得股票期权对我很有吸引力,我也……受之无愧。说到底,我放在桌子上的东西是看得见摸得着的:一组全新的、有使用权的、能给 SURYA 带来潜在利益的化合物。而我真正感兴趣的,是想知道我们的产品能否步入临床阶段。我不是什么纯粹主义者,不在乎和企业掺合在一起。不像某些学者。"这也是第一次,她把注意力集中在肯特身上。"所以说,我不需要贿赂。"

蕾娜的心提到了嗓子眼。普里斯和肯特剑拔弩张,但两人都不动声色,就算两人没到这地步,整个谈话也早已失控,得想办法尽快把谈话拉回到正道上来。"在新成立的公司,股票期权是一种标准货币。它们被称为'奖励'。在商学院,他们还造了个动词:我们都在被'奖励'。"

"我的天!"威斯大叫,"我拒绝接受这个词。我情愿被贿赂也不愿被奖励。太恐怖了!"

大家哄堂大笑,蕾娜对笑声的理解是,大家又回到了彬彬有礼的态度上来。"我刚才又用了另一个 P 字:前景(prospects),该字和 I. C. 说的'重点'有密切关系。迈克,"她转向正往本子上写东西的马里塔,

"你不是想谈重点嘛,现在可以让马里塔讲了吗?"蕾娜的最后一句话是对着肯特讲的,以示她没有想篡夺主席的职能。

"那好。"马里塔把身体坐直,同时把椅子往后移了移。他想把听众尽收眼底。"不久之前,蕾娜提醒我注意 NO 生物学中某些热门的领域——至少也是有一定温度的领域吧。她觉得 SURYA 应该将注意力转向那些方面。她觉得最简单的办法就是'强行增为会员',"他快速瞄了一眼肯特,"将某些专家强行增为会员,比如在坐的塞思婷,以换取他们手中那些看得见摸得着的东西。我随便提几个名字好了,咱们就从 I. C. 的领域开始:癌症。"

听他这么讲,蕾娜松了口气。马里塔不止聪明,她想,他还够滑头。他只说了两个名字,就顺带着把两个同事给奉承了。

"拿犹他大学的黑比(John Hibbs)来说吧。你,I. C.,可能熟知他的项目:激活的巨噬细胞通过生成 NO 来抑制肿瘤细胞的生长。"

又一次做得不显山不露水,蕾娜沉思。他没问 I. C. 是否知道黑比的项目;他权当 I. C. 知道这个项目。迈克没把它当作问题来考他。塞思婷会考他的,我或许也会这么做。

"我们应该考虑有具体靶分子的 NO 释放因子,这些释放因子能够将 NO 释放到肿瘤所在部位。比方说,通过单细胞系的抗体来送达? 要不就人工操纵塞思婷的 NONONO……NO——就 NO 到这儿打住吧,"他对着普里斯一眨眼,"中的亲核试剂部分,这样细胞内的某些酶可能会分裂,以便让位于被释放的 NO。不知你们当中有谁认识黑比……"

"这没关系,"蕾娜说,"我把名字都记下来了。之后我们再定谁找谁或先找谁的问题。"

马里塔点了点头。"黑比是位才智非凡的人,但他有繁重的临床任务缠身。蕾娜，为什么不把康奈尔大学的卡尔·内森（Carl Nathan）加到你的名单上呢？他不仅是巨噬细胞生物学家，他不仅用 NO 来对付昏迷的老鼠，看 NO 是如何把它们杀死的，他在微生物学方面也算是半个专家呢。"

"好极了！"蕾娜大叫，她正在本子上奋笔疾书，"大制药公司不屑于在微生物学领域花太多工夫，因为受影响的大都是贫穷国家——占全球人口四分之三的那群人。但本人还未完全丧失印度人的社会责任感，为什么不把给我们指路的人加在名单上呢？"

见小组一致同意，马里塔又补充说："我再说一个想法。微生物有许多针对物种的代谢途径。如果塞思婷这样的有机化学家设计一种……polyzeniumpolyolate，这种 polyzeniumpolyolate 能在自己被酶分裂之后才把 NO 释放出来，而这种酶对那种微生物来说要够特别才行。"马里塔敲了敲桌子以示强调。"在此情形下，被杀死的应该只有微生物，因为 NO 还不会离释放地太远。"

"太棒了，马里塔，"蕾娜大叫一声，并向普里斯转过身去，"塞丽，我们现在筹到了一些钱，我准备在公司内部搞一个有机合成计划。如果你有什么好的想法，就拿来在 SURYA 做，并以 SURYA 的名义申请专利——不要在加州理工做。当然啰，如果我们发表……"

"当然我们发表，而不是如果我们发表！如果我的想法好到可以搞项目，那也就好到可以发表。"

蕾娜扬起双手。"如果也好，当然也好……怎么都行。你的名字，塞思婷，会登在发表的文章上。这，你知道的，就是我们达成的共识。"

塞思婷心不在焉地点了点头。"我对微生物有一点点了解，我读研究生的时候在昆虫身上做过荷尔蒙试验。我在想，加州理工有谁在这个领域工作。我得去查一查……"

"我可以给你推荐一个人，"马里塔说，"说真的，如果 SURYA 公司想进入该领域，找个货真价实的微生物学家当 SAB 的顾问应该是个好主意。比方说，戴安·威斯（Dyann Wirth）。她现在是哈佛大学教热带医学的教授，但她是在 MIT 拿的博士学位。她有可能是一位不错的人选，因为她还是一位分子生物学家……"他摸着下巴作沉思状，"告诉我，I. C. 你……"

威斯一直在漫不经心地胡乱涂写，这时突然和大家步调一致了。"你说得没错，"他若有所思地说，"想想重症监护病房（ICUs）就知道了。被送进重症监护病房的老是一群中毒性休克的人。如各位所知，这和血压急剧下降有关，而血压的急剧下降又是由大量生成的 NO 造成的，"他朝听众摇晃着铅笔，"要是咱们的有机化学家同事能把精力放在研究 NO 阻聚剂上就好了，别老是一味考虑怎么样才能让 NO 的传递更有效或更长久。阻聚剂很有可能成为治疗休克的救命稻草。"

* * *

对蕾娜·克里斯南来说，这次 SAB 会议终于履行了科学顾问团的义务，它没有如马丁·盖勒设想的那样，只是给投资者摆摆样子，而是集思广益想出了研究的新路子——或许会引出在临床上有用的产品并最终带来利润的科研项目。这又引出了另一个 P 字：重点（priorities）。威斯的建议非常有道理，但她必须为将要建立的有机合成小组搞一个新的计划。比较明智的做法，也许是将重点的重点放在 SURYA 目前正在进行的 NO 释放因子的项目上。这个题目值得和塞思婷谈一谈。

"塞丽，"她在下午喝咖啡的空当说，"晚上一起吃饭吧。我想和你谈一谈关于酶分裂的性能，看能否将其部分性能合并到 NO 释放因子中。对 SURYA 来说，这也许真值得一试。"

"我很想这么做，蕾娜，但我得赶六点钟的飞机回洛杉矶。我答应杰瑞要按时赶回家跟儿子说晚安。他要看着父母亲两个人给他掖被子，这已经成习惯了。吃过晚饭再回去，可能就太晚了。"

蕾娜感到一阵内疚。纳奥米和塞思婷的儿子差不多大。

"我看一下能否改晚一点的飞机。咱们在去机场的路上也能谈。"

出租车里不是思考化学问题的好地方。为利用时间，两个女人把会上提出的各项建议从头至尾滤了一遍。马里塔讲的故事仍让她们忍俊不已，就是他讲的用 NO 释放因子治疗婴儿和成人肺动脉高压的故事。据他讲，现在给病人用的呼吸机上的标准气体已混有氧化氮。他问大家，要是把标准气体换成他们讨论了一下午的这种定时释放的 NO 化合物会如何呢？最后为了逗大家一乐，他又说了一段马萨诸塞州综合医院（MGH）沃伦·扎珀（Warren Zapol）的故事，沃伦实际上是第一位用氧化氮来治疗肺动脉高压的临床医师。扎珀设法说服了这家哈佛附属医院的高层允许他试用 NO，他的论点是联邦的 OSHA 标准（基于快餐厨师的吸入量）已经允许人们接触一定量的 NO。扎珀的"吃进去没问题，在 MGH 用应该也没问题"的论调令他说服了高层，马里塔结束说。所有听众——都和哈佛有着这样或那样的联系，坚信药用剂量无论如何不等同于吃进去的量——都大声嚷嚷起来。

我早该意识到的，改变行程而不通知自己的配偶，想以此给对方带来惊喜，实在是大错特错的想法，不管这儿说的是启程时间还是到达时间。尤其是到达时间。我以为自己会给杰夫塔带来惊喜，可当我把车停在门前小路上，眼前的房子却漆黑一片。才晚上九点十五分呀，我打开前门，刚要开灯，但好像听到有动静。我停住手，屏住呼吸。

"啊，啊啊，啊啊啊……哦，哦哦……"叫床声极有节奏。乍一听，我觉得挺好玩，甚至还跟着有了点感觉，完了我就来气了。我们出钱请保姆是让她照看纳奥米的,她怎么能带男朋友来这儿鬼混呢? 可紧接着,我浑身一激灵,想到了另一种可能性。

在某些方面,我还是难改印度人的本性,捉奸在床实在是令人难堪的一幕。我轻轻地关上门,把车开到了附近加油站的电话亭。我拨通了家里的号码,等在那儿。接电话的声音、光是听喘息声,我就能猜它个八九不离十。可铃声停了下来,我听到了卧室录音电话里自己的声音。"我是蕾娜,"我听到哗的一声后说,"现在大概是九点三十,我正在加油站加油,因为油不够用了。芝加哥的会议提前结束了,所以我就提前回来了。我五分钟后到家。"

等我第二次把车停到门前,楼上的灯亮了。我站在门口,把钥匙插进了门锁,这时我已经定好了两套方案,采用哪一套方案,取决于我进门见到的人是谁。我转动钥匙的当口,嘴巴直发干,可我还是不停地祈祷,千万别是保姆,荒唐吧——好保姆太难找了。另一个人会是谁呢,这么一想,我的心沉入了无底深渊。我砰地把门关上,我首先看到的是一对光脚丫,再看上去是牛仔裤,最后是站在楼梯口的 T 恤衫。看到杰夫塔从楼梯上跑下来,我关掉了玄关的灯。我不想看他的脸,也不想看他的眼神。"嗨,亲爱的。"我大喊,也许我只是用嘶哑的嗓子低声说了一句,我几分钟前不是刚断了唾液嘛。我飞快地——这样就免得说话了——亲了他一下,大半个舌头塞进了他嘴里。但我根本用不着拿舌头去测味道。杰夫塔连冲个澡的时间都没有;他也许只用凉水泼了泼脸、梳了梳头就下来了。我都能闻到他俩做爱散发出来的那种味道。

"来,"我把他拽到漆黑的客厅里,"想死你了。"我边低语边脱衣服。"操我,"我愤怒地低语。我做爱的时候从未用过这个字。"快点,"我气喘吁吁地说,边说边拽他的牛仔裤。"就在这儿,在地毯上。"

我拉他爬在我身上，伸手去摸他裤裆里那个软塌塌的鸡巴。"操我，"我大声说，"就现在！"

"不行，"他低声说，"等一会吧。"

"就现在！"我低声大吼。

"不行。"他又说了一遍。我看不清他的脸，但我用不着看清他的脸。他的语调让我深感后悔——为我们两个人后悔，尤其是为我自己后悔，一位献身于阴茎勃起事业公司的下一任总裁。

季风雨从这一刻开始哗哗地下起来。

16

1985 年 12 月 15 日写于巴洛奥妥。

我最亲爱的阿夏客：

光明节（Hanukkah）快乐！我向杰夫塔建议说，纳奥米大了，也该让她感受一下犹太风俗的欢乐气氛了。我们每天送她一件礼物，连送了八天，还有什么比这更能逗两岁孩子高兴的呢？这对她忘记潘多拉——我们的保姆，也起到了良好的效果。这是突然做的决定，我承认，不过我希望我的做法没有太不近人情。我只是觉得纳奥米到了学说话的年龄，我很想让她学说两种语言。我们准备在白天请一位五十三岁的尼加拉瓜妇女来带孩子，她已经是当奶奶的人了。用我认识的一位巴拉圭人的话说，就是妙极了！佩服吗？我想潘多拉肯定明白我们为什么让她走——打击是不小，但好在解雇金够丰厚。

前两个星期我有多想你，你根本想不到。正当我决定自己想做的事就是管理一家小公司并看着它成长——换句话说，就是沉溺于当另一种形式的母亲——我却渴望哥哥能在身边并得到你的指点，你说奇不奇怪？我很好奇，想知道你对现在的我有什么看法。也许，自妈妈去世后，我觉得该我照顾你了。

你的妹妹变化很大。我觉得自己越来越强硬了，这和印度人说的坚韧不拔不是一回事。可能是在男人堆里闯荡的关系吧，身上难免没有几块伤疤，而我并不喜欢自己现在这个样子。

目前我在 SURYA 忙得不可开交（我们正在"上市"的过程中），想回趟老家马德拉斯也成了一种奢望，特别是我跟家人承诺说，我要多花时间与他们共度"高质量的时光"（很美国化的一种说法，可能是美国那些工作的母亲因内疚想出来的词吧）。要不你来看我们如何？从印度的硅谷到加州的班哥卢走一圈？是不是该听一听你妹妹我对你未来新娘的建议呀？要不我也给你在《印度快报》上登它一篇征婚广告？我要写的话，绝不会提星座和绿卡。我会集中精力帮你寻找一位现代印度女性，她要能开得了口叫你 mehra prem，并希望你平等待她。

祝新的一年事业兴旺！

爱你的，蕾娜

是印度人都知道，再凶猛的季风雨到了最后也会偃旗息鼓。到了最后，杰夫塔和我在我们自己的床上相拥进入了梦乡（我把床单和枕套扯下来全换了），我们两个都累得瘫在了床上，但不是因为夫妻间的肉体接触——肉体接触是在双方宣泄了好几个小时的郁闷情绪之后才得以完成。性爱的质量不高，说有质量都勉强。我在这方面很幸运，每次做爱几乎都能达到高潮。不过，这次没有。但我作为妻子的基本面得到了满足——婚姻关系得到了重新肯定——当我感觉丈夫进入我身体的那一刻。我无意让自己的婚姻垮掉，特别是现在，我意识到自己应该为此承担部分责任。

我的杰夫塔，就像无数以色列男性一样，不是个复杂的老公。对这种男人来说，婚姻不幸福通常都是性造成的。那我为什么没早发觉他情绪不对呢？"整天挂在你嘴边的不是迈克这个就是迈克那个，"他脱口而出，"他有多聪明啦，有多少女人在他实验室工作啦，他有多……"他的嫉妒似水泡噗噗地往外冒，他口里的不忠，采用的是圣经里的双重标准，定义也是由男人下的，但水泡越冒越小。"在安巴哈的那次'停留'，我怎么知道你们没有……"通常情况下，杰夫塔不是那种话说一半就收口的人，但这次他的句子全都有头无尾。

"别跟我说你操潘多拉是因为你以为我在操迈克，"我对他吼起来，"我，你的老婆，自从认识你之后，就再没被第二个男人碰过！"我想是那几个字——"再没被第二个男人碰过"，让他把我揽入怀中并泪如雨下。眼泪是一种超强镇静剂。

"最近你从来不问我在忙什么。"他把脸埋在我的头发里，轻声嘀咕。

"我能问吗？"我说，明知道他的话有道理可还想狡辩，"你在另一家公司干，"我闪烁其词，"虽说不是直接竞争对手，但还是……"

"你好像不在乎这点。我哪天也没少听你吹你们在 SURYA 干的那些事。"

"我吹了？你这么说就不公平了。"我反驳，但心里清楚，他又说对了。

"好吧，"他稍作让步，"这么说可能言重了。但你的确没有跟我谈你的工作。"

"那当然,"我叫起来,"老婆和老公之间难道还需要保密吗?"

"说的正是。"他说。听得出来,杰夫塔感觉好多了,这次吵架他又赢了。"那你为什么从来不问我的工作呢?"

当然,我没马上就问。那跟被逼问没啥两样,就像被人强求说"我爱你"一样。等有一天,等那次吵架淡化成了一次不愉快的记忆——成了留在心头的又一块伤疤——我没多想就问了。接下来发生的事,令我感觉那场架吵得很值。

"你在读什么,mehra prem?"蕾娜问。

杰夫塔抬起头,把杂志递给她。

"生育及不育。"他回答的时候,她掂了掂从图书馆借来的合订本,然后将它放回到他坐的椅子扶手上。"你看它做什么? 1958 年的合订本? 老皇历了。"

杰夫塔噌噌噌地翻到一篇文章的开头。"说说你的看法?"

"'妇女宫颈涂片和鼻黏膜涂片的比较研究?'我不明白,"她冷冷地说,"怎么对这感兴趣了?"

"因为它的原因。"他从身边拿起第二本杂志:耳咽喉学文集。

"简直难以置信,"蕾娜大叫,"你不是老抱怨说杂志多得看不过来吗? 这些杂志和你的工作根本扯不上关系。"

"和我手头的工作是扯不上关系,"他表示同意,"但和我将要做的工作可能就扯上关系了。坐下。"他指了指对面的椅子,"该听你老公讲一次了。"

蕾娜的火一下就冒上来了,眼看着就要控制不住了,但在最后一刻,她决定放他一马。让他把憋在心里的话统统倒出来好了,她这么想。

杰夫塔好像根本没注意她的反应。"ZALA 属下的 ETS 公司整个小组的人都在埋头研究用电子导入方式将药物通过皮肤送入体内的办法。这是人所公知的事实。还有一个事实也是显而易见的,那就是电解质在浓度上的变化和人体内 pH 值的变化对我们的研究至关重要,因为我们打交道的都是充了电的分子。于是我开始阅读有关鼻黏膜的资料,知道我发现了什么吗?"他指了指耳咽喉学文集。"早在四十年前,有位叫法布里肯的人——希望那些数据不是他杜撰的——记述了鼻腔分泌物 pH 值的主要变化,具体来说就是睡觉时一个值,清醒时一个值,发炎时一个值,情绪波动时也有一个值。这就把我引到了第二篇文章。"他向前探过身子,"我现在给你讲的这些东西属于婚姻保密范畴。还记得我们说过的那些话吗?"

"接着讲。"她生硬地说。

"几乎就在整整四十年前,帕帕尼古拉乌(George Nicolas Papanicolaou)——就是发明帕帕尼古拉乌涂片(Pap Smear)的那个人——描述说宫颈黏液涂片呈羊齿状结晶。最早的看法认为,这种树状分支的形成取决于电解质、蛋白质和碳水化合物的混合体,可接着阿布·萨巴纳(Mirvat Abou-Shabanah)——生育及不育中一篇文章的作者,"他从大腿上拎起第二本杂志,"说羊齿状结晶主要取决于电解质的浓度。至此事情开始变得有意思了。"

蕾娜喜欢看到丈夫的脸上洋溢出热情的光芒,特别是谈工作的时候。她好久没见他这个样子了,自从他宣布说尿道的研究限制性太强之后,她就真的再也没问过他的工作情况。"那告诉我吧。"她用胳膊肘轻轻地捣了他一下。

"这些人,"他用手指头点着大腿上摊开的杂志,"戴卫斯和刚才提到的那个阿布·萨巴纳,在这儿登出了系列涂片照片——宫颈涂片和鼻黏膜涂片——取自于女人生理周期的各个阶段。宫颈涂片中的羊齿状结晶在生理周期早期(雌激素旺盛期)和生理周期后期(黄体酮浓度较高时期)再现的形状不尽相同。看一下这几组照片。"他把摊开的杂志递给她,"而在生理周期同一阶段拍的照片,几乎分不清哪张是宫颈涂片,哪张是鼻黏膜涂片。"

杰夫塔等着蕾娜查对证据。"真了不起,"她大叫起来,"但如何……"

"你看,"他打断她的话,"盐的代谢在极大程度上取决于荷尔蒙的影响,所以鼻黏膜中的电解质浓度为什么不能反映月经周期——换句话说,反映怀孕后荷尔蒙的变化呢?"

"可是,"蕾娜若有所思地说,"谁又能想到这底下的变化,"她指了指自己的大腿根,"擤一下鼻子就能测出来呢?"

两个人哈哈大笑,杰夫塔接着往下讲,"当然啦,不只擤一下鼻子那么简单。事实上,说到结果的重现性,鼻子并不是最方便的器官。要是有感冒或炎症怎么办……但是,我还是要问同样的问题。为什么是鼻子? 所以我继续读相关文章。希波克拉底医派的人曾对鼻子的功能和性器官功能之间的关系做过评论,你知道吗? 我不是指气味在性关系中所扮演的角色,像香水、外激素等。那是完全不同的另一个问题。我指的是来月经时鼻腔会充血这件事。你有没有注意到这一点?"

蕾娜擤了两下鼻子后回答说。"我得查一下。"她半真半假地说。

"就要说到最精彩的部分了。鼻子里覆盖部分鼻甲骨的组织,就连隔膜,在解剖结构上和勃起后的阴茎组织也极为相似!"

"杰夫塔!"她想从他手中夺过杂志,但被他连说带笑地推到了一边。

"没说完呢。还有,鼻腔勃起组织只在青春期达到顶峰并随年龄增长而萎缩!听我引用一句话:'每次月经开始,这种组织便会充血。'动一动你的脑子,克里斯南总裁,从解剖结构上来讲,女人鼻子的肿胀和男人阴茎的肿胀也许有某种关系。"他探过身吻了吻她的鼻子,"这种说法会不会让你有性冲动?"

"也许会,"她笑着推开他,"但现在不会。我想知道更多,比方说,这和你的工作有什么关系。"

"等一等,"他咧嘴一笑回答,"你必须听听上世纪末走的一段弯路。有位叫威汉姆·菲里斯(Wilhelm Fliess)的德国内科医生,他坚信女人的鼻子和性器官有某种功能上的联系,他认为要解决阴道里的问题,动鼻子手术就行了。有一段时间,他竟然说服西哥蒙德·弗洛伊德(Sigmund Freud)相信他的主张。而弗洛伊德竟相信到让他给他的一位病人开刀,让他把病人的鼻甲骨拿掉,以治疗她的歇斯底里症。"

"结果呢?"

"她差点因流血过多和血液中毒死掉。真不敢相信有这种事。"

杰夫塔回到椅子上坐下,不停地摇着头,"但不管菲里斯和弗洛伊德怎么做,pH值和电解质的变化让我的脑子转动起来。女人可以通过每天查看自己的宫颈分泌物来确定受孕时段,看分泌物是稀是薄、看排卵期的分泌物是否可以拉长到几公分、看分泌物是否又厚又粘……好吧,"看到蕾娜的鼻子翘上了天,他说,"有些女人是这么做的。其他女人,比方说我新时代的老婆,靠吃避孕药。但如果女人能精确测出自己处于月经周期的哪个阶段——排卵前、排卵中和排卵后,并可以在家中方便操作,这难道没有用处吗?"

"那当然,"蕾娜回答,"不是已经有家庭用测孕纸了吗……"

"我说的是还没怀孕的女人，"杰夫塔反驳，"那些不想怀孕的人，或是那些想怀孕的人，她们想知道自己什么时候最可能受孕。"

"不是有人在研究家用尿液测试法嘛，这样女人就可以用它来测量不同阶段的激素水平、黄体酮水平和黄体化激素……"

杰夫塔打断了她的话，"我说的不是尿液测试法。我在想导电性的变化也许和生理周期的不同阶段有联系。我有个想法……"他停了停，"我有几个试验要做。做成后再告诉你。"

蕾娜的表情变得严肃起来，"这难道不具讽刺意味吗？过去六年里，我埋头研究阴茎，现在我老公直奔阴道去了。"

"是宫颈，"他纠正说，"不是阴道。"

那是一次稀奇古怪的谈话。难道女人的鼻子真能反映她的性欲吗？稀奇古怪，但说到底，这又是一件挺严肃的事。我有一种明显的感觉，那就是自己正目睹一个故事开场，而谁又知道这个故事会如何结束呢？但好在我和杰夫塔谈了他的工作。

我很想知道塞丽如何与她丈夫——美国有史以来最年轻的诺贝尔医学奖获得者——处理这些事。我和塞丽的谈话，已经从谈工作转到了女人间的谈心。我之前没有意识到，自己竟会如此想念女人之间的这种接触。我肯定塞丽也有同感。不然的话，她干嘛一口应承我们每个月见两次面呢？从表面上看，我们频频约会是为了 polyzenium 这个项目，但午饭却越吃越长，谈话内容也和有机化学没有多大关系了。

明天我要跟她打探她丈夫的事。她很少提到他。

"塞丽，能告诉我吗？嫁给诺贝尔奖得主是种什么感觉？"

塞思婷哈哈大笑，"看怎么说了。在床上，看不出有什么区别。就连颁完奖的第二天也没什么区别。我当时在场，在斯德哥尔摩，我姨妈宝拉也在，你知道吗？她在最后一刻设法拿到了邀请函，我们才得以目睹自己的男人上台领奖。"

"宝拉·嘉里？"蕾娜本想打听塞思婷丈夫的事，但她又不能眼睁睁地看着这个机会从眼前溜走，她太想知道肯特神秘伴侣的情况了。"她和 I. C. 是什么关系？他们住在一起吗？"

"看怎么说了。"她又大笑，"我好像在重复说过的话。有人会说是，有人会说不是。我姨妈显然常去他芝加哥的公寓，他称自己那套相当昂贵的公寓为临时房，我肯定她在那儿睡过不止一晚。但她真和肯特同床吗？我不知道——不知怎么地，我从来不好意思直接问她这个问题。她有她自己的公寓，你应该抽时间去看看她那套公寓。我姨妈是一位室内设计师，品位超群。对外，她和 I. C. 有业务关系，嘉里 & 肯特古董店。"

"你不是开玩笑吧，"蕾娜大叫，"咱们的 I. C. 是个店主？"

"算不上，"塞思婷呵呵笑着说，"但他对古董很在行。你也看到了，他的某些收藏品属一流藏品。你该去他学校的那个家看看——全是世纪末维也纳风格的东西。"

"你去过他家？"

"去过。"塞思婷的回答简短生硬，"不记得了？我就在那个学校拿的博士学位。"

"自然记得，"蕾娜咬住追问，"可你在化学系。肯特在细胞生物学系。"

"我和杰瑞去过一次。"塞思婷的回答简短唐突。

蕾娜领会了暗示。"对不起，"她说，"我没想打探你个人隐私。但肯特的钱从哪儿来的呢？我猜他不是在得奖之后才开始收藏古董的吧。"

"钱是上任太太留给他的。部分诺贝尔奖金已经让他给投进了他和宝拉的生意里。她只在家里接待私人客户。大部分资金是他投的，宝拉则负责跑拍卖会和遗产拍卖会。不说他们的事了。"塞思婷好像有些不自在，急于想转换话题。

"没错。我问的是另一个问题：和诺贝尔奖得主在一起生活是什么感觉？"

"啊，对了，"塞思婷又回到了幽默风趣的状态，"多数顶尖科研人员就像是育龄期妇女。有些人特别渴望怀孕，不生出个把孩子绝不罢休，另一种人是不小心怀上的，而第三种人永远都怀不上。我的杰瑞获诺贝尔奖很像我当母亲——纯属意外。说到肯特，正好相反，他绝对属于第一种人。我肯定他很想再怀一次。"她咯咯大笑起来，"马克思·威斯，我估摸着，属不育者。其实他的某些项目相当出色。"

"你呢？"

"我不是告诉你了，我当母亲纯属意外，我……"

蕾娜打断她的话。"我说的不是当母亲的事。"

"哦，这件事，"塞思婷的哼声虽短但清晰可辨，"我是这么想的。我的研究成果也许永远达不到诺贝尔的标准，但我无所谓。我最受不了的就是口是心非。我想成为最优秀的那批人，就算斯德哥尔摩的某个委员会没注意到也没关系。这就是我讨厌肯特的原因，早在读研究生的时候，我就讨厌他了。当时杰瑞——可崇拜他了——第一次见我就提到他。肯特老装出一副与世无争的样子，其实最想争的就是他……争得跟什么似的。"她拿过瓶子喝了一口水，"没错，我做梦都想拿诺贝尔奖。自从杰瑞拿到后，我的梦就没停过。我真的很有事业心,蕾娜。你也许想象不到我的事业心有多强。"她的目光越过蕾娜,停在了窗外光秃秃的树杆上。"也许你能看出来,"她补充说,"想到刚才开的 SAB 会。我对 I. C. 的态度好糟糕。但约翰·马道思,《Natural》杂志的编辑,写过这么一句话,说,糟糕的态度是科学的天性。"

"不是吧,塞丽。这么说就有点过了。"

"不,没过。咱们每个人都想第一个冲到终点。为了冲到终点不惜冲撞对手,要是看到有人想打败自己,那是拼了老命也要证明对方是错的。就我来说,如果对手是他的话,我会更加不惜血本。当然,在科学界,也就是因为总有人想证明对方是错的,才令大家保持了诚实的态度。但在此过程中,我们确实与世有争——打破头也要争,是这么说的吧。"

"哦,不是吧,塞丽。你是说人们搞科研是为了竞争?是书呆子之间的撞击运动?"

"我要为之辩护的,是一种不讨人喜欢的观点,"塞思婷叹了一口气,"要不我换一种说法?进化论的观点这样认为,人类对两种互相矛盾的行为持同样忠诚的态度:和自家人团结友好精诚合作,对外人当仁不让刀枪相见。我们赞成国与国之间和睦相处,但又认为敌意是人类进化的必需条件。也许就是这个原因让威廉·杰姆斯(William James)质疑能否找到战争在道义上的同义词。对我来说,好像只有把'竞争'当成'战争'来读,才能在科学界立住脚跟,与此同时,科学界又向精诚合作致以诚挚的敬意。我的说法有点悲观,但也许正确。"

蕾娜打破了沉默。"你和你丈夫争不争?"

"有一段时间想争过,也就是刚认识杰瑞那会儿。当时他已经在跟 I. C. 读博士后了,而我还在跟另一个系的年轻女教授读博士学位。但斯德哥尔摩改变了一切。我跟你说过,杰瑞的诺贝尔就像是我儿子瓦伦丁,是强加给我们的。不同的是,我现在很珍惜我的瓦伦丁,而杰瑞已经完全把诺贝尔奖抛在了脑后。"

"为什么? 什么时候?"蕾娜无法掩饰自己的好奇心。

"为什么说起来太复杂,但什么时候在斯德哥尔摩就发生了。他简直是当众宣布的。我也许就是那一刻下的决心,觉得自己也许能和有诺贝尔桂冠的人在一起生活——如果他愿意跟着我第一份工作跑的话。那是个激动人心的时刻……"她的表情和声音略带伤感,"肯特在诺贝尔晚餐会上的发言很文气。这我得给他加分。他没有像平时那样啰里啰唆,说自己只是代表科研小组发言云云,相反,他引用了诗人艾略特(T. S. Eliot)的话。接着轮到杰瑞发言,大大出乎我的意料,他的表现超过了肯特,他也引用了诗人艾略特的话,但引用的方式完全不同。我永远忘不了那句话。"

"说来听听。"

"诺贝尔是通往葬礼的车票。拿到票后这人便无所事事。"

看到蕾娜目瞪口呆的表情,塞思婷哈哈大笑。"我当时就这种表情。对坐在斯德哥尔摩市政大厅的人来说,这话听上去毕竟有侮辱人的味道。但杰瑞却应付得很好。他先引用艾略特的话来表明自己的观点,说,在他这个年龄,他最好别以诺贝尔奖得主自居,别从此靠着诺贝尔奖或头顶无形桂冠到处颐指气使,他应该开始新的生活,一种不在诺贝尔奖巨大阴影笼罩下的生活。当然了,他说得很对。他决定将部分钱用来学医,也就是说重返校园读医学博士。所以我在加州理工找到工作时,他可以跟我一起走。他刚从加州大学洛杉矶分校医学院(UCLA)毕业。看到了吧,我们没什么可争的。你呢,蕾娜? 你和你丈夫争吗?"

回答问题之前,蕾娜用手将了将自己黝黑的头发。"在杰夫塔眼里,也许有争吧。"

"在你眼里呢?"

"我没想过要争,争也肯定是无意识的。但现在? 我就不敢肯定了。我很享受这份工作给予我的权利,不过,到目前为止,我还没想过我丈夫会怎么看这个问题。"

"怎么会,"塞思婷说,"你是说他在企业工作,他会怎么看自己太太当上公司总裁这个问题?"

"但我们不在一家公司上班!"

"那又如何? 他在他公司担任什么职务?"

"他并不想当 ZALA 公司总裁。他只想研究新的东西,并看着他研究出来的东西被人们使用。"

塞思婷盯着她看了好长时间才说话。"你就这么肯定?"

"不肯定。"蕾娜静静地说。

塞思婷从桌子那头伸过手,拍了拍她的手,"不说丈夫的事了,说说咱们自己吧。我从来没问过你,你为什么不考虑在大学发展?"

"考虑过。"蕾娜即刻回答,"你说了你的求学经历,说了跟一位女教授读博士的经历,与你相反,我没有女人做榜样。我在斯坦福读研究生的导师是个男人,就连大学本科的研究科目也是跟男人一起做的,就是迈克·马里塔。然后就是跟富兰肯沙勒教授读博士后。他们对我的帮助都很大,而且一直都认为我会沿着大学这根管道往前走,但是,"蕾娜的语调带上了批评的味道,"没人说过这根管道有个大漏洞,特别会漏女人。我知道有例外。你就是很好的例外:没有博士后照样在一流大学当老师,在终身职务的道路上迈出了第一步。我没说三道四的意思。"她朝前探过身子,"但是,在此过程中,你似乎全盘接受了男性价值观。就说现在吧,你给你的研究生多少自由? 是不是你要他们做什么他们就做什么？你难道不想把最好的学生留在身边，留长一点时间？而你想留他们，就是因为他们太能干了，他们能干就能帮你得到终身职务。当你申请经费不再困难，想要多少就有多少的时候，你难道就不想像有机化学界的某些大科学家那样，有几十双手来帮你？"蕾娜意识到自己的嗓门越讲越大。她坐直腰板，想平静下来，"就算你跟这些一样都不沾边，你刚才说的竞争又是怎么回事。"

"你就如此与众不同吗？"塞思婷冷冷地说，"身为一家高科技公司的总裁？在充斥着睾丸素的硅谷？"

"也是也不是，"蕾娜承认，"我承认自己身上好像多了某些男性特征，但我还是认为在企业里我有更多的余地按照自己的标准来磨合它们。你，塞丽——得到终身职务前，那是肯定的，就算得到终身职务后——也需要严格按照标准来规范自己的行为。我的余地可就大多了，因为我的操作范围小得多：我的公司。而作为公司总裁，也许有一天也作为 CEO，我可以自己来定调子——定大部分调子吧，不管怎么说。但我和你不同的地方在于，我没把企业当成自己的最终目标。我是受了马丁·盖斯勒的引诱才进的企业——也是因为自己对 R&D 第二阶段的兴趣：如何将基础研究成果用于实际生活。咱们两个人还有一个根本不同点。"蕾娜指了指塞思婷的脸颊，然后又指了指自己的脸颊，"咱们的肤色。"

"你少来。"塞思婷抗议。

"你跟富兰肯沙勒教授一样。"蕾娜的声音带上了奚落的味道，"你们都不愿承认有种族偏见存在，因为你们刚好都没受到它的污染。我第一次跟教授提这个问题时——他当时问我有没有想过在大学找工作——他说美国科学院里四分之一的成员都是外国人。我问他成员中有多少是有色人种和女同志。我知道，这种歧视是违法的，有些歧视甚至没有被人意识到,可我连绿卡都没有——拿的还是 J 签证。有多少大学不嫌麻烦愿意帮我换身份呢？帮我的是 ZALA 公司的扎法纳里——也许因为他自己从巴拉圭来美国时就是个读研究生的学生吧。"她又指着塞思婷说,"我就像你当母亲,或像你丈夫得诺贝尔奖:我们之所以有今天是身不由己。"

"至少你成功了。"塞思婷平静地说。

"我真的成功了吗？"

17

"我能见见儿子吗？"梅纳赫姆好像在对着微风中缓缓摇摆的巨型银色 L 字母说话。

第二个字母 L 摇上来的时候,马兰妮犹豫了一下。有那么一刻,两个巨型字母僵立在空中,背靠背,成对称状,一阵风吹来,两个字母又被轻轻推回到各自的轨道。"什么时候?"她终于小声问。

"还不知道,"他用同样的低声回答,"今晚我得飞回以色列。突然出了点事。"

她转过身。"准备好了,告诉我一声。"

"我会的。"他说着轻轻地碰了碰她的胳膊。这是他们七年以来第一次有身体接触,她浑身一颤。"谢谢你这么说。"

* * *

梅纳赫姆站在十楼窗户前,看着楼下瓢泼大雨中来回穿梭的车辆和被雨水打断的车前灯灯光。

"听到你太太去世的消息,我很难过。"马兰妮说。

马兰妮提议他们先在她的办公室见面,公共场所见面太公事公办,可又没私密到在家见面的程度,办公室似乎成了合适的中性场所。现在他们就在这儿,就他们两个人,屋里静得出奇,梅纳赫姆站在窗前一动不动,像根柱子似的。她在想自己是否说错了什么话。

"梅纳赫姆,"她继续用柔和的声音说,"我知道失去配偶的滋味。别忘了,我是个寡妇。"

"这完全是两回事,"他说,他背对着她,眼睛直盯着楼下面下班高峰的车辆。"你丈夫去世的时候,你感到内疚了吗?"

"当然没有。"她的嗓门高了起来,"我干嘛要……"

"说的就是,"他转过身,"你不可能明白内疚三十多年是种什么感觉。"

"梅纳赫姆,那是场意外。"马兰妮没有忘记梅纳赫姆给她讲的圣经里关于报应的故事,他的第二任太太是怎么因为交通事故瘫痪的。"都多少年前的事了。这又不是她去世的原因。"

"我理智上同意你的说法,但感情上却接受不了。那个害死她的血块也许永远不会……"

"梅纳赫姆!我的拉比说,就是'也许'这个词让我们保持了人性。"

他看了她一眼,脸上掠过一丝苦笑。"你的皈依让我很感动。你是为我才那么做的,对吗?"

"也不全是,"她点了点头,"皈依,还有我自己的内疚……"

梅纳赫姆终于坐了下来,"今天晚上,咱们别再提那个词了,谁也别提。我来是为了谈今天和谈以后的日子。同意吗?"

她点了点头，"什么风把你吹到了纽约？"

"干嘛要问，有区别吗？"

马兰妮低头看了看自己的手，双手呈合十状，好像在祈祷。"你说得对。我只是没话找话罢了。"

"其实，你的问题也不是一点不沾边。我这次来纽约的原因，会让我定期来纽约——少说也要来它两年。还记得我们轰炸过伊拉克在奥斯拉克的核反应堆吗？"他没等她回答又说，"政府从那个时候开始，就要我作为核问题顾问参加联合国代表团。你知道这几年来以色列所遭受的打击……"

"我知道。"她说。

"这之前，我一直拒绝参加。我太太的身体一天比一天坏。可现在……"他举起空空的两手。然后又把两手紧紧握在一起，"谈谈咱们的儿子吧。"

他的语气引起了她的警觉，"好吧，"她慢慢地说，"他是你的后代。"

"'后代'？多么冰冷的字眼！就像说'后嗣'或'后裔'。"梅纳赫姆皱了皱眉，"听上去生物性太强，更像是法律用词。为什么不干脆叫'儿子'？叫亚当也行呵。"

"那就叫亚当好了。"听上去像是妥协，"但说'后代'也没什么局限性。你说得对，那个词生物意思太强，而我也就是这个意思。叫'儿子'担子要重得多……"

"马兰妮！咱们别玩文字游戏了，'担子'就是'负担'的意思。为什么把这词用在亚当身上？"

"我没有，"她语气坚定地说，"我只是说，'儿子'这个词有各种各样的含义在内，"她小心翼翼地说出这个词，"有它的社会含义。远远超出了只是父子的关系……"

"或母子的关系。"他插话。

"或母子的关系,"她同意,"咱们先说前一种关系吧。到目前为止,你和亚当没有任何社会关系……"

"马兰妮,我也得能有才行呵?"他差点把嗓子喊破,"他连有我这么个人都不知道。他知道吗?"

她摇了摇头。

"咱们就别在法律用词上争来争去了,也别为了那个只有三个字母的字所包含的意思争来争去了。我肯定字典里会有珍贵的一席之地来解释它的意思。我不是来索要抚养权的。"他就事论事地说,"我来只是想听取你的意见,看第一次怎么见我的儿子——这次见面是你答应过的。"他又把指关节压得嘎嘎作响,吓得马兰妮直往后缩。"我就直说了吧,我很害怕。我快六十四岁了,平生第一次见自己的儿子——这辈子也不会再有第二个了。"他想微笑,却成了苦笑,搞得马兰妮两眼泪汪汪的。

"梅纳赫姆,"她吃力地说,"我理解你的感受。我也不可能再有孩子了。别以为我没想过你和亚当第一次见面的情形。他出生之后,我每天都在想这个问题。他出生前我也想过。我不知道让你们用何种方式见面才容易,才简单。但我脑子只有这个想法,要是你们两个人必须见面,那就……见好了。你今晚跟我回家算了,就像是朋友……"

"就像?"

"就是朋友,"她赶紧说,"咱们四个人一起吃晚饭……"

"四个人?"

"我有个住家保姆。我们总在一起吃饭。"

"明白了,"他松了口气,"我还以为是……"他没把话说完。

"是有，"她说，"但今晚不在。"

* * *

"见面没那么难，"马兰妮说，"他喜欢你，梅纳赫姆。你看到了，对吗？他连你是谁还不知道呢。"

"这也许就是他喜欢我的原因吧。要是他知道我是他父亲，不晓得他会怎么想？"梅纳赫姆若有所思地说，"这孩子，个子够高的。还没到五岁，就这么懂事。"

"基因好呗。全方位的，"她从桌子那头伸过手，拍了拍他的手，"他已经开始认字了。"她露出骄傲的笑容，"你对他的了解会越来越多。咱们一步步来。"她在桌边站起身，"时候不早了。"迪文猛地站起身，把桌上的瓷器碰的叮当响。"但在你走之前，"她说，"我想问你一个问题。你准备扮演什么角色？我想你不会愿意移民来美国吧，你愿意吗？"

"不，我不愿意。"他站起身，"你说得对。时候不早了。今晚的内容很丰富。我可以等到下个星期。"他走到门口转回身，"还有一个问题。几年前，你写信告诉我怀孕的事，你写的是'偷了我的精子'。我忘不了那句话。"

"那不是我的话，"马兰妮大叫，向后退了一步，"我引用的是别人的话。"

"我不管是谁的话，"他语气果断地说，"我没有想就偷我种的事索要道义或法律上的赔偿，不管这事是真是假。我只是提出我的后嗣问题，以便我们最终召开克斯博格两人会议来商讨父亲的权利和义务。你不会认为我没权利这么做吧？好了，晚安。"

* * *

"以后每次见面都在这个地方吗？"梅纳赫姆第二个星期踏进马兰

妮办公室的时候问。"你的秘书会怎么想？还是你晚下班成了习惯？"

"我秘书才懒得管呢。我见过很多男人……"

"我猜你也会见。"他小声咕哝说。

"确实如此。而他们都是来谈钱的。"她一耸肩膀，"还谈有意思的科学话题。你也是来谈这些的？"

"什么，钱？"他哈哈大笑，"你应该对我够了解。谈科学话题，倒是有可能。有人会说 ICSI 这个项目真有意思……有复杂的内涵……也许太复杂了。"他摇了摇头，像是要清理自己的思路，"以后再谈这个话题吧。你要我来，是要我谈关于父亲的问题。"

"我不是说进行哲学层面的讨论。我的意思很具体，你为自己设想的是什么角色？"

"我定不下来应该先说哪个，是先说 ICSI，还是先说角色。按时间顺序的话，我想应该先说 ICSI，不过不用担心，"他举起手，以示安抚，"我会按你的日程去做。先让我说点过去的事吧。我的过去。"他往椅背上一靠，双腿伸直。在马兰妮看来，他似乎出奇地放松。

"我上次给你写信的时候，那是……"他皱了皱眉，"应该是一九七九年吧，因为那时亚当还未出生，信中我恭喜你怀孕了。我当时只以为你结婚了，或是找到了……"

"这我知道，"她挥手让他继续说，想把话题绕过她受孕的原因，"你为什么不再给我写信呢？"

"为什么？"他带着苦笑问，"这就是我们要回顾的历史。我上一次有你的消息，是过了快两年以后的事，是通过菲里斯·富兰肯沙勒亲自带给我的那封信，从那封信中，我得知自己当了父亲，有了儿子。那是一封长信，一封复杂的信……也算一封写得很美的信。但你站在我的立场想想。"梅纳赫姆突然把身子往前一探，两眼直盯着马兰妮的眼睛，"你会是什么感觉？一个本来不育的人突然看到自己能育了，不管用的是多么人工的方式吧，我是又惊又喜又感动……百感交集占全了。但我又很生气。气的是你不跟我说心里话，不早说，而在两年以后才说。更气的是，你令我的处境十分尴尬。"他停住话。

马兰妮用手慢慢地抹着额头，像是要遮住自己的眼睛。她一句话没说。

"你问我说，万一你出事了，我愿不愿意承担父亲的角色——把我当成了不用交保费的保险了。你怎么能想象我会说不呢？但你活着的时候，我又该如何承担父亲的角色——你比我小了十七岁呢？我之所以生气，是因为你给我出了道无法解决的难题：我要在两难之间作出选择。要么就是摧毁我太太对我的信任，我已经摧毁了她的身体，要么就是保持沉默，和我唯一的孩子成为路人。你说我有得选择吗？"他听上去筋疲力尽。"我保持了沉默，没再给你写信。"

马兰妮伸过手，摸着他的衣袖，"对不起，梅纳赫姆。真对不起。"

"别这么说，"他说，"我不是要同情。我要解释清楚——这是我们关系的基础。当盖斯勒找到我，要我当 SURYA 的董事，并说你已经答应当他们的董事了，我把这看成是天意，虽然我不信命。这意味着我们会再见面，在中性场所及公共场合。"

他转身对着她，"而现在呢？"

马兰妮意识到该她说话了。"现在你成了鳏夫，"她犹犹豫豫地说，"你打算怎么办？"

"我们打算怎么办？"他温和地纠正她的话，"还记得你那封长信结尾写的什么吗？写的是埃塞俄比亚版希巴女王的故事：女王把独子，曼涅里克，送到所罗门王那儿去继续受教育。我忍不住去了一趟耶路撒冷的圣墓教堂，去看了你说挂在那儿的似漫画的埃塞俄比亚版圣经。当我看到曼涅里克探询他父亲的那幅画,我的眼睛含满了泪水,画中曼涅里克问他母亲:'告诉我关于父亲的事吧,'并不知道他的父亲就是所罗门王。顺便问一句,马兰妮,希巴女王告诉曼涅里克的时候,他有多大?"

"不记得了。可能十四岁吧。"

"对亚当,你也打算等那么久吗? 他有没有问过他的父亲是谁?"

他当然问过。我时刻准备着那一刻的到来。那一刻到来时,我感觉自己准备好了。我无法把全部的事实真相告诉亚当——他还小,才三岁——但我也不想让咱们两人背上撒谎的黑锅。那一天到来的时候,我拿起纸和笔,在纸上画了个圆圈。"这是一个卵子。"我在圆圈下面写上**妈妈**两个大字。"这些也是卵子,好多好多的卵子。"我在卵子周围画了二三十个圆圈。"但只需要一个卵子。"我给一个圆圈加了一个极其强壮的尾巴和一个尖尖的脑袋。

等有一天,我想,我会告诉他顶体,告诉他顶体如何穿过透明带,就像我在小威尼斯运河边告诉他父亲的话一样。

"那是爸爸的精子,"我说,用小一号的字体写了**爸爸**两个字,"当精子进入妈妈的卵子后,过一段时间,亚当就出生了。"我画了一个小人,标上**亚当**两个字。

"亚当,"他骄傲地说,然后问,"要过多久?"

"九个月。"我回答,想着谈话到这儿也该结束了。但我错了。

"谁选的他?"亚当用胖嘟嘟的小手指头指着**爸爸**两个字问。

"我选的。"我说,并站起身。

我至今记得,自己对第一堂课的效果非常满意。我没有撒谎,我连事实部分也没讲。但第二次就不那么好对付了,"我的爸爸在哪里?"两三个月后他问。我又拿出画画的本领。这次,在**妈妈**的字样下,我画了一个女人,而在那个精子下面,精子的头和尾巴被我染上了颜色,我画了一个男人。

"通常情况下,"我说,"爸爸的精子来自一个男人。"我给男人加了一顶帽子和手杖。"但有的时候,"我在男人身上画了个大大的叉,抹杀了他的重要性,"精子只是取自一家银行。"我指着卵子周围一大群无名精子说。

"银行?"他拧着自己的小脸,尽量把精子往自己一无所知的金融上靠。

我加大力度来描述那个机构的功能,详细程度远远超出当时的需要,但效果达到了:我把亚当的注意力从精子转到了金钱。从那天开始,我意识到自己正在编织一个母系社会的天方夜谭,而在该故事中,精子库将成为重头戏。这招还真奏效,因为在讲故事的过程中,我说的都是事实,除了精子的收集方法,到目前为止,这一点还未引起亚当的兴趣。我跟他讲了贾斯汀,说他要是还活着的话,可以提供爸爸的精子,但到目前为止,我还没找到合适的人来代替他。

等下一年快过生日的时候,他问:"你为什么不等一等,妈妈?"于是我画了更多的图,庆幸话题转移到了相对安全的女性繁殖领域。有一天,我突然意识到,自己的儿子可能是全曼哈顿最小的一个知道更年期年龄的人。为什么不? 谁让他是 REPCON 基金领导的儿子呢?

当然,我把繁殖问题讲成了另一个版本的天方夜谭,把儿子当成了撒马尔罕王(King of Samarkand),而自己却对此浑然不觉。雪莉的干预帮了大忙。她和菲里斯是这个秘密的唯一知情人,我向他们求救的次数也越来越多。亚当出生之前,我和菲里斯走得较近,现在,我与雪莉分享得更多。

"儿子需要家里有个男人，"有一天，她突然这么说，"你打算怎么办？"

倒不是说我的社交雷达关闭了，它一直在搜寻孩子父亲的信号，但它慢得像老牛拉破车，很少有哔的一声响。除了上班和回家带孩子，我根本没时间与人分享。所以我调高了雷达的敏感度，同时遵循雪莉对如果她是我会如何做的回答。"除了找老公？我会赶快找个男保姆。"

奥兰多和我们在一起有三年了，我希望他再呆……不知道能再待几年。我还记得问雪莉去哪儿找男保姆时她那轻巧的回答。"想想吧，那么多诗人不是当服务员就是开出租车。我敢打赌，他们要是帮忙带孩子，肯定能写出更多更美的诗句。"

我最幸运的事，就是找到雷兰·威布洛，他是我们的"奥兰多"。从他第一本诗文集的扉页就可以看出，雪莉的建议是多么的准确：献给亚当，没有他就没有这本书。他正准备出第二本诗文集，从他话里话外的暗示可以听出，雷德劳家的某个人将会再次登上扉页。

梅纳赫姆喜欢他，这让我相当高兴。我忘不了那天我说咱们四个人一起吃饭时他脸上的表情。当然，奥兰多不可能是解决问题的长远办法。亚当一天大似一天，他周围应该有更多的男人——包括一位真正的父亲。去年我的雷达哔了一声，我感觉那次哔声很有希望，出乎我的意料，他到现在还是很有希望的人选。但他不知道有梅纳赫姆，梅纳赫姆也不知道有他。

"从抽象的意义上来说，他问过你。"马兰妮回答。

"抽象！"梅纳赫姆流露出挖苦的语气。"什么是抽象？我承认有抽象意义上的受精，比方说在皮氏培养皿（petri dish）里，但父子是一种关系。"

"梅纳赫姆，"她为孩子求情，"我的意思是说，他第一次问这问题的时候很小。那是两岁小孩问的问题。"

"结果呢？"

"我一点点解释给他听。我跟他说，我想要个孩子——这话没假吧，"她赶紧补充说，"我说我丈夫去世了，而我还没找到替代他的人。这话也没假吧。到目前为止，我跟他说的唯一不是真话的话，就是我去了精子库。"

"Okay，"他说，得到了一点安慰，"现在怎么办？"

"咱们温和一点为好。咱们所有的人。你尽可能常来。作为朋友，作为这个家的朋友。让亚当慢慢了解你，你也慢慢了解他。这样做行吗？"

"暂时，还行。"

18

缩写词 IPO 标志着上市公司正处于命运的关键时刻，这一点永恒不变，说起来有点像犹太教的成人仪式（bar mitzvah）。但是，就像成人仪式不表示男孩真正长成了男人，首次公开募股也只是允许新公司和大孩子们在一起玩了：在股票市场里玩。接下来的事情和公司最初的承诺毫无关系：一切取决于公司的长期表现，取决于股市如何看待这个表现，还有一点也不假，就是取决于整体的经济环境。如果经济前景黯淡，就算业绩再突出的蓝筹股，也无法不被华尔街的悲观情绪所笼罩。

一九八六年的夏天，SURYA董事会作出决定，认为IPO的时刻到了。是公司单方面作出的决定，没有其他关键机构的参与，也因此缺乏操作性。一家公司IPO的时候，这些外部机构包括承销商——投资银行或是中介机构和SEC，即握有生杀大权的美国证券交易委员会。承销商就是媒婆，跟大多数媒婆没两样，他们绝非没有偏见。一旦他们同意扮演这个角色并谈好了丰厚的佣金，剩下的唯一任务，就是尽可能地把自己的客户打扮得花枝招展。跟其他媒婆一样，承销商很少在大庭广众之下揭自己客户的短。扬长避短是这个游戏的部分规则。这个游戏的规则由SEC制定并监督执行，就像FDA一样，SEC对其管辖的企业负责并具有威慑力。

从表面上看，SURYA像是不错的IPO候选人：公司的资产负债表无债务显示，银行里存有一千七百万美元现金，公司资产包括即将到手的FDA对一种令人兴奋的药物发出的全套批文，产品的市场似乎无比庞大。而最绝的是，公司的形象性感迷人，性感迷人这个词用在此处真是太贴切不过了。马丁·盖斯勒——鉴别承销商的老手，对IPOs，对第二次公开募股，以及对反复无常的股票市场有着丰富的经验——肩负起了通关的主要责任，他希望公司能够尽快通过SEC的层层关卡。

"蕾娜，"他有一天宣布说，"我集中精力搞IPO，你来看店。咱们现在需要找两家承销商：一家要老派稳重，业绩无瑕疵，另外，再在西岸找一家投资公司，像罗伯特森·斯蒂芬斯投资银行（Robertson Stephens）、汉鼎科技投资公司（Hambrecht & Quist）或蒙哥马利（Montgomery Securities）这样的证券公司。"

"让你选择的话,你会选哪一家?"蕾娜——毕竟是在圣塔克拉拉大学(Santa Clara)拿的 MBA,这家学校的学生大多是读夜校的蓝领——好奇心很重,她想知道在斯坦福受教育的马丁会选哪一家公司。

"老派稳重的? 只要是大牌券商,哪家都行,"他不经意地一挥手,"高盛集团(Goldman Sachs)、第一波士顿银行(First Boston)、摩根士丹利(Morgan Stanley)。它们要站成一排,你根本分不出谁是谁。第二组则比较棘手。蒙哥马利全是些咄咄逼人的推销员:不达目的誓不罢休的那类,他们个个高大威猛,衬衫领子永远敞开着。在这类投资公司中,我把罗伯特森·斯蒂芬斯投资银行的人列为最具绅士风度:他们个个西装革履,绝不会让人看到他们穿牛仔裤的样子。我也许会选择他们,因为我想让咱们的 IPO 也风度翩翩。"他狡黠地一眨眼睛,"问题不是他们愿不愿意接受咱们,而是看哪两家公司愿意合作的问题。我希望阴茎勃起能把他们忽悠住。承销商去哪儿找这种商机呵,在如此性感的舞台上展示自己又不显得下流?"

盖斯勒的话千真万确,他展示了令人兴奋的科研项目,解释了保守得体的财务计划,他用胜人一筹的口才说服了他们。"你们上次在 ithyphallic(有勃起阴茎的)红鲱鱼上签名是什么时候?"和高盛及罗伯特森·斯蒂芬斯投资银行高层开会的时候——SURYA 最终选定了这两家公司——他面无表情地问了这么一句话。

经理们露出迷惑的表情。

"'Ithyphallic'?"投资银行的一位经理忍不住问了一句,"把字拼出来。"

盖斯勒把字拼了出来。接着而来的是冷场,冷到最后,在场的一位小经理向摆在角落的大字典走去。他突地挺直腰板,返身走到自己的上司跟前,低头耳语了几句。"当然,"这位高级经理说,"我们不能用那个字。"

"也许,他们不能用,"马丁向蕾娜汇报说,"看我怎么用这个字吧。"

蕾娜也查了字典,"你会将你渊博的知识展示在什么地方呢?"她问。

"等着瞧吧。"

＊ ＊ ＊

按照惯例,真正准备"红鲱鱼"——需要 SEC 认可的初步招股书——牵扯到两方面的合作,一方是律师莫特·寒石及企业家马丁·盖斯勒,他们利用自己在公司内部工作的经验和才能拟出草稿,然后由公司外部的承销商对草稿进行严格审查。至于说这种审查是否只是走形式的橡皮图章,那就要看承销商对此事的认真程度了。结果证明,在 SURYA 这单业务上,高盛和罗伯特森这两家公司非常认真,有时认真得过了头——至少对蕾娜来说是这样。

蕾娜的角色,不像寒石律师行和承销商写字楼里那些小职员,更像是个辅导教师;她既当老师又当学生。作为 SURYA 首席科学家,她负责起草和阴茎勃起有关的基础生物学方面的材料,介绍材料要写得通俗易懂,要把重点特别放在氧化氮所担任的角色上。这部分材料和接下来对 MUSA 及 $NONO_2$ 活性成分所作的描述,是为了给,(说句不雅的话),是为了给一份促销文件套上一圈正经和智慧的光环,尽管文件里面满是法律注释。因而,包销商的骨干成员对蕾娜的态度稍有不同。不过,他们还是不停地问这问那,问得蕾娜很不耐烦。难道这帮人上完中学之后就再也不沾理科的边了? 还有,她感到不明白,怎么这些人里面除了副总裁还是副总裁——真够单调的,不是"行政副总裁",就是"高级副总裁",要不就是"助理副总裁"——下面就是秘书,难道两者之间就没有其他职位吗?

然而,除了提供科学方面的专业知识,蕾娜还要接受宝贵的信息,这些信息主要来自莫特·寒石,也就是SURYA对招股书进行法律注释的大师。寒石给蕾娜开了小灶,解释他为什么要在招股书中写进这么多含糊不清表示反对的陈述。蕾娜一听,先是感觉备受侮辱,接着就气不打一处来,最后对他佩服得是五体投地。

他给蕾娜对MUSA的描述加了个标题:"勃起对公司经尿道给药系统的依赖。"他把科学家的自尊、把乐观向上的开场白判了死刑,取而代之的是蕾娜认为令人作呕的悲观情绪:公司目前依赖单一的治疗方法来治疗勃起功能障碍,即利用经尿道给药系统MUSA®导致勃起。我们不能保证公司的治疗方法或其建议的带有氧化氮释放因子的药理学制成物是否安全有效,也不能保证该治疗方法会最终得到有关部门的批准。

这么说好像还不过瘾,寒石又在结语上加了致命的一锤:公司单一的治疗方法以及公司目前对$NONO_2$的专注有可能产生一种后果,那就是万一公司不能及时拿到、或根本拿不到FDA对MUSA®颁发的新药批文(NDA),或者说万一公司无法将该产品成功打入市场,那么公司就会受到不利的影响,公司的生存也将受到严重威胁。

蕾娜在寒石的资料室里读着招股书草稿。资料室的墙壁上排列着装订考究的大部头著作,和SURYA新建的那个寒酸的科技资料室比起来,真是一个天上一个地下。蕾娜实在忍不住了,"莫特,"她大叫一声,"读了你写的这个东西,谁还会买咱们的股票呀?"

"接着读,"律师警告她,"读完了,咱们再谈。"

蕾娜大声读起来,越读心里越烦。"'既然公司的产品牵涉到经尿道给药的输送方式,这是一种新的治疗方法,所以比起使用传统输送方式的产品,该产品的审批速度要慢得多。'"她不耐烦地喘了口气。

"'公司完成了重要的临床试验……'"蕾娜停下来看了寒石一眼。"第一次用了赞美之词:'重要的'。谢了,莫特。"

"你最好往下读,"他提醒她,"先别急着谢我。"

"'……在做下一步临床试验的同时,准备将 NDA 上报 FDA。'这话没错。"她说。

"Mm-Hmm。"他低声咕哝。

"'我们无法保证这些临床试验将在规定的时间内顺利完成,根本完成不了也是有可能的。'"后一句话,蕾娜几乎是吼出来的,"莫特,看在上帝的份上,醒醒好不好! 考虑到我们已经完成的所有临床试验——都是按时完成的,这我必须提醒你——你怎么能说……"

"别激动,蕾娜。等你读完了,咱们再谈,不然只会浪费时间。"

"Okay。"蕾娜做了个深呼吸,"'再有,如果确信参加这些试验的病人有可能在身体上受到难以承受的伤害,FDA 可以随时终止临床试验。'天哪,"她轻声嘀咕,"你还说了些什么?"

"看看关于生产的那一段。"

蕾娜哗哗地往后翻。"看到了,你改了题目,"她说,"'有限的生产经验。'"她气得直摇头,"还在我写的东西前面加了一句话。'公司毫无批量生产经验,要想维持合理的商业成本并达到一定的销售额,公司必须有批量生产的能力。'"她抬起头,眼睛眯成一条缝,"谢天谢地,我丈夫不是那家工厂的厂长。我能想到他会拿什么话来堵你的嘴。等梅纳赫姆·迪文读完这部分再说吧,"她警告他,"让我看看,你对我写的专利部分动了什么手脚。"

"你肯定不喜欢。"他不愠不火地说。

"'公司能否成功,在很大程度上取决于它目前和未来专利申请的处境,而后者,就像其他制药公司一样,能否批得下来还存在很大的不确定因素。专利申请有可能被拒,也可能被大幅度缩减其适用范围;再有,我们无法保证公司的产品是否对其他产品的专利或所有权构成了侵权。无论如何,公司相信,关于制药行业的专利和知识产权,永远都有打不完的官司,而这些官司的费用都很高。'"

蕾娜把手中早已印刷并装订好的草稿放下——这是招股书让她羡慕的一面,她的羡慕带有毫不掩饰的嫉妒成分在内。"真了不起,你找的印刷厂能把这样的文件连夜赶印出来,而我们这些穷科学家,得等好几个月才能看到自己的文章印成铅字。"

"等见到账单,你就明白了。"寒石哈哈大笑。

蕾娜看了一眼封面,左边被圈起来的字体印成了醒目的红色:"本招股书内容有待完善或修改。与该证券有关的所有文件已上报美国证券交易委员会审核。在这些文件生效之前,该证券不得进行买卖交易。"

"看了我给其他章节增加的内容,你也许会舒服一点。"寒石用慈父般的声音说,他这么说是为了让她平静下来。"虽然公司欲通过自己在美国的销售力量直接将 MUSA 打入美国市场,但由于公司从无营销及分销药品的经验,我们无法保证公司在营销方面的努力一定成功。"他合上文件,"全都是这种话。"

"为什么非要赶尽杀绝呢,莫特? 承销商会怎么说?"

"他们喜欢还来不及呢,"他咧嘴一笑,"然后还会多加几个如果、何时、但是什么的。如果我给你透露个小秘密,你也许会更感激我的:下次开董事会,你将当选董事。"

尽管马丁·盖斯勒私底下给蕾娜提过醒,但她还是脸红了。这是她在律师办公室一上午听到的第一件高兴事。

"除了马丁·盖斯勒,其他董事都是公司外部人员。该是时候让更多的管理人员进入董事会了。你不仅该当这个董事,蕾娜,而且让一家高科技公司的首席科学家当上董事,这种做法也很普遍。就算为董事会再增加一名女董事也成呵。不过,作为董事享受的特权之一,"莫特呵呵笑着说,"只要有股东起诉咱们,你就将自动成为被告。如果SURYA的股票毫无起色或相当有起色,我保证咱们都将被人起诉。"看到蕾娜沮丧的表情,他举起两只手掌,以示安慰。"这些令人讨厌的官司多是些无赖律师搞出来的。他们的目的就是把自己的口袋塞得满满的……而且,那些被请来救场的出色法律骑士的口袋也因此被塞得满满的。如本公司。"他露出令人释然的微笑,但紧接着,他把脸一绷,"蕾娜,算我多管闲事,你有没有服过避孕药?"

蕾娜被问得张口结舌。"对大多数男人——除了我丈夫,我的回答就是要他们少管闲事。但你这么问,我想肯定有法律上的动机。我这么说对不对?"

"完全正确。"

"那样的话,我的回答是有。事实上,我正在服避孕药。"

"很好,"他说,他吃力地站起身,推开椅子,"你有没有读过瓶里的说明书?"

"最近没读。第一次拿药的时候,可能读过。怎么了?"

他步履沉重地走到书架旁,手指滑过一排排皮装书。"我曾给一家最早生产口服避孕药的公司当过法律顾问。"他抽出一册书,书名是 *Syntex Corporation Registrations*。一张字条,显然被当作书签插在了书中。寒石还是直挺挺地站在原地,他将沉重的书放在鼓起的大肚子上,开始读了起来,"偶尔会有副作用,包括恶心、呕吐、出现听力和视力障碍、贫血、哮喘、神经错乱、出汗、口干、腹泻、过敏、偶尔会引起肠胃出血……"他看了一眼蕾娜,"你要在说明书中读到这些,还会吃这种药吗?"

她犹豫了,"不好说。"

"当然不好说。读了这个东西,换成谁都不好说。我刚才给你读的,"他稍作停顿,"是阿司匹林的副作用。现在,"他说,露出一副得意的样子,"看看这个。"他打开装订成册的书。"一九七八年的文本,我写的,一直没改动过,是关于避孕药的副作用。整整三页纸,单倍行距,小字——这种东西读了也记不住,如果你以前真见过的话。只要这张清单把从癌症和中风到牙龈出血及耳屎减少的所有问题都罗列出来就够了。教训既简单又令人痛心:把能想到的每一种副作用都列出来,不管它的作用多小或多偶然,不然的话,就会有人起诉你,说你没提醒客户。在全世界最爱打官司的这个国家里,认真提醒客户的好处已经被这些鸡毛蒜皮的小问题冲得一干二净。现在,让我说回到红鲱鱼。"

他把薄薄的招股书往蕾娜跟前一推。"你要是以为这个文件取这个名字,只是因为首页上有提请注意的红色字体,那你就太天真了。"寒石用手指划过页边的空白,"你也许知道这个词在字典里的定义:'令注意力偏离正题的东西。'"他使劲摇晃着脑袋,双下巴让他给晃得前后颤动,"字典的定义用在这里也挺合适。"

"挺让人泄气的,对吧?"

"不完全如此。把这当成广告行业的真理吧。读这些招股书的人,是你们在路演中要见的一批人:养老金和共同基金的经理、证券分析师、投资组合或理财经理,还有就是股票经纪人。这批人经验丰富,读过无数招股说明书;他们知道什么地方可以忽略不读,什么地方是莫测高深的法律术语,但是说到底,他们都是专业赌徒。虽然他们深知这个游戏所含的风险，可他们还是认为倒霉的不会是他们，因为他们比别人聪明。当然，买 SURYA 的股票，他们胜算的机会的确很大。"

"就你写的这些东西，人们又怎么会得出这种结论呢？"她用嘲讽的语气问。

"要得出这种结论，亲爱的，将取决于马丁，取决于财务总监（CFO）——尽管财务报告一目了然——还取决于你。取决于你们在路演中跟他们讲的话。"

"取决于我？"她大叫起来，"我该说什么？说我们公司请了一位悲观失望、玩世不恭的律师当我们的法律顾问？"

寒石听了哈哈大笑，他笑得太厉害，笑得他不得不用手赶紧捂住颤动的肚皮。"不是的，是指你说话的语气，你的面部表情，每当有人提出关键问题时，你那句神秘兮兮的'无可奉告'，你故作腼腆的反应，'你到底是怎么想的？'诸如此类的事。马丁在这方面很有经验，高盛公司和罗伯特森·斯蒂芬斯投资银行会给你一份名单，名单上有你要拜访的人名和公司，等你拿到这份名单，马丁肯定会帮你提前准备的。还有一件事：通常情况下，代表公司出面的都是公司 CEO、CFO——说到 SURYA，就是罗杰·奎沙的接任者，据我所知，他下个月就离任了——和技术主管，通常也就是主管科研项目的副总裁（VP）。但是，我和马丁认为，就我们公司来说，我们应该把重点放在科学上，并大张旗鼓地这么做。所以，我们认为应该分别请科学顾问团和医学顾问团的主席参加路演。说服他们参加这项活动的任务由你来完成——特别是肯特，因为马丁，他好像爱上了这个名字……"

"这点我太清楚了，"蕾娜打断他的话。

"马丁认为，一个真正和阴茎勃起有关的路演，应该因一位诺贝尔获奖者的在场而变得崇高神圣。"他一挑眉毛,装出一副沮丧的样子,"诺贝尔奖的光辉能不能照亮自己的阴影还是个问题呢,不过,管它呢,"他给蕾娜打了个手势,"那属于你的领域。"

* * *

"路演?"电话上传来肯特不屑的声音,"下一步做什么?成立巡回马戏团吗?你第一次来芝加哥找我的时候,可没说过作为 SAB 的主席,我还得陪那帮搞金融的人吃饭,早餐时间早得离谱,午餐热量又大得惊人。千万别用这些事来烦我。再说了,我正在减肥。如果哪位敬业的证券分析师要给我打电话,你就把我办公室电话号码给他。我在电话上回答他的问题。"

"我就是不想让肯特,还有其他毫无经验的科学家,和他们私下里通电话。"听完蕾娜的汇报,马丁低声吼道,"在和上市有关的所有文件生效之前,我们要十二万分地小心,说的每一句话和写的每一个字都不能超出红鲱鱼的范围。别忘了,那些红色警告语句只有在获得 SEC 的认可后才会消失,只有熬到那个时候,鲱鱼才会变成黑白色的正式招股说明书。在那天到来之前,我不想看到任何即兴讲演。每句话都应该有人能给你作证。说服他,蕾娜。用股票期权提醒他。"

* * *

路演如果成功了,IPO 也就成功了,而成功的 IPO,反过来,会将股票期权变成实实在在的真金白银。金钱的说服力和它被察觉的价值直接成正比,而肯特以每股四毛钱获得的三万股股票期权的价值很可能会升到伍拾万美金,如果十七美金的 IPO 价格——目前仅限于在 SURYA 的董事会议室里听到这个耳语声——确实兑现的话。蕾娜把这个耳语声用耳语声传递给肯特,同时加注了委婉的评语,此举的效果令他接受这件事的态度显得很不情愿但通情达理而非粗俗贪婪。

"I. C.，"待他低声算完简单的算术题之后，她提高了嗓门，"第一批要见的人全在纽约和波士顿。诺兰博士，MAB 的主席，将和我们从旧金山一起出发。如果 SAB 的主席也能在场的话，确实会有很大的帮助。就算只待两天也行。你确实为我们添彩，你知道的。"

"你是指我，还是指诺贝尔奖？"

蕾娜在猜想电话另一头的表情——高傲？贪婪？乐呵呵？"诺贝尔奖也没坏处，"她委婉地说，"如果你能就 NO 释放因子在癌症领域将肿瘤作为靶分子的可能性来几句评论，那对我们就太有利了。还记得迈克·马里塔在你公寓讲的那些话吗？"

"那为什么不叫迈克去？"

蕾娜有点不耐烦了，"咱们的听众里没有科学家。他们不知道迈克是谁。你的大名……"

"Okay，"他说，"两天。纽约和波士顿。不能再多了。"

* * *

IPO 之前所做的路演很可能与巡回马戏表演差不多，但就算基金经理和养老金经理玩的是别人的钱，最终他们还是被说服了，而不是被逗乐了。说到底，他们得替别人赚钱才能保住自己的饭碗。路演在吉祥的气氛中开始，从海拔九千米的地方出发。去纽约的成员包括马丁·盖斯勒、蕾娜·克里斯南、斯坦福妇产科主任 M. L. 诺兰博士、新财务总监大卫·沃伯，还有所有路演中不可缺少的一位成员：一位年轻的勤杂人员，他负责放幻灯片和投影胶片、负责散发广告和传单之类的东西，还有，最重要的一项工作，就是在各站点收集名片。用这种方法可以判断有无竞争者混水摸鱼。

正常情况下，马丁会让大家坐经济舱，但这次同行的有承销商派来的三位代表。尽管他们只是助理副总裁——SURYA 预计的 IPO

毕竟也就四千万美元，相对来说是条小鱼——不飞头等舱给人看见也死不了。可马丁深知公司正处于重要的敏感阶段，还是批了所有人坐头等舱，但那位放幻灯片的助手除外。后者将乘坐另一航班的经济舱，因为把他一个人撂在同一航班的经济舱有点不厚道。

蕾娜的座位在头等舱最后一排，坐在她旁边的是大卫·沃伯。沃伯毕业于耶鲁大学。他个头不高，体格健壮，高高的额头露出智慧的秃脑门。他对自己的简历深感骄傲，斯坦福的 MBA 学位，在东部投资银行四年的工作经验。第一次面试的时候，马丁就嗅出他是金融方面的一员干将，于是把他招进了公司。沃伯比蕾娜小三岁，他不仅聪明——事实上，聪明得过于外露——而且还有强烈的幽默感。坐在一起五个小时，没有受到手机和其他事务的打扰，这似乎是双方了解对方的好办法。沃伯对 IPO 和路演所知甚多，但对 NO 却一无所知——总的来说，这种环境对他们的社会兼容性毫无压力。

当飞机到达自动飞行高度时，沃伯刚好从头等舱前部的卫生间回到座位上。"知道谁坐在另一边的第一排吗？"他对蕾娜低语，"特丽莎修女（Mother Teresa）。"

"别开玩笑了！"蕾娜悄声回答，"你怎么知道？"

"听我说，自从她得了诺贝尔和平奖，全世界挂满了她的照片。我要去试一试，"他说，"看她会不会保佑咱们的红鲱鱼。"

没等蕾娜反应过来，沃伯已经从皮包里拿出一份文件朝机舱前部走去。蕾娜看着她矮小的同事消失在靠近走廊的空座位背后，没过几分钟，又见他往回走来，脸上带着从法国劳德（Lourdes）朝圣回来的幸福表情，极有可能是见到了圣白娜戴特修女（St. Bernadette）本人，他有点情不自禁了。

"听我说！她签啦！她保佑咱们啦！看！"他指着特丽莎修女在红

鲱鱼封面的红色字体上写下的签名。"我还请她签了日期！咱们得把这份文件放进保险柜里存起来。蕾娜，快，"他悄声说，"把你那份文件给我。"

他用高超的折纸技术将她递给他的招股书折成一个帽子，并从钱包里抽出两张二十美元的纸币扔进了帽子，"我要为特丽莎修女的加尔格达之行发起募捐。"

蕾娜捂住嘴才没让自己发出哈哈大笑的声音。"快点，"他催她，"得多放几张纸币才能将文字盖住。"蕾娜这才注意到纸币上双目紧盯自己的安德鲁·杰克逊（Andrew Jackson）的脸似乎在 SURYA 帽子底部吓得哆嗦了一下。

接下来的几分钟，蕾娜使劲忍住笑，忍得眼泪都流出来了，她目睹沃伯沿走廊慢慢向前走去，各种各样的纸币纷纷飘落进帽子里。

"知道我筹到了多少钱？"他回来后气喘吁吁地问，"五百多呢！特丽莎修女不仅再一次祝福我，还想留下那顶帽子。要不是想起里面的照片，我差点就给她了：彩色阴茎剖面图和放大的 MUSA 照片。感谢上帝，图没印在这一页。"他把皱巴巴的纸抚平，"她也祝福了这一份！"

"大卫，你信教吗？"

他咧嘴大笑，"只是有点迷信罢了。咱们得到了圣人的两次祝福，怎么还可能输呢？"

* * *

很难说得清楚，SURYA 公司 IPO 的成功，是归功于特丽莎修女呢，还是归功于阴茎勃起的魅力，要不就是科学演讲做得通俗易懂。早餐和午餐的客人对这门学科的兴趣非常之大，搞得只有几个人问财务方面的问题。换成其他公司的 CFO，准得郁闷好几天，可大卫·沃伯只管坐在那儿，喜悦之情溢于言表，他深信自己早就出过力了。就连 I. C. 肯特都不能吃闲饭,他运用自己神奇的讲课技巧抓住了听众,这可是他这辈子上的最早的一节课:七点钟早餐时间! NO 释放因子把肿瘤当成靶分子的可能性被他吹得天花乱坠,听得蕾娜心花怒放,决定尽快搞一个探索性质的合成计划。她在本子上记下这事,准备和塞思婷·普里斯好好地合计一下。

结果证明,M. L. 诺兰博士的在场十分必要。到会的听众,几乎是清一色男性,他们管不住自己的嘴巴,问了一大堆问题,有些问题间或距阴茎勃起有一段距离,但绝对没有超出腹股沟这个范围。很多问题与最近报纸上登的文章有关,那些文章认定世界各地的精子质量大幅下降,其中有几篇吓人的报告称精子浓度降低了百分之五十。诺兰用自己丰富的妇科临床经验和男科门诊经验令男士们平静下来。

"别这么激动,起码是那些来自纽约的人无须激动。最新的试验数据显示,纽约的平均精子计数高于其他任何城市,这个数据在过去二十年中没有一点下降。这和洛杉矶的情况正好相反。"她补充说,屋子里安静下来。为使安抚更加到位,她发出了进行范围更广、控制更严的流行病学试验的号召。

她巧妙地将话题拉回到 SURYA 和它的 IPO 问题上,她指出说,公司的 MUSA 针对的主要是性交问题,而不是繁殖问题。

"有很多项目都在研究不育问题,有女人造成的不育,也有男人造成的不育。举个例子,就拿 ICSI 来说吧……"诺兰前一天刚和马兰妮·雷德劳见过面,她们谈到了卵母细胞单精子显微注射技术,以及这个被广泛采用的技术在遗传学上的意义。雷德劳对这项技术的细枝末节了如指掌,这令诺兰竖起了耳朵。对于有可能给自己发放经费的人和他们的兴趣,大学教授总是给予特别的关注。

但这个首字母缩写词 ICSI 引起了马丁·盖斯勒听觉上的条件反

射。这个缩写词提醒他把一个论点抛给听众,他曾说过公司研发的产品带有阴茎勃起(ithyphallic)的特性——这是他早就准备好的一句话,但话说出来后却完全没有达到预期的效果,但也有一次例外。有一位分析师在写给客户的报告中提醒说,MUSA 有一个明显的副作用,就是阴茎会发痒(itchy phallus)。自从这个问题反馈到了 SURYA,不论在公众场合还是私人场合,盖斯勒再也不提 ithyphallic 这个词了。

* * *

SURYA 的管理层和承销商,在肯特和诺兰缺席的情况下,继续他们在欧洲的路演,他们必须停留的城市为伦敦、苏黎世、日内瓦和巴黎。出发去欧洲的前一天,他们收到了寒石从旧金山寄来的红鲱鱼修订版,里面按照 SEC 的要求做了最后修改。所有董事都需要在签字页上签名,签字页共需要十份。凡·兹瓦博格男爵和戴卫逊教授从联邦快递那儿收到了签字页,蕾娜则被安排去收集马兰妮·雷德劳的签名。大卫·沃伯的任务是去以色列驻联合国使团找梅纳赫姆·迪文签字。

蕾娜于五点差一刻来到 REPCON 的写字楼。"雷德劳博士回家了,"前台小姐说。蕾娜决定步行去雷德劳的公寓,公寓在纽约东区,和写字楼相隔十一条马路。坐着开了一整天的会,她想趁六月这个温暖宜人的下午清理一下思绪,活动一下筋骨。但是,当蕾娜到达目的地的时候,对讲机上一个男人的声音对她说,雷德劳博士还未到家。但她随时会到家。

"我可以上来等她吗?"蕾娜问,"我有些文件急需她签字。只要一分钟就行。"

一位年轻男士打开公寓的房门。"我是罗兰,"他说,"是管家,"他解释说,脸上带着亲切的笑容,"并照看亚当。请进。"

"妈妈!"随着喊声和脚步声,一个小男孩跑了过来。"哦,"他说,"我还以为是……"

"亚当,"罗兰弯下腰,"这是你妈妈的朋友。和克里斯南博士说你好。"

"你好,"亚当应声说。"认识你很高兴。"

"亚当,"一个男人的声音从客厅里传出来,"你在哪里? 咱们的棋还没下完呢。"

"跟我来,"亚当拉住蕾娜的手说,"妈妈回来之前,你可以看我和梅纳赫姆下棋。"

19

回到家一看,我吓了一大跳,亚当和梅纳赫姆在下棋,蕾娜·克里斯南正在一旁替他们瞎参谋。当我看到蕾娜露出不自在的表情,我的表情也由吃惊变成了尴尬。见她匆忙要走,梅纳赫姆说了一句话,这句话改变了一切。我至今没弄明白,他那句话是否故意说的。

蕾娜挥动着要我签字的文件说,沃伯,就是新CFO,正在找梅纳赫姆要他的签字。"告诉沃伯,明天可以来以色列使团找我,"他对蕾娜说,"星期二和星期四是我见亚当的日子。"

从蕾娜的表情可以看出,不管她以前有何猜疑,现在肯定是不再怀疑了。也就在这一刹那,我决定豁出去了。"蕾娜,"我说,"明天一起吃午饭好吗？在这儿，在我家？”

从梅纳赫姆第一次见儿子到现在真有两年了吗？我作为单身母亲的世界没有在那一天崩溃，但情形确实与以前不同了。梅纳赫姆自从宣布说来看亚当之后，就没有提过任何问题、没有坚持过任何条件、没有令事情复杂化、没有一次失误的言行……可是，我知道那一天越来越近了，那一天降临时，我们在缓缓漂向大海的同时必须停止踩水。到目前为止，梅纳赫姆一次也没有对我作为亚当·雷德劳单亲的权威提出过质疑。他从来不提亚当·迪文这个令我恐惧的话题。但我独一无二的地位受到了撼动；对这一点，我毫不怀疑。星期二和星期四的"例会"就是个例子。梅纳赫姆谁也没问就把日子定了下来；他趁我去写字楼的时候来家里。我记得对自己说，这有什么呀，可到了现在，男子聚会已经进行了五个月。每当亚当提醒我说——六岁的孩子竟能找到如此多的方法提醒大人——他对聚会是多么期待，我就有点心痛的感觉。等他长大一点，等到——如雪莉所说——等到家里迫切需要男人的时候，又会怎么样呢？

我真的为此事伤脑筋。我只能和两个人谈这件事。我可以向雪莉·富兰肯沙勒吐露心声，但她永远只有一条建议："结婚。"菲利斯是另一位，我一直想找他谈。他也很武断，但你至少可以和他争论一番。他是愿意考虑其他方案的。当然，我如果对菲里斯说，现在成了鳏夫（这他也意识到了）的梅纳赫姆，还是亚当密室的常客，他还准备教他下棋，还为他在儿童柔道班报了名（"男孩子，特别是犹太男孩子，应该学会自卫。"梅纳赫姆皮笑肉不笑地说），还一起去买运动鞋，那他准会停止考虑其他方案。我能看出他眼神的变化，他平时透着温柔的眼神变得冷若冰霜。我能听到他斩钉截铁的声音，"还有什么好谈的？梅纳赫姆是父亲，句号。从生物意义上和所有意义上讲，他都是父亲。

没什么好考虑的!"

这不是我第一次想象和菲里斯的谈话。这场谈话已经进行了好几个月,但总得找个人真谈一次吧。为什么不和蕾娜谈呢? 我突然问自己。她就算对结局不清楚,起码她也已经开始起疑心了,而菲里斯对此结局却一无所知。为什么非要和知道故事开头的人谈呢? 直接和知道故事结局的人谈不是更好吗?

马兰妮把客人直接领到了餐厅,餐桌上只摆了两个人的餐具。"蕾娜,你能来太好了。"

"谢谢,"蕾娜说,眼睛却盯着砂锅和水果盘,"谢谢你烧了简单的饭菜。路演开始见效果啦,"她拍了拍肚子,"连一半还没走完呢。"她耸了耸肩,坐下来开吃——开谈。蕾娜猜马兰妮请她来,肯定是想谈SURYA 的事,于是她便大讲过去几个星期所做的一切,而这些事消磨掉了她醒后的每一分钟。监护人——我们的承销商——他们安排所有的日程、邀请所有的人、利用彩排方式检查我们的表现、并保证在SEC 允许我们开始买卖股票的那一天,帮我们找到真正的买主。到目前为止,一切还算顺利。他们确实给我们提了一些很好的建议:他们说知识分子摆点臭架子没关系,只要够坦诚并偶尔谦虚一下就行,而最重要的是,我们跟客户讲话的时候,应该避免用居高临下的口气。和客户私下会面的目的,他们一而再再而三地提醒我们,就是为了巩固客户对我们的信任。

"别光说话,"马兰妮打断蕾娜的话,"要不然,这顿午饭就成了你吃的另一顿路演的午饭了。"

"那倒不会,"蕾娜大笑。"路演的时候,说话的不止我一个人。让我把我的观点说出来,我被这个问题搅得心绪不宁:就是承销商的多种功能与其潜在的竞争性。我很清楚，请他们来是替我们做事的，而他们收的费用也相当高——占全部收益的7%，我们希望至少有四千万美元的收益。但他们把我们的股票高价兜售给投资者……"

"'高价兜售'有点言重了。不管怎么说，大家都清楚是怎么回事。"

"目前阶段，这话没错。这些人都是资深投资者。不过，他们中很多人只看短线。他们希望股票一开盘就被超额认购，希望没有购到股票的人会驱使股价升高，这样他们就可以在短短的几天内套现——挣快钱，好让他们的客户认为他们干得很漂亮。这些人不是SURYA想要的投资者。虽然我们确实希望我们的股票在市场上成交活跃，但我们想找的是长线投资者。"

"蕾娜，你听上去像是位老手。我还以为这是你第一次接触IPO呢？"

"是第一次，但承销商所扮演的竞争角色、他们身兼股票经纪人的身份、加上他们对整个股票市场的影响，这些都是我在读管理课程时学的。当时只是纸上谈兵，现在我非常想知道在实践中如何运用这些理论知识。在学校的时候，我第一次听说了汽车类比法，教授直截了当地问，'你买车的时候，你是看《消费者报告》(Consumer Reports)并让独立于车行之外的技师帮你看车呢，还是听信车行推销员的话？'有记录显示，IPO之后马上从类同于承销商角色的经纪公司手中买到股票的散户，他们的下场大多是被宰。这是我们商学院老师说的，不是我说的，"她赶紧补充说。"现在我要开吃了。"她说，并吃下第一口饭。

有好长一阵子，两个女人都没说话。"蕾娜，"马兰妮开口了，她的眼睛紧盯着自己盘子里的食物，"我想问你一个问题。我从来没见过你丈夫，但你来交经费申请报告时，我听你说过他。那是什么时候……有八年了吧？时间过得飞快！嫁给以色列人是什么感觉？而你，又是印度人。"

蕾娜摇晃着脑袋，她没意识到自己摇头的样子极具印度古典风格。"感觉很不印度，我得说。明年我就是美国公民了，我的女儿在美国出生并具有参选总统的资格。是美国总统，我是说，不是SURYA总裁。"

"这我明白，"马兰妮有点不耐烦，"但说到我的问题……"

"以色列丈夫好不好？我没嫁过第二个丈夫，所以无从比较。类似丈夫的人我也没试过。"看到马兰妮眉头紧皱，她收住笑声。"我们的问题也不少，"她慢慢地说，"但造成这些问题的原因，是由于我们两个人的事业心都很重，而女儿又才两岁半。不过，犹太丈夫很重视自己的家庭。"

"你有没有考虑过搬去以色列住？"

"你是不是作为SURYA董事来问这个问题？"

"当然不是，"马兰妮赶紧说，"我只是好奇，想知道你有没有真考虑过去那儿生活。"

"有一阵子想过。但现在不想了——SURYA给我的机会太好了。"

"那你丈夫呢？"

"是呵，"蕾娜发出一声短短的叹息，"他也许想搬回去住。"

"你如何处理宗教问题？"

"等纳奥米长大一点，我们会带她去犹太教改革派的教堂。"

"我皈依了，你知道吗？"

这个问题问得蕾娜措手不及。"你?"她倒抽了一口气，"皈依犹太教，为什么？"

"我想让儿子成为犹太人。"

"明白了。"蕾娜小声嘀咕说。

马兰妮晃着手里的半杯水,她想看看到底能把水晃多高而又不让水泼出来。"你能猜到原因,是吧?"她放下水杯。

"你为什么告诉我这些?"蕾娜的声音很低,几乎有点战战兢兢。

"每当有人问起亚当的父亲,我就用话敷衍他们。他们要强迫我——说出来你别惊讶,会有那么多人强迫我说,尤其是女人——我就把真实的部分告诉他们。注意我说的是'真实的部分',而不是'虚假的部分',对我来说,这个区别很关键。"

蕾娜安静地看着她。

"难道你不想知道真实的部分吗?"第一次,马兰妮的话带上了嘲讽的语气。

"我觉得自己无权过问。"

"谢谢你这么说。我是这么对他们讲的,我说我打算当单身母亲,因此采用人工授精方法怀了孕。"

"那你对你儿子怎么讲?"

"同样的说法。但说不了太久。很快,我就得把另外那部分告诉他。"

"说你没真打算当单身母亲?"

"当然不是了!"她差一点就生气了,"那属于虚假的部分。我说'人工授精'的意思,是说我去了一家精子库。我必须告诉亚当,他的生父是谁。只有两个人知道这件事,和他们谈我感到不太舒服。对这件事,他们已经有了先入为主的意见。你成了第三位知情者,我想听听你的意见,你不介意吧?"

我对蕾娜所抱的期望也许太高。她也许比我小十几岁,但说到婚姻和为人父母的问题,她似乎相当传统。她也许意识不到她自己多么像印度人,要不就是因为嫁给以色列人的缘故?也许是她放不开,无法开诚布公地和我谈这个问题。不过,我们的谈话还是起到了作用,就像手术前聆听第三方的意见。眼前的建议已经摆了一大堆,再出去找更多的建议,那只是瞎费工夫。

大家好像都一致认为,我必须从单身母亲改为某种形式的双亲状态。但怎么改呢?蕾娜不想把话说得太透,但我敢打赌,她肯定也在想,我为什么不考虑结婚。我为什么不考虑呢?和蕾娜谈话的时候,更确切地说,在和她谈话之后,我开始对可行的方案进行了认真鉴定。方案!我每次和菲里斯进行虚拟谈话的时候,这个词就会蹦出来。到底是什么方案呢?

第一号方案:现状。起码我有了进步,因为我已经得出结论,维持现状不再可行。

第二号方案:雪莉的劝告:"结婚!"四十五岁的寡妇带个六岁的孩子,听上去不太像是畅销品,但这纯属借口。我照镜子的时候,挺喜欢镜子里那个形象。我的身材保持得不错。和我谈话也挺有意思:比方说,繁殖生物学方面的知识,我比大多数人都懂得多,我听歌剧,我读……但是,但是什么?如果不是为了亚当,如果不是为了我刚生出来的内疚感:男性对亚当的影响非常重要,而我却剥夺了他这个权利,如果不是为了这些,我还会这么心急火燎地寻找伴侣吗?找床上伴侣的需求已经熄灭。也许还有点尚未燃尽的火苗,但要想把它烧成七年前和梅纳赫姆的那把熊熊大火,得有一个大风箱才行。我的雷达似乎在挑选父亲和社交伙伴的人选,但绝对没有见过有风箱。那个"雷达男人"就是个例子。我已经让他卷铺盖回家了,因为梅纳赫姆已经说服本古里安大学在曼哈顿设立了筹款办公室,而找人给亚当作父亲替身这个方案已不再可行。筹款和 UN 顾问的职能会让他在这儿起码住满两年,他说。两年中每星期二和星期四的例行见面,加上周末偶尔聚会,这意味着亚当也要开始踩水了。难怪我避而不见雪莉·富兰肯沙勒。第二号方案出局。

这样就只剩下第三号方案:梅纳赫姆。我不知道他是不是在等我提这个问题?让我说的话,手术方案得由病人自己来决定。我必须和梅纳赫姆谈一次,关于亚当,关于我们。我必须知道他的感情在过去八年里有无发生变化。对这个尴尬的话题,我们双方都没去碰它。

"蕾娜,你看。"杰夫塔举起一样东西,东西大小与形状和圆珠笔差不多。"你愿不愿意把这个棒棒插到阴道内的子宫颈?"

"Mehra prem,"她半开玩笑地大叫,"我女儿的父亲,你不是开玩笑吧。我飞了两万英里,希望回到家能得到你的亲吻和拥抱,可谁知,你却要我把这个管子插到……"她凑上来看了他一眼,"你没在开玩笑,对吧?"

"没什么大不了的。就像插卫生棉条一样,只不过插深一点,一直插到……"

"插你个头,"她打住他的话,"我把那句印度爱称收回,它和这个场合极不相称。把那个东西放下……发明也好……玩意也好……不管你叫它什么名字,你先给我解释清楚。要不咱们就用美国老婆的问法来问好了,'亲爱的,我在外面拼死拼活地给家里挣钱,你在家里都捣鼓些什么呀?'"

蕾娜的心情好到了家,杰夫塔的火气被她的话压了下去,但火并没有彻底熄灭。"Okay,Okay,"他把棒棒放到桌上,"看在你对你老公这几个星期的所作所为终于发生了兴趣的份上……是几个星期还是几个月？"

"杰夫塔,你为什么不高兴？"

"我们一直在谈的话题,我不知道谈了有多久,都是 IPO、IPO、IPO……"

"你这么说就不公平了……"

"还有红鲱鱼、路演、高盛、斯蒂芬斯·罗伯特森……"

蕾娜捂住嘴,她不想嘲笑他,不想给他火上浇油。"应该是高盛和罗伯特森·斯蒂芬斯。"她小声嘀咕。

他怒目圆睁。"我才懒得管他们叫什么。你是真想知道我的事,还是装样子给我看？"

早期的伤口还没有愈合好;我对他的研究项目有一种自然的兴趣,而这种兴趣对伤口能起到镇痛的作用,但我给伤口搽药膏时,不光按摩力度不够,搽的次数也不够频繁,特别是在我们决定全力以赴做 IPO 之后。我应该对他解释清楚,说时机的因素至关重要:过去六个月里,道琼斯指数升了百分之三十,升了四百多点,和去年相比,IPO 的数量翻了一番。我们的承销商跟催命鬼似的不停地催我们,提醒我们说这是个千载难逢的好机会,幸运的大门不可能永远敞开。大门说关呼啦就关啦。

我兴冲冲地经历了公司这个重大的转折关头,我承认——如果我仔细回想的话,杰夫塔连参与的份儿都没有。保密和谨慎的话天天往耳朵里灌,莫特·寒石说就连枕边悄悄话被 SEC 听到了也会严惩不贷。我要是多关心一下杰夫塔也就不会有这些麻烦事了,特别是我要经常出差,孩子全托付给他一个人照看。

所以我一声不吭。"对不起,"我说,"说说你的工作吧。"他平静下来——他真的没想别的，就只想和我谈谈他的工作——提到了六个月前他读的那些关于鼻腔和宫颈抹片的文章。"你是说你真的对这个问题追根究底了？"我问，对此感到万分惊讶。他没用简单的是或否来回答我的问题，而是从桌上拿起那个小棒棒，宣布说我荣幸地看到了第一支"测卵魔棒"。

我看着自己的丈夫，感觉好像回到了八年前，好像看到了向我展示第一支 MUSA 的那个男人。也就一眨眼的工夫，我意识到这是真的，我意识到，如果自己只是一味迎合杰夫塔的话，我将陷入如履薄冰的危境。我指着那个既像圆珠笔又像卫生棉条的东西问他，"这个东西会告诉说何时排卵？"

"还不能完全肯定，"他的回答模棱两可，但他的眼神似乎对此坚信不疑。"如果我的想法没错，那这个东西的作用不限于此，它会在你排卵前几天通知你。"

这一次，我表现得够机灵，没打断他的话，尽管他讲的关于女性繁殖的知识连一年级学生都知道。有句话说得不假，说许多女人对自己的生理周期所知甚少——排卵时间，还有她们每个月只有二十四小时的受精时间——以及其他一些有用的知识，比如，精子存活期也就三到四天。所以当杰夫塔告诉我说，要让这个东西发挥节育的作用，关键是它要能在四天前就预测出排卵时间，我只是点了点头。

紧接着我突然挺直了腰板。杰夫塔跟我说的这些事，我不是太清楚，也拒绝相信：约翰·弗朗斯在新西兰发表的一份报告中称，排卵前三天进行性交倾向于生男孩，而排卵期间性交生女孩的几率比较大。"现在，"他得意洋洋地总结说，"如果我的'测卵魔棒'能在排卵前四天测出排卵时间，那我们就能真正掌握……"

"只生男孩的方法？"我打断他的话，"可怕至极！"我不是瞎咋呼，因为我能想象在印度会出现什么情况,在我们国家,儿子是无价之宝,女儿是累赘。但他一挥手,挥掉了我反对的声音。

"我说的是生女孩的可能性比较大,并不是一定生女孩。"

"好吧,"我附和说,不想再惹他发火。"但它的目的是什么?"我指了指他手里的那个棒棒,"你到底想测什么?"

这一次我十分认真地听完了他的解说。我不得不承认,我对他的羡慕掺进了一丝嫉妒的成分。我正忙于向公司管理层的顶峰攀登,我忍不住要问自己一个问题,我上一次提出自己的科学主张是什么时候?现在我为别人的想法"做嫁衣"。我把这些想法"按优先次序排列出来"。当然,我在这方面做的很好,因为我对科研人员的想法了如指掌,但这和杰夫塔刚才描述的事情完全是两码事。

他的运气很好,他在本古里安的实验室由一群跨学科的人员组成,有学机械工程的,也有学电机工程的,尽管他的学科偏向生物机械,但他周围很多人是搞电的。这也就解释了他对 ZALA 公司电传送方式的新项目能很快上手的原因。但一到了那儿,我的杰夫塔便不满足于停留在皮肤表层——为 ZALA 公司的 ETS 设备制定的使用范围。他在鼻子和宫颈里遨游的时候,冒出了一个想法,那就是在女人生理周期的不同时段,与宫颈黏液中产生的氧化还原作用的反应相关联的电变化可能有连贯性和再现性。我对我这位家庭生物工程师信口炫耀的一些词汇感到惊讶不已。"我的'测卵魔棒'很容易伸到后穹隆——位于阴道顶部的宫颈过渡区——因此它可以测量宫颈黏液中糖蛋白氧化还原反应的变化——宫颈黏液也许是发生这种现象的根源。如果这些变化有再现性,那就应该有可能监控优势卵泡的成熟过程……"

我感觉眼花缭乱。讲话的这个人是我老公吗?"但这都还是猜测,"我有气无力地说,"都是'假如'……"

他又是怎么想到"测卵魔棒"这个名字的？我想知道。在独创性上，这个名字几乎可以与MUSA相媲美。"哦，名字呵？"他煞有介事地一挥手，"杰拉西的一个女学生，名字叫朱莉·瑞哲，她提议用这个名字。'拿去用好了，'她说，'你要喜欢的话。'"

"杰拉西？"我大叫一声，"你是说卡尔·杰拉西？杰拉西和这件事能扯上什么关系？"

一旦杰夫塔有了这个想法，认为宫颈黏液中氧化还原作用的变化有可能成为监控排卵的基础数据，他便去斯坦福大学附属医院找M. L. 诺兰，想听听她的意见。当我听说我的配偶去咨询了SURYA的医学顾问团主席，我第二次有了嫉妒的感觉，我很讨厌承认这点，但话说回来了，M. L. 也不归我们所有呵。再说了，她和我们研究的是阴茎，而杰夫塔闷头钻研的是宫颈。"她让我去斯坦福化学系找杰拉西，杰拉西目前正在教人类生物学的课程，课程的名字叫'女权对节育的看法'。他参与了早期的避孕药研究工作，这话不假，但他现在好像对比较柔和的领域更感兴趣：像什么生育意识、妇女在繁殖问题上的自主权……甚至对预测排卵的新方法也产生了兴趣，他称那些方法为'喷气机时代节律法'。"

我听了只有张口结舌的份。就因为这位斯坦福大学化学系教授成了终身教授，他就具备老资格了？就可以只做这些事情了？"结果发现，他班里的学生——一群高年级女生——还真做过一些调查研究：有数据调查、有访谈笔录……有时做的比这还多。他和诺兰一起说服了班里四名女生试用魔棒，每天插入几秒钟，以测量生物电活动。以下是根据她们测出的结果绘出的电流量对周期天数的图表。"

他画了个草图，上面有两个高峰和两个低谷，一条线由左上方向右下方斜行。"第一天为周期开端，到了第六天，生物电活动降至最低点,然后在第九天升到高峰,为周期最高点。数值在第十四天又降到第二个最低点,第二天快速升到高点——没有第一个高峰那么高——然后在第十六日降至绝对低谷。所以,你在图表上看到的这种现象,"他把图形用大圆圈圈了起来,"是一个不对称的 M 形曲线,是由这四位女生提供的。我们的工作前提是,从第六天产生的第一个最高点与排卵期产生的最低点相隔八天,而这八天和那个月优势卵泡的成熟过程有关。"

"哇!"我由衷地发出一声赞叹。

杰夫塔哈哈大笑,露出一副得意的样子。"阿尔法度·扎法纳里也是这个反应。他鼓励我继续搞下去,尽管这和 ZALA 公司的研究项目不沾边。"

看到杰夫塔情绪高涨真是好,接下来他又问了我一遍。

"那么现在,"他说,"我重复一遍我的问题:你愿不愿意成为第五只天竺鼠?"我立刻明白了,杰夫塔这次不是闹着玩,上次也是他让我把第一支 MUSA 插进了他的尿道。

"只要你来插就行。"我回答。

20

1986 年 9 月 26 日写于巴洛奥妥。

我最亲爱的阿夏客:

不是我跟你吹,截止五天前,你妹妹我百万富翁的身价已经翻了一番。至少，理论上如此。关于这一点，我待会儿再谈，现在让我先陶醉一下，让我先过一把所谓的百万富翁的瘾。咱们那位亲英派老爸多年前强迫我们读特罗普（Anthony Trollope）和亨利·詹姆斯（Henry James）的小说，对书中那些妇女的处境，我现在是小有感受（理论上的感受）。但是，那些虚构的妇女拥有的财富，不是来自婚姻就是来自父母，而你妹妹我是靠自己的能力挣来的！

你也许特想知道这到底是怎么回事。好吧。还记得我的股票期权吗？五天前，我们的股票开始挂牌交易，开盘价为每股十七美元。今天它们是二十一美元！截止到一九八六年九月二十六日，我的股票期权价值一下子就成了二百五十万美元。

Okay，我只是纸面百万富翁。这虽然极大地满足了我的虚荣心，但和我们的实际生活却关系不大，比方说，我开的车没变，还是那辆有八年车龄的沃尔沃；房屋贷款也没增加，事实上，房子也没变大。就像其他拥有股票期权的人和持有原始股票的人一样，我被禁止在一百八十天内抛售股票，就算一百八十天之后（届时股价可能会低许多，也可能，敲敲木头，会高许多），作为 SURYA 的总裁和董事会最新成员，我也不能抛售太多股票，怕引起严重问题，我就不拿这个枯燥的话题烦你了。

SURYA 五天前上市的时候，杰夫塔连眼皮都没眨一下。就我所知，他很久没读《旧金山记事报》（San Francisco Chronicle）的商业版了，这是我们当地的一家报纸。他一头钻进了新项目，在我看来，这个项目最初显得怪怪的，但每过一天我的感觉就会变好一点。由于保密的缘故——还有些微妙因素——我暂时不能跟你说太多。说起来怪怪的，目前驱使我们家男性工作的动力不是钱而是科学，而倒过来的顺序却适用于这家女性，虽然她不是家庭主妇！

阿夏客,我亲爱的,我变了！有时,我想不明白,这种变化是好还是坏。

爱你的,蕾娜

另。对于我给你在《印度快报》上打广告的建议,你一直未予答复。这是你独立(可以理解,我认同)的表现呢,还是你对婚姻话题表现出的冷漠(迷惑不解,我承认)？不管是哪一种情况,给我写信！

马丁·盖斯勒沿会议桌扫视一圈——不是 ZALA 那张优雅的椭圆形玻璃桌,而是 SURYA 全功能会议室里那张长方形胡桃木桌。虽然对公司的成绩感到骄傲,但盖斯勒远没到得意忘形的地步:经验告诉他,航程不会总是一帆风顺。莫特·寒石催促他召开 IPO 之后的第一次董事会,以便给大家一些务实的建议,只有两个人——阿尔法度·扎法纳里和男爵——可以免听这些建议。

"马丁,记住啰,"寒石曾对他进言,"咱们董事会里有四个人从来没当过董事。在明年的股东授权委托书里,他们会发现自己的名下拥有大量股票,股东授权委托书是公开文件,很快会被送达所有股东手中。就拿蕾娜来说,她的股票期权价值高达二百五十万美元;说到外部董事,每人也都超过了五十万美元。我发愁的不是你和阿尔法度——你和他有的就更多了,但你们知道怎么做,已经把投资进行了多元化组合。可我敢为那四个人打赌,他们拥有的 SURYA 股票期权,肯定占了他们净资产的绝大部分。得有人帮他们站稳脚跟才行,免得他们……"他举起双手,"天晓得他们会干出什么事来。"

* * *

"朋友们。"盖斯勒的开场白正规而古怪,"咱们的股票表现非常出色。十七美元的开盘价引来了超额认购。尽管在伦敦出现了可怕的凶兆，蕾娜目睹了那一幕，但我们还是卖掉了二百五十多万股股票，扣除承销商的佣金，公司净收入达到四千万美元。既然一切进展顺利，也就可以向大家透露那个可怕的秘密了。在欧洲路演的时候，高盛公司安排我们在位于旗舰街的卡德瓦尼制鞋行会（Cordwainers Company）进行午餐演讲，这种狄更斯时代行会的会所在伦敦仍旧能看到。我猜你们都知道一双 Cordwainer 是指什么吧？"他问，一脸诡诈的表情。

"行了，"莫特低吼，"就别替英国人吹了。"

这话没扫马丁的兴。"好吧，咱们就尊重莫特的意思，不提 Cordwainers 了，让我继续往下说。我们坐在大厅的台上。我正准备打开会议记录，一只黑猫不知从哪儿窜了进来，正鬼鬼祟祟地向我走来。她——我说'她'是因为我当时就断定它是女巫的化身——在我右前方蹲下，两眼直直地盯着我。没人说一句话。没人动一动。就我和那只猫——直到我的同事，"他指了指蕾娜，"帮我救了场，她走上前一步，一把抱起猫，在我讲话的时候，她不停地抚摸坐在她腿上的女巫。所以她没在我面前窜过，没给我们带来霉运。"

笑声一落，寒石开始讲话。"所有关于 IPO 的重大消息都已透漏给公众，我就说点鸡毛蒜皮的小事吧。"他一反常态，说话的语气气呼呼的，"如果你们谁迷信的话，没错，那只猫还有可能对我们施妖术。如马丁所说——说得也许有点轻巧——募股很成功，承销商好像也很高兴，股市每天也几乎升一个点。昨天，SURYA 的收市价为二十一美元。如果你们认为这是天大的好消息，那就再好好想想吧。"

马丁又坐回到他那特有的松懒姿势，并时不时地摸一摸下巴。他知道律师为什么生气，生气的导火线在于他是唯一被明确排除在股票期权之外的董事。考虑到他常年（金额相当庞大）的律师费，股票期权委员会认为最明智的做法是不让寒石沾期权这杯羹，这也是为了他好。一百五十万股股票期权最初是拿来（董事会议室里的行话）"奖励"外部董事、顾问团成员和其他顾问的——他们谁也没拿到直接补偿——也是用来补偿高层管理人员相对微薄的薪水。这也就解释了为什么蕾娜得到了两批股票期权，总数达到了十二万五千股，盖斯勒则持有三十万股。考虑到过去三年公司分配给其他雇员的股票期权，这些股票期权大多分给了研发人员，最初的一百五十万股只剩下五分之一可供分配。管理好这个水分急降的奖励池非常重要，无论怎么说，这个池子已经不再那么令人激动了。SURYA的股票目前得以公开交易，因此，任何股票期权都将以市场价来估价。股票市场反复无常，这些股票期权看起来也许很迷人，但在接下来的两三年里，大部分涨幅显然会被用来填补跌幅。对这一点，谁也不如莫特·寒石知道得更清楚。马丁对这个男人默默的委屈深表同情。他决定伸出援助之手。

"我先打断一下莫特的话，"他说着挺直了腰板，"先说说股票拥有的比例吧，这个比例，由于最近的发盘被大大地稀释了。最初的一千万股，其中的百分之六十为三所大学拥有，现在咱们上市的股票超过了一千五百万股，也就是说，每所大学拥有股票的比例为百分之十三。没什么好抱怨的，因为按今天二十一美元的股价来算，SURYA公司的账面价值已高达三亿二千一百万美元。"

"重复一遍，是'账面'两字。"寒石小声嘀咕。

马丁来回摇着脑袋。"又是又不是。对你后面要讲的内容，莫特，我同意你的说法。但对三所大学来讲，并不完全如此，如果允许我作为本古里安代表发言的话。"

"可以，说吧，"律师说。

"按二十一美元的价格，每二千万股股票的价值为四千万美元——每所大学的利润，而它们的成本是一分钱。当然，他们现在还不能将股票脱手。就像我们在座的各位，"马丁迅速沿桌子扫视一圈，"他们受到了法律的约束，一百八十天之内不得向人兜售任何股票。就算一百八十天之后也不行，因为抛售如此庞大数量的股票会造成股价狂跌。另外，我会强烈要求本古里安抓住这批股票不放，因为长期……"

"长期到底有多'长'？"耶胡达·戴卫逊插话。

盖斯勒将眼光对准他。"那得看谁问了，是耶胡达个人，还是哈德萨在董事会的代表戴卫逊教授。对你个人来说，耶胡达，最多也就五到十年时间。"

"停一停，"莫特怒气冲冲地打断他的话，"既然你不能在这间屋子外头讲这种话，那干脆就别讲。"

盖斯勒摆出低头认错的样子。"莫特说的没错，我不便给大家提供投资建议，尤其是在开盘后的这个敏感阶段。所以我只能说，机构的投资周期及其今后的投资远景比个人要长得多。再说回到我原来的观点：虽然本古里安不能够，因此也不会，抛售自己的股票，但肯定可以用它来借钱——用它作为抵押向银行贷款……"

"可以用贷款来建医学院大楼，这个项目迫切需要资金。"梅纳赫姆说。

"只是举个例子。"马丁附和。

"我最好接着讲，"寒石插话，"赶在你们想从银行贷款之前。我同意这个说法，如果本古里安用目前股价的百分之十作为抵押向银行贷款四百万美元来盖大楼……"

"打住，"梅纳赫姆打断他的话，"四百万美元能盖什么样的医学院大楼呵……就算在比希巴这钱也不够呵！"

"这正是我的观点，"莫特自我感觉十分良好，"用股票价值的百分之十作为抵押来贷款属合情合理的保守做法，我要强调的是合情合理这四个字，因为就目前股市的投资氛围来看，股票可以涨得很厉害，也可以跌得很厉害——可能更厉害。有钱的机构也许准备赌一把，他们贷款的金额比较大，因为就算 SURYA 股价降到危险水平之下，它们也有办法摆脱困境。然而，本古里安大学不富裕。它要想摆脱困境，非得找以色列政府帮忙才行。我不用猜都能知道他们会说什么。现在，"他用指头点划着众人发出警告，"试想一下你们个人考虑贷款的结果吧。一百八十天之后，许多银行会接受你们的股票期权作为抵押，但记住啰，你们和本古里安截然不同，你们甚至还未拥有股票：如果想从银行贷款，你们得先把股票期权买下来。买下股票期权花不了多少钱，我也承认。比方说，蕾娜要想买下她所有股票期权的话，"他锐利的眼光盯着她，"她只要拿出七万美元就够了——太划算了，如果 SURYA 股价保持目前价位的话——但我怀疑她口袋里有没有这么多钱。但假如股票跌个不停的话……"

"莫特，别这么悲观。"蕾娜强烈反对。

"你花钱雇我，就是让我悲观的，"他反唇相讥，"我不知道，除了你们的股票期权以外，你们口袋里有多少钱，但我要是你们的话，我就小心再小心，轻易不拿这些期权去作抵押。"

"因为?"

"因为，耶胡达，"莫特转向提问者，"你们谁也不能够真正掏现，就算一百八十天以后也不可以。"

"你是说，我的股票期权仍旧是假钞票?"

"它非真，也非假。"那天上午，寒石第一次允许自己发出呵呵的笑声。"这是日本古诗里的一句话。"

寒石皮笑肉不笑地咯咯大笑,情绪似乎好了许多。"耶胡达的问题又引出了我第二个观点。咱们在座的每一位都是内幕知情者。千万别忘记这点。就算到了夜晚,就算和爱人睡在床上,也不能忘记这点。"他第二次发出呵呵的笑声。

"你如何来界定谁是内幕知情者?"马兰妮问。

"拿不准的话,就假定自己是内幕知情者好了!"他大笑起来,"那样你至少就安全了。"

"危险在哪里?"她追问。

"SEC和股东们的起诉——诸如此类讨厌的事。"他的表情又从晴转到阴,"咱们在座的每一位都被认为是机密信息的知情者,而这些信息是投资散户所不知道的。就算你忘记了某条信息或根本不知道有这条信息,但你作为董事或雇员的身份预先假定了你可以获取这条信息。你被当成了内幕知情者来对待,除非你能证明自己对内幕不知情,而这种证据是非常难找的,找起来要花很多钱。能从官司中获利的只有我和控方律师,这也可能是没给我加股票期权这个负担的原因。倒不是说我介意有这么个负担,"他用降八度调子补充说,"在你们准备把股票期权买下来,或是想把它拿去在市场上交易之前,先和我碰个头。有些时段是禁止交易的——时间或长或短——在这些时段里,你们将被禁止进行任何股票交易。想私底下买卖股票而不被发现纯属白日做梦,因为你们的每一次交易记录都会在每个月底报给SEC,因而这些信息即刻就成了公众信息。如果有董事或管理层人员卖了股票,就算你这么做是为了将投资进行合理化组合,但华尔街传出来的话,却是内幕知情者在清仓。没有人同情百万富翁,就算账面百万富翁也无人同情。"

"禁止交易时段是怎么回事?"戴卫逊问。

看到自己的话引起了听众的关注，寒石的语气柔和下来。"举个例子吧。在接下来的五个星期里，FDA将召集他们的特别顾问委员会开会，以便对MUSA申请的用途作出评估，这个时段就绝对禁止交易。"

　　"我们一定能扫清前进道路上的障碍。"蕾娜发话。

　　"别这么说，蕾娜，"他大吼一声，"开玩笑也不行，我知道你对此坚信不疑。如果你在这个场合这么讲，那你在其他场合也会这么讲。你搞不清楚将来谁会声称听到了你的话、并听信了你的话买了股票。别摆出一副低头认错的样子，"他用相对平静的语调补充了一句，"记住我说的话就行了。SURYA刚做完IPO。公司的股价高得离谱……"

　　"你不应该这么说吧？"蕾娜的声音有些发颤。

　　听了这话，寒石显得不知所措。"你的话完全正确，我不应该这么说。作为董事我肯定不应该这么说。但我可以行使客户律师这个特权，而我现在行使的就是这个特权，我可以告诉你们，对一家没有销售业绩的公司来说，咱们的股价实在是太高了。拿到FDA批文之前不可能开始销售产品，批文又没把握说一定能拿到，我在招股书里把这点写得十分清楚。所以我们经不起打击。也正因为咱们的股票涨得太快——主要是因为IPO时的求远大于供——股价注定要回落。问题只在于何时回落，因为没有哪只股票是只涨不跌的。"他看着马兰妮，"假如咱们的股票跌了，比方说跌十个点，跌到每股十一美元——对一家没有销售业绩的公司来说仍然相当不错——你将损失三十万美元。你呢，蕾娜？"他转脸看着她。"甚至会损失近一百五十万美元。所以我奉劝你们各位：就把自己的股票期权当成一张白纸。对股市每天或每月的涨落做到视而不见。如果咱们大伙都加把劲，如果FDA的决定对咱们有利，如果咱们的专利能顺利通过，总有一天，大家的口袋会塞得鼓鼓的。"

"如果 FDA 提一些意料不到的问题呢?"

莫特盯住马兰妮看了好长时间。"如果下个月出现那种情况,而咱们的股票又出现急跌,那就等着被起诉吧。包括所有在座的人。"

"你不会被起诉吗?"蕾娜问。

"我和你们在同一条船上。这也是为什么咱们要从外面请律师的原因。所以敲敲木头祝咱们好运吧。你们都要敲,"他边敲边假装喊口令,"还有什么需要我告诉他们的?"看到每个人都履行了义务敲了桌子,他转回头问马丁。

"D 和 O?"马丁作出夸张的嘴形。

"啊,对了,董事和管理层的责任承保范围。怎么把这事给忘了?长期和短期的咱们都没有。"

"都没有?"凡·兹瓦博格男爵在这之前一声不吭,他的超然度外几乎像是坐禅——也许只有他感到枯燥乏味。"怎么会这样?"他说这话的时候,脸上露出不确定的神情,几乎有种自我怀疑的味道。他知道"怎么会这样"的意思是说"我怎么没想到问这个问题"。

寒石没理睬男爵的问题。他的注意力集中在四位新手身上,这四位新手不仅需要严格指导,也需要安抚。"我们没有长短期承保,是因为我们负担不起。就算有公司愿意为我们承保,像咱们这种公司 D 和 O 的承保价格会高得令人止步。没有利润且股价反复无常的公司,对保险公司没什么吸引力。咱们还不如把能投的钱给 MUSA 投保——试验期间和试验之后,等到产品上市的时候。这样的话咱们就有保险了,但保险哪有个够呵。不过,就董事们来说,最好还是以个人名义投保。"

"莫特,你不是开玩笑吧,"马兰妮大喊,"我应该自己投保?"

"不要激动。我是说 SURYA 将支付所有律师费用,也会负责制定所有的辩护方案,除非你们有个人暴力行为——我看你们至少都不具备这个能力。"

"Okay,"她说,明显松了口气,"但为了保险起见,我还是想听你对'暴力行为'作出法律上的解释。待一会好了,"她主动说,"不必现在解释。"

"除了能从劳埃德保险公司(Lloyd's)省下大笔保费,个人投保还有另一个优势。可能性最大的诉讼是来自股民的群体诉讼,这种诉讼既荒唐又无价值,是因为股民受到专干这种事的公司的挑唆而引起的诉讼——某些人,包括本人在内,称这些律师为强盗律师,更难听的叫法也有——目的就是搜寻有钱的公司作为牺牲品。一般来说,保险公司愿意出面解决争端,这就令投保的公司更容易成为这帮人的猎物,而 SURYA 正因为没有投保,也就不太吸引这帮人的眼球。我先讲到这里吧。希望我说的问题纯属理论范畴,我已经狠狠敲过木头了。"他又敲了一下,以强调其重要性。"除非,"他带着恶作剧的神情环顾四周,"除非马丁的黑猫给我们下过咒了。"

* * *

最终,黑猫比敲木头的威力更大。一九八六年十月三十日,星期四,SURYA 股票连续受到一个星期的重挫,股价开始回落——尽管整体股市处于牛市——从最高每股二十一美元跌到了十二美元。就在这时,一纸传票送到了 SURYA 写字楼,要求盖斯勒先生或克里斯南博士出庭。也该蕾娜倒霉,马丁·盖斯勒当时在耶路撒冷。

21

发明者每天早晨都将"测卵魔棒"插入他妻子的身体,这个举动不止在一个方面影响了他们的夫妻生活。

"你要想让我做你的天竺鼠，"蕾娜指出，"我就不能服避孕药了。"

"那自然，"杰夫塔说。

"用回'安全套'吗？"

"只用一小段时间，"他说，"一旦摸索到你的周期规律，咱们就在容易受精的那几天戴安全套，剩下的日子不戴套。"

"如果不管用呢？"

"那就再一次怀孕呗。"

* * *

"这应该能证明问题。"蕾娜越过杰夫塔的头，在图上做了个标记。"如果刚过去的这三天对我的读数没有影响，那不论是压力还是创伤似乎都无法干预这个读数。"她把杰夫塔的头发揉乱，把他轻轻地推开。"今天上午不行，Mehra prem。我得赶紧准备。今天是 D 的日子。"

"测卵魔棒"改变的不仅是他们的节育方式，它也改变了蕾娜喜欢称之为"肉体聚会"的时间安排和节奏。早晨温暖的床笫、张开的大腿、魔棒消失在蕾娜茂密的黑色阴毛丛中。很多情况下，魔棒插入十秒钟后，紧跟着是时间更长、动感更强、快感更大的插入。早晨做爱，杰夫塔郑重其事地对她说，就男人的荷尔蒙节奏来说更符合规律。早晨的睾丸素水平最高，因此为什么不依照荷尔蒙行事呢？

但在今天，蕾娜脑子里想的事和做爱相距十万八千里。她的精力集中在阴茎勃起引起争议较多的那个方面：三天前给她发来的传票。为了方便在耶路撒冷的戴卫逊教授和盖斯勒参加，董事电话会议安排在上午八点钟举行——耶路撒冷已经是傍晚时间——也考虑到了阿姆斯特丹的男爵。雷德劳和迪文分别在他们纽约的办公室候命。

＊　＊　＊

"加入董事会的时候,我肯定不知道自己在踏入雷区。"巴洛奥妥的电话机上清晰地传出马兰妮·雷德劳的牢骚声,蕾娜、扎法纳里和寒石弓腰坐在电话机旁。

"想也是白想,"律师回答,"你已经踏入了雷区。我们都在雷区内。我花了两天时间看完了法律文件。昨天,我和蕾娜吵了一天,也没吵出什么结果,"他重重地叹了口气。"蕾娜对此事有她自己的看法——可以理解,我赶紧补充说,我的看法比较保守,也许是因为'一朝被蛇咬,十年怕井绳'的缘故吧。"

"算了吧,莫特。"盖斯勒的声音很不耐烦,一听就能听出来。"咱们就直说了吧。第一个事实:起诉咱们的是圣克莱蒙特的布莱克、布莱克与黑德律师事务所,说它是全加利福尼亚最冷酷无情的群体诉讼的讼棍不为过吧。原谅我的用词,莫特。"

"请便。"

"第二个事实:我猜是威尔·黑德本人拉上张三李四两位股东——累计持股不会超过五百股——声称受骗上当,因为我们就申请FDA批文发布过一篇新闻稿,我们在稿中宣称,我们不仅就 MUSA 用在有勃起功能障碍的男人身上的安全性和灵验性做了足够的试验,我们还检查了它对女人的影响。我引用的是你传真里的话。这话正不正确?"

"正确,"寒石说,"但是……"

"我还没说完。"盖斯勒听上去很生气,可你又说不清楚他到底是生布莱克、布莱克与黑德律师事务所的气,还是生巴洛奥妥听众的气,这帮人在他离开期间把 SURYA 搞到了这步田地。"他们声称报纸有报道,说 FDA 顾问委员会对咱们的数据不满意,结果股票就开始滑落。再有,他们认定有一名《华尔街日报》的记者给 SURYA 打过电话,而蕾娜在电话上一再重申我们在妇女身上做了足够的试验。两天之后,FDA 证实说他们需要更多关于妇女的试验数据,然后他们才会考虑颁发新药的批文,就在这时,股价跌到了十美元。诉讼声称,基于我们暗示过的保证,股民才会在高于二十美元的价位买入股票……"

"我们什么也没保证过。"寒石的声音尖厉而果断。

"让我把话说完,莫特。我在读你的传真,不是在发表看法。下面还有……什么 NONO2 对妇女没有伤害,什么当《华尔街日报》记者致电的时候,我们没有纠正这种说法,因此我们有误导股民之嫌,部分股民的损失已近百分之五十。这个结论正确吗?"

"他们要求为那段时间购买股票的股民提供赔偿,并另加一千二百万美金的惩罚性损害赔偿,"寒石冷静地说,"如果真开庭审理,这笔钱大部分将落入他们自己的口袋,当然啦,是不会开庭审理的。"

"这就是我和莫特有争议的地方。"蕾娜忍不住说。

"我是马格纳斯·凡·兹瓦博格。"他强有力的声音把巴洛奥妥这边的听众吓得往后一缩。"可不可以请莫特谈一谈他建议采用的策略以及可能产生的后果?"

"这容易,"寒石说,"但先纠正一个错误:马丁似乎暗示说,蕾娜对《华尔街日报》记者不应该这么讲。蕾娜是严格按照要求这么讲的,她先向我征求了法律上的意见。我对她说,不要证实任何谣言,严格按照事实说话。在那个阶段,我们还未听到 FDA 的消息。再说了,FDA 的反应根本没有报纸写的那么负面。过一小会,我会让蕾娜来谈这个问题。她认为,诺兰博士也赞同她的看法,那就是我们可以用三个月时间来解除 FDA 的异议——肯定要在三月初做完这件事。我想那时咱们就能拿到批文了,咱们的股票也将开始反弹。既然咱们现在听到了 FDA 的正式反应,咱们可以把对策公开宣布呵。事实上,蕾娜,干脆你现在就把这事给董事会汇报一下。然后我再回答马格纳斯的问题。"

蕾娜向电话扬声器探过身。"如果不是这个可恶的诉讼,我会把 FDA 的反应看成对我们有利的举动。他们没有对男性病人的试验结果提出任何问题,也没有就观察到的副作用的影响程度提出任何问题:阴茎轻型异常勃起、偶尔令人苦恼的勃起、心脏病患者很少有低血压现象,除非 NONO2 用了最大的剂量……正因为我们注意到了那些副作用,也因为 FDA 极其谨慎,所以他们想知道,如果 MUSA 使用者的性交女伴患有严重低血压,将会出现什么情况。"

"我还以为这个问题已经解决了,你不是分析过 MUSA 使用者自慰后精子样品里的 NONO 含量嘛。"马兰妮插话。

"我们也是这么想的,但 FDA 要更多的数据。他们想知道有多少女人患有严重低血压。说白了吧,我们不知道。"

"为什么不知道?"

马兰妮的语调令蕾娜冒火。"因为我们没认为那是个问题。那些病人提供的精子样品中所含平均 NO 量——考虑到他们中大多数人已近中年或已过中年,还有他们射精需要的平均时间也就几分钟——非常之低,根本无须担忧。但 FDA 的做法是宁可错杀一千也不放走一个:万一年轻的糖尿病患者精子量较多怎么办?万一他早泄而 NONO 不够时间代谢怎么办?万一有女人患有严重低血压怎么办?万一他们性交频率太高怎么办?万一这个万一那个?"蕾娜的声音越来越尖刻,"我们根本无法在试验中找到这些答案,因为在两千名病人中找到这种奇怪组合的几率太小了。与其跟他们争来争去拖延时间,不如由我们来提一个折中方案。"

"我们是指哪些人?"

莫特赶快用手指封住嘴巴,让蕾娜停止发言。"这个计划草案是蕾娜做的,她在耶路撒冷完成了精子样品的早期试验,诺兰博士也参与过起草这个计划,她是咱们 MAB 的头头。这些都是咱们的法律武器。接着往下说,蕾娜。"

"Okay,"她说。莫特的介入给了她宝贵的喘息机会。她平静下来,继续往下说,"下面这个折中方案立刻被 FDA 接受了,因为他们并不是故意为难咱们。他们只是想保住自己的饭碗。我和诺兰把氧化氮的最高水平计算出来,然后请斯坦福一位心脏病学家将该药量塞入几位患有低血压病人的阴道内。目前心脏病领域对氧化氮释放因子作了许多研究工作。记住了,治疗心绞痛的药,不论是旧药硝酸甘油(nitroglycerine),还是新药吗多明(molsidomine),都是通过释放氧化氮来发挥作用的。人们还未做的一件事,就是把药通过阴道塞入体内,像性交那样。"蕾娜呵呵笑了笑,"吗多明通过一种代谢物来产生 NO,这种代谢物叫斯得酮亚胺(sydnoniminede),也就是人们熟知的 SIN1。如果整件事不这么严肃的话,我们完全可以提供一个轻率的回答,说'原罪'(sin)已经显示出勃起的威力啦。现在想起来,我当时真该对《华尔街日报》记者这么说的。不管怎样,这个试验很简单,斯坦福这儿就能做。我对此相当乐观,一月底之前就能把数据给 FDA,但是,为保险起见,还是定在三月初好了。"

"我很高兴临床方面的事受到控制,"男爵大吼,"现在说说法律方面的事吧。莫特,你能听清我说话吗。"

莫特拉过扬声器。"马格纳斯,你比其他董事都清楚才对,法律上的事得慢慢磨。我想让速度再慢一点。当然啰,我们必须作出回应。但我们也可以提交各种请求,让事情拖它几个月。因为,你知道的,在目前阶段，只存在一种危险。"

"什么危险？"

"透露。"

"透露？"少说两位以上的董事重复了这个词，声音有高有低，"有什么好透露的？"马兰妮质问。

"我指的是'无限透露'，这是荒唐的群体诉讼的唯一武器，该武器在开始时能让对方见血。显然威尔·黑德本人将亲自操刀：他总是把官司往重要的无限透露上靠。你们知道，他不想浪费太多时间。如果法庭同意他的请求，他会赌我们想尽快调解，而不是上诉。如果咱们投了保，那他的算盘也许没打错。"

"'无限透露'是什么意思？"马兰妮不耐烦地问。

"要求我们提供与本案有关的一切文件。换句话说，就像撒网捕鱼，浏览咱们所有的文件：临床数据、研究结果、内部备忘录……有多少看多少。猜猜谁出钱请人来收集这些资料？最近有个官司，本地硅谷的一家公司，光是给控方律师收集长达七十五万页纸的资料就花了两年时间加一百万美元。当然，控方律师根本就不会去读这些文件——打这种官司的律师是不会读的。他们就指望我们说愿意调解，而不愿意陷入这个麻烦。当然，总能在什么地方摘出一两句不利的话——常常是断章取义的结果——致使辩方和保险公司想尽快调解。"

"这我都知道，"男爵咕哝说，"你认为他们会提供什么样的调解方案呢？"

"他们口口声声说要为股民讨回损失，但他们真正的目的是把钱装进自己的口袋。他们知道我们在银行有四千万美元，这就是他们嗅到咱们股票一跌便猛扑过来的重要原因。他们要求咱们赔偿一千二百万美元，调解方案至少是这个金额的一半。他们一旦发现咱们没投保，便会改口要股票或十年期的认股权证来代替部分赔偿，赔多少都行。认股权证和你们的股票期权是一个意思，也就是说，在十年的时间里，他们可以用预先确定好的价格来购买咱们的股票，而这个价格，他们希望，会比 SURYA 最终交易价格要低得多。无论怎么样，在法庭对他们的透露动议作出裁定之前，所有说法都为时过早。放心吧，我们会尽力拖延并抗争到底。"

蕾娜实在忍不住了，"我必须得插句话。我和莫特为这事吵了好几个小时，现在大家都听到了读过的传真，也听到了我们的话，我想说说我的观点。我认为，我们不应该和这帮强盗坐下来调解，想都不要这么想。先和他们真刀实枪干一场再说。"

"蕾娜，保持理智。"阿尔法度·扎法纳里坐在她身边，注意到她的火在慢慢地往上冒。他拍了拍她的胳膊，"当然，我也认为他们是强盗，狂妄的强盗。他们的诉讼大多和保护股民利益没啥关系。但和这帮人斗，免不了要经历以下过程，像宣誓作证、法庭审讯、陪审团、上诉……这不仅要花费几百万美元，还会浪费管理层宝贵的时间和才能。比起给他们一个教训，你有更重要的任务需要完成。教训，我向你保证，他们才懒的吸取呢。"

"莫特已经把你的意思告诉我了。"阿尔法度平静的语调在蕾娜身上达到了预期的效果。"基本上来说，他把我说服了，可我还是一点都不喜欢这种做法。我说的不是拖延时间的防御战。我提议反攻。立刻反攻。我提议咱们提交加快进程的动议，而不是拖延进程的动议。"

只有扎法纳里看到莫特·寒石使劲摇晃脑袋。"你最好解释清楚，"扎法纳里说。"别忘了，我昨天不在场。"

蕾娜一边跟扎法纳里讲话，一边抓过扬声器。"我主张立即起诉他们，说他们故意干涉咱们的业务，法律上的罪名我说不上来，反正就是这么个意思。莫特给我解释过这些讼棍的运作方式。他们根本不看公司的基本面，他们只有追踪市场的电脑程序，用这些程序来寻找猎物，当他们发现一个有希望的目标后，便杀气腾腾地进场。假定我们声称他们故意地恶意干扰我们公司业务，既然我们是一家只有一种潜在产品的新公司，他们的罪行便是欲将我公司扼杀于萌芽状态。他们的诉讼会给我们的产品上市造成困难，造成困难的原因，阿尔法度已经提过了。假定咱们立即要求无限透露他们的文件如何？我敢打赌，他们的文件比咱们的要多得多：他们开业有几十年了。那些文件中肯定有大量见不得人的猫腻。他们一定是泡在那堆猫腻里。如果咱们立即起诉并要求法庭迅速处理的话，肯定能迫使他们收回对咱们进行无限透露的要求，因为他们将暴露在光天化日之下，他们不敢冒这个险。我相信关键问题是时间，重要的是让两个案子齐头并进。"

寒石也意识到得让自己的客户说话，但这席话对他来说毫无意义。"蕾娜，"他用尽可能平静的声音说，"我对你的感受深表同情。实际上，我和你有同感。但他们只要为这些文件要求律师与当事人之间的豁免权（attorney-client immunity）就行了，我怀疑哪个法庭会拒绝这种动议。"

"先要求再说嘛，"她坚持，"要是遭到拒绝，就要求具体透露：要求看他们的股市交易详情、看他们和股票经纪人的来往信件、看他们在被他们起诉过的公司中所持的股票数量及获利情况、看他们费了多大力气才拉到张三李四来参加这个群体诉讼。我说的这些都不属于律师特权的范围吧。"

"听我说，莫特，"是盖斯勒从耶路撒冷那头传来的声音，"蕾娜的建议有她的吸引力。最起码，让他们也尝尝被人整的滋味。"

"当然有吸引力了，"蕾娜大喊，"如果起的是反作用，咱们随时可以撤诉嘛。至少给他们点颜色看看，让他们知道他们在跟人打交道，而不是跟老鼠打交道！"

"你的意思是说跟一位怒气冲天的女人打交道。"寒石说。

"那也比胆小鬼强。"

"好了，好了。"第一次听到扎法纳里的声音，"把老鼠和胆小鬼扯进来解决不了问题……"

"把怒气冲天的女人扯进来也解决不了问题。"蕾娜说。

"就更解决不了问题了。我提议一个折中方案。让蕾娜和莫特单独开一次会，在心平气和的状态下订出一个反攻计划，看看需要管理层花多少时间，看看从外面请律师帮助我们要求无限透露对方文件得花多少钱，还有，看看咱们到底能不能打赢这场官司，至少能不能在理论上打赢这场官司。然后咱们再坐下来听他们汇报。给他们一个星期时间准备。这是一项提议，有没有人附议？"

"我附议。"梅纳赫姆第一次介入。

"都同意？"盖斯勒问，他记得自己的职责，作为董事会主席，他应该这么问。

"同意。"扬声器发出一连串高低不同的声音。

"有没有人反对？"

"我认为我和蕾娜应该弃权。"寒石说。

"同意。有反对的吗？"盖斯勒等了一小会，"赞成票占多数。耶路撒冷这儿到吃晚饭的时间了。休会一周。"

* * *

莫特·寒石不是与客户对着干才达到了他公司法律顾问的事业顶峰。他认为最婉转的路数就是让蕾娜先发言。被告对这种荒唐的诉讼案怒火中烧，欲以牙还牙报仇雪恨，对客户的这种感受，他很理解也表示同情。打一枪换一个地方的律师也许会屈从于客户的想法并拿钱走人。但寒石把自己当成了被告公司的家人，而不仅仅是顾问和发言人。在这种情况下，在他看来最好的策略，就是采用保守谨慎的态度估算反起诉成本，同时对影响甚微的出击作出让步。他喝起带有轻微血腥味的水来，那也是有滋有味的；布莱克、布莱克与黑德公司的文件将成为价值不菲的战利品，成为他私人收藏品的一部分：就是威尔·黑德本人的头像，头像里塞满了填充物、眼睛是两只玻璃球，挂在他办公室墙上也比这好不到哪儿去。但那天下午当他和蕾娜·克里斯南见面的时候，她让他吃了一惊。

"莫特，"她说，一屁股陷进他的皮沙发，"我上午本来没想发脾气。你知道我不是生你的气……"

"别再想那事了，"他挥了挥手，挥走了她的托词，"我早把它给忘了。说说你想搞的这个反起诉吧。"

"说实话，咱们先别这么做，起码，还不到时候。我对这类事情了解不多，不过我看到了你的账单：每小时三百五十美元。别打岔，"看他刚想回答，她哈哈大笑，"每分钱都花在了刀刃上。按这个价位来算的话，金额肯定上六位数了。所以，在你想往七位数靠拢之前，我想和你先谈谈价格问题。"

"你不用和我讨价还价。"

"不是和你讨价还价，莫特。只是谈谈价格，至少和咱们启动法律程序要付的费用作个比较。你认为私家侦探每小时收多少钱？"

"做什么呀？"他看上去很惊讶。

"一个问题一个问题地问。私家侦探肯定便宜得多吧？"

"便宜是便宜。但到底值不值？长远来讲，到底能便宜多少？我得查一查。你为什么想雇私家侦探？"

"只是直觉——可能性极小。我昨天问你布莱克、布莱克与黑德公司都有哪些人，你说是两兄弟和他们的连襟，威尔·黑德。"

"那又怎样？"

"你还说他们有六十多快七十了？"

"是啊，没错。有话你就直说。"

"好吧，"她把身子往后一靠，"这是一个女人的大胆猜测。实际上是两个猜测。"

我们每小时付给莫特三百五十美元。我从来没想过他值不值这个价钱，现在我知道了。他大可以对我的想法一笑而过，或是一味迎合"怒气冲天的女人"。他大可以听之任之等我自己把想法忘在脑后。但可喜的是，他人还未到纽约，就已经做了大量工作。当然，私家侦探也做了大量工作。还有 M. L. 也做了大量工作。从某些方面来讲，她做的事最棘手，但只有在我的直觉变成不止是直觉的时候，才会用得着她做的事。现在回想起来，这个想法听上去很简单：三个白种男人——两位已近七十，另一位已超过七十——患前列腺毛病的几率有多大？我猜几率相当高。患前列腺癌的几率呢？小一点，但仍有机会……据最新统计数字，每年大约有三十万人被诊断出患有前列腺癌，几乎占六十岁以上男性人数的百分之二。而诊断出来的大多是比较富裕的人——每年做体检的那些人，像有钱的律师——那样的话，形势就应该对我有利。我想知道的是，任迪·布莱克、赫曼·布莱克或是威尔·黑德，这三个人是否在过去四年里做过前列腺切除术。发现这一点不需要高科技监控技术、不需要窃听电话、也不需要私家侦探做出格的事。到最后，是圣地亚哥的一位记者——其实是闲话专栏记者——给我们私家侦探报的料；手术是在圣地亚哥的拉霍亚（La Jolla）做的——三个人都住在那个城市——不是在约翰·霍普金斯大学附属医院（John Hopkins）或梅约医院（Mayo Clinic）做的，要是在后两家医院做的手术，那查起来就难多了。我希望做手术的人是威尔·黑德，但对我们来说，赫曼·布莱克也能达到同样良好的效果。能被我们撞上的几率非常之小，可却被我们撞上了。形势从那一刻开始变得对我们有利了：做过前列腺切除术的病人绝大多数有阴茎勃起功能障碍，因为手术几乎不可避免地损坏了阴茎的神经。圣地亚哥地区至少有三位泌尿科医生参与了我们第三阶段的临床试验，其中一位泌尿科医生还帮我们在南加利福尼亚进行长期的维护工作，这项工作目前还在进行。M. L. 可否利用医学顾问团主席的身份帮我们查一查，看看赫曼·布莱克是否是我们临床试验的病人？谜团是在我们向 FDA 提交申请之前解开的，所以按最坏的打算，质疑我们医德的说法会不攻自破。无论如何，昨天听到了答复：赫曼·布莱克接受 MUSA 治疗已超过一年，但目前状态如何不得而知。

我等不及了，真想明天早点到来。

"我们将进行反起诉，把官司打到底。我等不及了，真想快点看到他们的文件。"

"莫特，"雷娜用假装恐惧的声音大声说，"每小时花三百五十美元请律师行的高级合伙人读这些文件，我们出不起这个价。第一个回合，你得找个最便宜的帮手。"

"没门，"他面露喜色，"我做好了，不要钱。不过，也不是一分钱不要……"

"我的第二个直觉如何？你认为值得花时间去调查吗？"

"绝对值得。布莱克兄弟肯定有报复的基因,而黑德报复的基因比他们至少多两倍。他们也许在本机构内充分显示了这个特征。要想找到他们解雇的职员或合伙人也许会更加困难,但仍然值得一试。"

22

"这事听起来够严重的,"蕾娜的笑声在电话上戛然而止。

"是够严重的,"杰夫塔回答,"咱们上次在周末做饭是什么时候?今天晚上,这个家的主人接管家务。我已经告诉玛利亚·戴尔·卡门,等我一到家,她就可以走。你只要不把工作带回家就行了。"

"你和你的杂志呢?"

"今晚不看杂志。一家人一起吃个团圆饭,由爱你的老公我来掌勺。吃完饭,咱们要严肃地谈一谈。"

"就这么定了。"可为什么定在今晚?她搞不清楚。杰夫塔说的严肃是比严肃还严肃呢,还是一般的严肃?

* * *

"谢谢你,这个家的主人,喂饱了你的老婆和女儿。要再多练几次,你的手艺就更炉火纯青了,mehra prem。我知道加利福尼亚现在流行吃煮得半生不熟的菜,但你的菜花要能再多煮一会儿就好了,对吧?"

"除了牢骚,就是牢骚,"杰夫塔嘴里这么嘀咕,脸上却露出善解人意的表情,"甜品怎么样?会不会太凉?"

蕾娜从桌子对面伸过手，拧了一下他的腮帮子。"就冰淇淋来讲，温度正好。现在，咱们轮流给纳奥米讲故事吧。"

"又是《小熊维尼的故事》(Winnie the Pooh)？"

"她还没听厌呢。"

"Okay，"他说，"讲完故事之后，咱们得谈一谈，严肃地谈一谈。"

我根本猜不到杰夫塔的脑子里在想些什么。谈话的题目不止严肃，也不止比严肃还严肃——这是我老爸的话，他每次把我叫进书房都这么说——严肃的程度到了三次方。我不知道杰夫塔对这次谈话有无进行过演练，也不知道是不是把纳奥米抱上床的举动触到了他做父亲的天性。"再过三个月，她就三岁了，"他若有所思地说，"你也过三十五岁了。"我刚想提醒他说，他也快三十八岁了，这时他说了一句话，把我吓了一跳。"如果咱们还想再要个孩子，就得抓紧时间了。弟弟要是小四岁的话……"他没有把话讲完。"弟弟？"看他没有把话说完的意思，我只好发问了，"你好像把一切都安排好了。""Okay，okay，"他说，"那就说'孩子'好了。再生个孩子怎么样？"我不知道该说什么。他的话提醒了我，在过去八个月里，SURYA 发生了许多事情：拿到了 FDA 的批文、MUSA 进入了商业市场、股票反弹到了原来价位——先是因为 FDA 的批文，后是因为股市普遍回升——所以还等什么呢？"工作不会越干越容易，"他争辩说，"你也不会越来越年轻。"这次我对他的话作出了答复，我开玩笑说，他是否快到男性更年期了，可他却付之一笑。"什么更年期不更年期的……就算男性有生物钟的话，走起来也要慢得多。真的。"他继续说。我承认他说的有道理：不能只要一个孩子。但什么时候再要好呢？

"我们那个倒霉的官司怎么办？"我提醒他。一旦我们把传票送到威尔·黑德先生手中,圣克莱蒙特那帮经济恐怖分子便开始拖我们。在某些方面,他们只说不做的举动表明我们反起诉的策略引起了他们的注意,但另一方面,八个月过去了,一点动静都没有,没有一项被旧金山法院做出裁定的请求和反请求。"忘掉那个官司吧,"杰夫塔说,"你要是怀着身孕上庭作证,那只会给你带来同情分。谁会去折磨怀孕八个月的孕妇呢?"

"八个月?"我被逗得哈哈大笑。他就那么看着我,眼神里带着一点点落寞,一点点伤感。"好吧,"我说,"lama lo?"我好几个月没说希伯来语了。"可男孩到底是怎么回事?"我继续问。杰夫塔笑得差点收不住口。然后事情就变得越来越是那么回事了。

"那你同意我的说法了,两个孩子比一个孩子好?"

"不一定,"蕾娜没有直接回答,"但就可恩和克里斯南股份有限公司来说,我同意这个说法。"

"那样的话,你是不是也同意这个说法,一个男孩和一个女孩比较好?"

"我再说一遍,不一定。但说到咱们自己,要是我能选择的话,这次我想要个男孩。"

"那样的话,咱们就要个男孩。"

"我是说'要是我能选择的话'。"

"咱们可以选择。"杰夫塔从口袋里掏出那根宫颈感应魔棒,"你的例假很规律。"

"和你睡觉的不是规律!"蕾娜大叫,"我是你老婆,碰巧运气好,例假很正常。"

"蕾娜,"他恳求说,"这我知道。就算例假不太正常,我的魔棒也会在排卵四天前精确地测到排卵的具体时间。你应该记得……"

"亲爱的,别开玩笑了。你不是真想在我排卵前四天进行性交保证生出男孩吧?"

"其实……也保证不了。但这么做肯定能增加概率。"

"要那么做的话,咱们就得在那个月的准确时间只性交一次。"

"那倒不尽然:排卵前只做一次……"

"你说到做到?"

"如果这么做能生男孩,我保证说到做到。等你怀孕后,咱们再把失去的机会补回来。只限于你和我的魔棒知道,我敢打赌,咱们两个月之内就能搞定此事。"

蕾娜惊讶地摇了摇头。"真有你的,mehra prem。我这么说,并不仅仅因为你对性的克制能力。我是不是闻到了一股味道,准爸爸是不是已经给还未怀上的儿子起好了名字?"

"喜不喜欢'约书亚'这个名字?"

"名字不错,但你不会像上次那样,把纳奥米这个名字强加给我吧。"

"你不喜欢'纳奥米'?"他用挑衅的口气问。

"我喜欢这个名字,也喜欢我的女儿。如果咱们多想一想,也许能想出其他好名字呢? 男孩有很多有意思的名字:维克拉姆、阿郎、尼拉德、马德哈、阿克巴、拉维。"每说一个名字,她就用指头轻轻地戳一下他的胸膛,"比方说,拉维·可恩·克里斯南,一个听上去很像犹太人的印度名字。"

"咱们再好好想一想。"他听上去拿不定主意,搞不清楚她是否真想在刚才说出的一大串有异国情调的名字中挑选一个。

"怪不得今晚你做了饭,"她哈哈大笑,"原来施行的是安抚政策。

这次谈话的确够严肃的。"

他犹豫了一下，"还有一件事，还记得你说过的关于股票期权的话吗？"

"不记得。"

"你说你把它当成'咱们'的股票期权。"

"哦，那句话，"她说，"没错，我记得。怎么啦？"

"我一直在思考。我们用魔棒总共收集了二百六十个人的生理周期资料——足以证实原理的可行性。这和当初在耶路撒冷进行MUSA试验的情况完全不同。"

"这和我的股票期权能扯上什么关系？"

"我和阿尔法度谈过了。他问我对此事的认真程度——我是否愿意继续这项研究。当他听到我给予肯定的答复，他问我愿不愿意在这个项目上赌它五到十年时间。"

"你没跟我说过这事。"

杰夫塔露出不安的神情。"我想把他最后一个问题带来的后果想清楚再说。想到最后，我意识到这可能是另一个 SURYA。像你一样，我被要求作出决定，看自己愿不愿意将一个项目跟踪到底，愿不愿意从最初的观察研究一直做到最终生成一般用途。这就让我想到了股票期权。这个项目需要二百万美元和两到三年时间才能达到SURYA两年前的水平。"

"二百万美元？"她嘲笑说。"做到 IPO？我的老公没在抽大麻吧？你知不知道我们筹了多少钱才进行到那个阶段？从开始在以色列做临床试验算起，总共用了六年。醒醒吧！"

"我和阿尔法度讨论了这个问题。额外要做的临床试验不包括动物毒理性试验，也不存在副作用的问题。我们不是给病人服药，不像你们的 NONO2。我的'测卵魔棒'只是一个新颖的诊断仪器。拿到 FDA 的许可证应该比较容易。"

"想得挺美,"她用嘲笑的口气说,"这种事总是比预期的时间要长。"

"肯定是这样,"他激动地回答,"正因为如此,我才想出搞一个折中方案。阿尔法度认为这个主意可行。马丁·盖斯勒也认为它可行……"

"你跟阿尔法度和马丁都谈过了?可你连一个字都没跟我吐过?"

"蕾娜,亲爱的,这也就才几天的事。和他们先谈是有原因的。我是把他们当成外部投资者来谈的,不是当成 ZALA 和 SURYA 的高层。如果他们回答'不行'的话,那就不值得考虑了。我的问题是:'他们愿不愿意各自投七十五万美元,如果我自己投五十万美元的话?我占百分之五十股份,他们各占百分之二十。"

"加起来也不够百分之一百呵。"

"剩下的股份给 ZALA,最初阶段是由他们提供的设备和资金。阿尔法度和马丁觉得这样很公平:主意毕竟是我想出来的。"

"主意?没错。那钱呢?"

"昨天,SURYA 股票收市价为十九美元,也就是说,你的股票期权目前价值为二百三十万美元。你说过的,股票期权实际上是'咱们的,'所以我想……"

"但我无法卖掉两万多股股票啊!我是高管又是董事。话要传出去,说我卖掉那么多股票,立即会在华尔街引起震动的。人们要是发现我们的产品刚上市,我就套现,他们肯定以为我不相信自己的产品。我在公共场合无数次说过这样的话——面对记者、面对证券分析师……我绝对不想惹上另一桩官司。"蕾娜停住话。她意识到自己的反应有恼羞成怒的成分,因为他没先来征求自己的意见。可这些观点确实都是莫特·寒石和马丁一次又一次灌输给她的呀!他们给她讲这些话的时候,股价正在慢慢回升,股民诉讼案也从剧痛变成了资产负债表中的酸痛。

"马丁也是这想法?"她问,"他一定很清楚,除了薪水和积蓄,我的股票期权是咱们唯一的净资产。他知道我在 SURYA 拿多少工资。难道他以为咱们在银行存有五十万现金?"

杰夫塔听了这话很不自在,蕾娜起了恻隐之心。"我没想否定你的意思,因为你的仪器看上去挺好的……"

"看上去?管用就是管用,既单纯又简单。我现在只需要积累更多的数据:不同年龄组的更多女人——从青春期少女到接近更年期的妇女、吸烟厉害的妇女、服各种药片和维他命药片的妇女、各类少数民族妇女……FDA 会问什么样的问题,这你最清楚了。当然,我还得用其他方法来验证魔棒测出的排卵时间的正确性。这不需要什么新技术,只要时间和资金就够了。我在硅谷请了一位顾问,让他为魔棒设计了电脑程序,这样你和我就不需要每天在纸上画来画去了。"

"我会怀念那种做法的,mehra prem。"

杰夫塔看上去很高兴,但有一点走神。"储存的数据可以下载到自己的电脑里,也可以下载到你医生办公室的电脑里,数据可以积累好几个月,甚至一年也有可能。想想它的含义吧!这远远超出了节育的范围……"

"也远远超出两年和二百万美元的范围。我知道我的话有点泼冷水的味道。"

"没有,你说的没错,这我知道。要进行那部分工作,得筹更多的钱。我们以后再做那件事,现在先让我们来论证兽医方面的可能性,也许我们的奶牛会变成印钞机。我就是想在这方面先投一百万美元。"

蕾娜来回摇晃着脑袋,杰夫塔搞不清楚,她是惊诧还是生气。"你说奶牛会变成印钞机,那是怎么回事?"

"我想把精力集中在奶牛场,因为对奶牛场来说,繁殖问题和经济效益是挂钩的:奶牛必须怀孕才会有牛奶。再有一点,每天挤奶的时候,它们都成群结队聚在一起,用不着在草地上跑来跑去追它们。"

"你想让奶牛场的人每天早晨拎一根巨型魔棒,并把它插进……"蕾娜皱了皱鼻子。"醒醒吧。就算是牧牛神克里须那(Krishna)也下不了这个手,他曾经养过牛。"

他耸了耸肩,"我对印度那些神的问题不感兴趣。我满脑子想的,就是给牛在阴道里插个固定的东西,也许在宫颈里给它上个环,我把这个东西称为'远程测卵器',咱们要投的第一批钱就花在这个东西上。奶牛场的人可以通过标准遥测装置'读取'数据。他可以确定牛的排卵时间,并确保牛在正确时间授精。他会知道牛是否已怀孕,他应该还能预测出小牛的出生时间。想想他能省多少钱吧。更绝的是,要我说的话,我们甚至不需要申请 FDA 批文。和你们申请 MUSA 批文的手续相比,这真是太容易了!"

"我早知道不能对你想当然,但是,mehra prem,你怎么有的这个想法? 你不会告诉我说,你曾经在以色列合作农庄养过牛吧?"

杰夫塔大嘴一咧,露出骄傲的笑容。"我自有办法。股票期权的事如何? 我明白你说的话,我没想叫你去卖股票。我只是想让你拿出部分股票作为抵押,让我从银行贷个五十万美元出来。"

"Hmm。"

"什么意思? '可以'? 还是'让我考虑考虑'?"

她叹了口气。"介于两者之间吧。原则上,我的回答是'可以',因为我把它看成是咱们的股票。但我必须咨询一下律师。如果莫特说'可以',那就'可以'。"

* * *

莫特·寒石,我们的告诫大师,说"可以,但是……"看不出有什么法律上的障碍,特别是现在,他们正处于无限制交易阶段。但考虑到SURYA 股价极度不稳定,银行肯定会要求至少两倍于贷款额的股票作为抵押;要想万无一失,蕾娜至少应该在自己脑子里"锁定"七万五千股股票。"你愿不愿意这么做?"他问。

"为了丈夫,我愿意。"

"那样的话,就去银行吧。"蕾娜刚要挂电话,却听到莫特不经意发出的莫斯码——轻轻咳了两声,稍作停顿,又重重地咳了一声——暗示下面还有些敏感的话要说。

"你没考虑套现五十万美元,我对此表示感谢,因为你真那么做,法律拿你也没办法。"

"我要真卖掉那么多股票,影响肯定不好,对吧?"

"同意,"他说,"并表示感谢。不过,你应该知道,你的一位同事,是董事——不是公司高层——把股票全部套现了,也就是说他交了股票期权的钱,并在当天卖掉了所有股票,具体日期是十月三日。"

"哇。是谁?"

莫特犹豫了一下,"还是告诉你吧,反正消息很快会公布于众。是梅纳赫姆。"

"绝对想不到是他。你知不知道他为什么选这个特定的时间卖股票?"

"他急需这笔钱。拿去做什么用,我就不知道了。"

"他可以借嘛——我不也在借吗——用股票期权作抵押。"

"不完全一样。他在二十二美元的价位卖出，那是咱们的历史最高价位，套现六十万美元。他要从银行借的话，顶多借到一半。我和你说过，银行目前很谨慎。道琼斯刚升到二千七百点，我得说他干得很漂亮。不管是股市还是 SURYA 股票，都不可能升个没完。"

"应该是不会。那……还有其他事吗？"

"还有一件事，蕾娜。这件事属于机密，因为它不会被公布于众。但我觉得你应该知道。还有一个人——从法律意义上讲，这人不属于内幕知情者——他通知我说，他想把他所有的股票期权套现。我只能对他说，从法律意义上讲，他想这么做，没人拦得住他。这人就是你们 SAB 的主席。"

"肯特？"蕾娜听上去很吃惊，"他有没有说理由？"

"我要那么问就属于多管闲事了。再说了，他只是说有这个想法。SAB 没出什么问题吧？他是不是想从那个位子上退下来？"

"不知道，"蕾娜结结巴巴地说，"看我能不能找到原因。"

* * *

"今晚是个特殊之夜。"电话上传来杰夫塔喜气洋洋的声音，"倒不是因为要过安息日的原因。今天，一九八七年十月十六日，是 OV 股份有限公司正式成立的日子。由阿尔法度、马丁——还有你——注入的二百万美元资金被银行通过了。我已正式离开 ZALA 公司。还有……"他停顿了一下，想营造出惹人注目的效果，"我刚签了一年的办公室租赁合同，地点在巴洛奥妥广场。那个地址给 SURYA 带来了好运，我挺迷信的。"

"Mehra prem，恭喜恭喜！我巴不得现在就是晚上，想赶快听到所有的消息。"

"不回家！你老公要带你去最豪华的半岛酒店吃晚饭。就咱们两个人:蕾娜·克里斯南博士——SURYA 公司总裁,和杰夫塔·可恩博士——OV 股份有限公司新任 CEO。"

* * *

同一天晚上,在巴洛奥妥以东二百英里的密西根湖岸边,宝拉·嘉里打开一个包装极其考究的盒子,商标名称 Lyon & Healey 不起眼地印在盒子的一面。"亲爱的里奥纳多,"她大叫,"这是真的吗!"

她小心翼翼地盖上盒子,然后拥抱了肯特,接了一个长长的吻之后,她的胳膊仍旧搂着他,她伏在他耳边轻声说:"它是真货,对不对,你怎么找到的? 你怎么能……?"

"嘘,亲爱的,你的问题太多了。你喜欢就好。"肯特觉得他没必要主动交代,说他两天前卖掉了 SURYA 给他的股票期权,三万股全卖掉了。卖出价位是二十三美元,他净赚六十七万八千美元。

* * *

一九八七年十月十九日,星期一。很久之后,人们都把这一天称作纽约股市的"黑色星期一"——股市有史以来跌幅最厉害的一天。十月二十日的《纽约时报》(New York Times)刊登了字体为一百零八点的大幅标题:**"股市狂挫五百零八点,跌幅达百分之二十二点六"**,副标题也带着不祥的味道:**"难道一九八七年的道琼斯指数等同于一九二九年的道琼斯指数?"**构成道琼斯指数的三十家蓝筹股在那个星期一几乎跌去了其联合价值的百分之二十三,而场外交易的小公司遭受的损失更加惨重。SURYA 股票以十点五美元收市,不到六个小时跌去了百分之五十四。

当蕾娜和杰夫塔星期五晚上碰杯庆贺的时候,银行要求作为抵押的那五万股股票还值一百十五万美元——作为五十万美元贷款的抵押绰绰有余。到了星期一,他们用作抵押的股票价值就跌到了五十二万五千美元——和他们的银行贷款额只差一丁点。

23

"明天是我看亚当的日子。我想留下来吃晚饭。可以吗?"

"当然可以,"马兰妮回答。

"吃过饭,我有重要的话和你说。"

"重要讲话? 听上去挺严肃的。"她想故作轻松,但未达到效果。

"是挺严肃的。"梅纳赫姆说。

* * *

"不知怎么的,说到 SURYA 股票,我有种尴尬的感觉。"梅纳赫姆开口。

"哦,股票啊,"马兰妮松了口气。她原以为他要谈关于亚当的事,"股票跌到令人恐怖的程度,这不能怪公司,十点五美元。"她吓得稍一哆嗦,"这只是纸面价格。我知道我这么说给人的感觉好像不厚道。两个星期以来,报纸上充斥着黑色星期一及其后果的报道,但我看长线。我和 REPCON 投资委员会的头私底下聊过一次,聊完后我更加放心了。他认为早就该做这种调整,这次调整之后,股市就会缓慢上升,会升很长一段时间。不过,看到自己的股票在一天之内由六十多万美元跌到还剩一半,打击是挺厉害的,但正如我所说,这只是纸面价格。"

"对我来说，它曾经是纸面价格。我把全部股票都套现了。"

"都套现了?"马兰妮看着他，露出惊讶的表情。这就是他想谈的事吗?"太可惜了。我要早点把我从我们投资商那儿听到的话告诉你就好了。你不该把股票卖掉的。SURYA 的基本面一流。刚发给董事的报告不是说了嘛：MUSA 上市还不到三个月，他们已经供不应求了。"

"这我都知道。"梅纳赫姆嘀咕说。

"哎……认倒霉吧，梅纳赫姆。不过三十万美元也不可小觑。我们也许要承担董事在法律上的责任——官司毕竟还悬在那儿——但对当初给咱们的股票期权，就算以今天的价格来看，咱们也说不出二话。收市价几块钱? 应该是十一美元加零头。"

梅纳赫姆心不在焉地点了点头。"我对股市没什么兴趣。我平生就只有 SURYA 这一只股票。但你不用为我感到遗憾，我的股票在十月初就卖掉了。"

马兰妮吹出低沉的口哨声。"恭喜恭喜!"她说，语气里夹杂着羡慕和嫉妒的味道，"你是肯定不需要听投资商建议了。现在是不是想找人帮你搞多元化投资组合呀?"

"不需要。我把钱都花光了。我就是想和你谈这件事。来，"他指了指大门，"我带你去看看。"

马兰妮想去门厅拿大衣，被梅纳赫姆止住了。"不用穿大衣，坐电梯上几层楼就到了。"

* * *

"这是什么地方?"看到空荡荡的客厅，马兰妮大叫，"你不会是……?"

"搬进来了吧?"梅纳赫姆替她把话讲完，"SURYA 股票期权的钱大部分花在了这套房子上。剩下的钱用来装修。这就是我带你上来的一个原因。你帮我一起装修好吗？"

"那……好吧。"她磕磕巴巴地说，"这主要看你喜欢什么风格了。"

"风格加方便。比方说，我很想和你一起装修亚当的房间。"

"亚当的房间？"马兰妮两眼盯着他，"还有另外原因吗？"

"去他房间看看，该谈谈我和亚当的问题了。严肃地谈一谈。"

他们走进一间通风良好的大房间，墙面刚刷过漆，角落里有一床褥子和一盏台灯，旁边放着一个小行李箱。

"你一直睡在这儿？"马兰妮惊诧地问。

"就睡了昨晚一夜，我想感受一下这个地方。明天我就搬回老地方住，装修完了再搬进来。你坐那儿行吗？"梅纳赫姆指了指褥子。一阵窸窸窣窣响声之后，两个人肩并肩坐下，姿势很尴尬。

"快两年了，"他继续说，"我从来没强求过你和亚当什么事。我是假装成朋友来的。"

"而你也成了朋友，"马兰妮急切地说，"我也因此停掉了……"她发出尴尬而短促的笑声，"我本想说'停掉了和别人的约会'，可这话听上去……给人老掉牙的感觉。"她做了个鬼脸。

梅纳赫姆露出假笑，"这个词的美国味道太浓。对这个年头和咱们这把年纪的人来说，太……花哨。不过，以我的观点看，不约会的真正原因是这样的：咱们俩在感情上都燃尽了最后一把火，对不对？我认为是亚当把我们变成了朋友，彬彬有礼、有来有往，但这只是表面现象。咱们从来没深谈过个人问题……"

"我还以为你不愿意谈呢。"

梅纳赫姆用手指缠弄着枕头的流苏。他抬起头，"也许我以前不愿意谈，可我现在愿意谈了。咱们第一次在纽约碰面的时候，你问我愿不愿意来美国住,我说不愿意。现在情况不同了。原因主要在亚当身上,但我作为鳏夫的内疚感也在慢慢减退。另外,UN 使团给我的这份工作对我很有吸引力。就连在纽约给本古里安筹款的效果也好很多。"他又用手指缠弄起流苏,用大拇指和食指一根根地抚摩过去,像是在摸一颗颗佛珠。

马兰妮伸过手来,按住他的手。"亚当把我们带到了今天这一步,下一步你想怎么走?"

"我想成为他的父亲。"

马兰妮抽回她的手。她用胳膊抱住自己的膝盖,两眼向下看着自己的大腿,"你就是他的父亲……"

"是的,"他尖厉地说,"你一路都知道这个事实,而我,是在很久以后才知道的。早就该向亚当透露这个事实了。这就是我决定搬进这幢大楼的原因。我觉得我们不可能住在一起,马兰妮。我的情感之火已经燃尽。但用这种方式,他可以和咱们两个人住在一起,又不用特别安排时间。隔两层楼不算远,但也不挨在一起。我一定会负担经济上的费用——我早该这么做了。曼哈顿的私立学校肯定贵得惊人。我们还应该给他改个名字。"

"什么?"马兰妮大叫,"给亚当改名字?"

"不是改亚当这个名。是改亚当·雷德劳这个全名。我的姓是迪文,而我是他父亲。"

"别给我来地中海东部的那一套……别给我来圣经上的那一套……别给我来大男子主义的那一套。"马兰妮的自尊心受到了伤害,她喊起来的声音一句比一句大,"别把责任和权利混为一谈。"空荡荡的四壁令她的声音听上去特别刺耳。

梅纳赫姆摇了摇头。"大男子主义不一定就不符合道德规范,不一定就不符合传统习俗。"

"当然符合了，"她插话，"不是不一定不符合，而是太符合传统习俗啦！"

"马兰妮。我务求做到公平公正，而你也该这么做。刚开始的时候，你宣称你是单亲母亲，这做起来并不难。那时你不承认有迪文这个名字或这个人存在。雷德劳自然是当时唯一可用的姓。可你现在公开承认我是亚当的父亲，菲里斯·富兰肯沙勒知道这事，他太太也知道这事，我打赌蕾娜·克里斯南也猜到了。现在我来问你：对你来说，变成犹太人意味着什么？因为你皈依了犹太教，所以亚当生下来就是犹太人。这让我很高兴。我们犹太人总是对母亲的权利给予认可，这点也许比其他民族做得要好。但犹太人也认可父亲的权利。要在过去，亚当应该起名叫亚当·本·梅纳赫姆。"

"你不是真想让他叫这个名字吧？"

"那倒不是。可我也不想让他继续叫亚当·雷德劳。叫亚当·迪文·雷德劳这个名字有何不妥呢？"

"为什么不叫雷德劳·迪文呢？"话一出口，马兰妮就意识到了这话的后果：原则上同意改名字。

"我认为我有充足的理由坚持迪文·雷德劳这个名字——不仅仅是按字母先后排列的顺序——但我接受亚当·雷德劳·迪文这个名字。"

两个人沉默了好久：短暂的爆发令其疲惫不堪，突然的决定令其惊讶不已。

"咱们什么时候告诉他？"她用柔和的声音问。

"现在。今晚。"

"梅纳赫姆，他睡觉了！"

"那又如何？叫醒他呗。他上床睡觉的时候,应该知道自己的父亲是谁。"

有一个问题我始终想不明白,那就是,当初我是不是应该留在实验室,而不是屈服于企业的诱惑。我要是成了大学副教授并享有终身职务,那我对黑色星期一会是什么样的反应呢——要我就还是助理教授并在为终身职务而奋斗——而不是作为并无终身职务的 SURYA 总裁? 要那样的话,黑色星期一对我来说,也许只是报纸某一天的标题而已。而现在呢? 这几乎成了一件可笑的事。我确实说过马丁警告我们的话:"怎么才算得上是百万富翁?"我和杰夫塔过的日子不像百万富翁,我们举手投足也不像百万富翁,我们甚至根本没想过自己是百万富翁。但是,我们的确向银行借了五十万美元,有一个星期左右,我时时刻刻等着电话铃响,等着银行要我们拿出更多股票来作抵押,不然他们就会如何如何! 我们的股票确实摇摇晃晃地跌到了近十块美元,但却从未跌穿那个神气的底线。现在它又开始悄悄地升上来了,昨天它的价位是十二元二角五分,我们要能再有一天像十月十九日那样的日子就好了! 要说最难对付的工作,就是马丁还在耶路撒冷,向大家保证 SURYA 不会完蛋的重任落在了我一个人肩上。尽管我们手里还握有近三千万美元,但由于今后两年的现金会出现亏空,所以我们必须把钱包看紧。就算市场对 MUSA 供不应求,我们也不能乱花钱。实际上,这正是让我发愁的地方:我们需要更多销售人员,我们需要添加工厂设备,我们需要做更多产品推广工作,我们需要做很多昂贵的营销后期的临床跟踪试验。这张单子可以无限长。

还有就是那桩官司! 目前,布莱克、布莱克和黑德律师事务所采取的是缓兵之计。这令我们付出了昂贵的代价。这,当然是他们故意玩的把戏。目前形势不明朗,看不出法院会如何裁定透露文件的请求,是授予其中一方呢,还是授予双方呢,还是一方都不授予。莫特想出了一步大胆的棋:他准备给法院提交一份密封的动议,请求法院在没有预先通知布莱克、布莱克和黑德律师事务所的情况下,把他们律师事务所与股票交易有关的所有电脑资料复制查封,这么做的理由是谨防他们对电脑中的资料做手脚。他主动要求对 SURYA 也采取同样行动,将所有电脑资料复制查封,直到法院对透露文件的请求作出裁定。这个做法应该能点中圣克莱蒙特的死穴。

现在说说 I. C. 那封神秘兮兮的信吧。他在信中对股市只字不提、对拿套现的股票期权干了什么也只字不提,他只是问可否在芝加哥召开一次 SAB 特别会议。他强调说我们大家都别指望当天能回家。我不知道是什么事,也不知道他这种神秘兮兮的做法是不是让我心烦的原因,要不就是我对他在黑色星期一之前把股票全部套现的运气有种挥之不去的嫉妒。就好像他和梅纳赫姆对不祥的股市有预感似的。

还有,我对他说十一月二十日开不成会,只有等到二十一日以后才行,他为什么不答应?“为什么?”他不依不饶地问。难道我能对他说,我的性生活正被一根无比准确的金属感应棒所操控吗?据“测卵魔棒”的数据显示,杰夫塔・可恩——如果他想繁衍男孩的话(他确实想!)——就得安排在那天和他老婆上床,而不是其他日子。

大家都说 SAB 这次活动充满了喜庆的气氛。这是因为有喜庆的理由。在马里塔提议的三位候选人中,有两位——康奈尔大学的卡尔・内森(Carl Nathan)和哈佛公共卫生学院(the Harvard School of Public Health)的戴安・威思(Dyann Wirth)——接受了邀请,他们很快融入了这个圈子。他们引入了从微生物学和热带疾病领域观察问题的新视角。这是蕾娜隐藏的兴趣，这个课题正逐渐受到她和 SAB 同事的重视。SURYA 在这些方面领跑是否能带来商业利益还值得商榷。公司目前面临的直接挑战，是稳固其在阴茎勃起领域的地位，不能让竞争对手把他们在技术上及市场上的领先地位夺走。

因为 SURYA 在 FDA 那儿的先期工作做得很好，他们都看得很清楚——他们的竞争对手看得就更清楚了——下一次申请 NDA 会批得更快，尤其是当申请的新药用的也是经尿道输送的原理。塞思婷·普里斯研发的 NO 释放因子的新系列在专利局是一路绿灯。在试管中所做的大量药物代谢动力学试验清楚地表明，她的 tetrazenium——含有四个 NO 分子的东西，这四个 NO 分子排成一列，按照化学的方式连在尾状物上，具有良好的脂溶性——被当成了 MUSA 第二代产品 Mark 2 的主要候选产品。大家一致认为，应该把它当成研发的重头目标。既然已作决定，谈论的重点便集中在 NONONONOates 在其他方面的用途上。

＊　＊　＊

没到一个小时，蕾娜就消除了肯特可能辞职的顾虑。就连一个月前股市崩盘这么大一件事，也没让威斯尽情发挥他那死到临头的幽默感，而肯特对这个话题只当没听见，一句话没说。午餐很简单，因为肯特已邀请各位晚上去吃大餐，但还是够奢侈的：鱼子酱迷你馅饼、辣根拌烟鲑鱼、红莓冰。"肯特请客，以表达我们对 SURYA 的谢意。"他神秘兮兮地说。

宝拉·嘉里担当了女主人的角色，这是她第一次在 SAB 会议上露面。"碰到科学会议，我总是尽量避开，但这次不同。"她在跟迈克·马里塔说话，后者一直站在窗边，手里托着盘子，在和塞思婷聊天。宝拉搂住外甥女的肩膀，"至少你们这个会让我最喜欢的外甥女大驾光临。要不然我们很少见她，杰瑞就更见不着了。"塞思婷咳嗽一声，以示警告，她听后赶紧转换话题，"你们俩在聊什么？"

"闲聊呗，"马里塔说。他用叉子指着塞思婷，"由于普里斯教授拿到了终身职务，"他假装一本正经地说，"她已经开始公开批评我们的弱点啦。"

宝拉一挑眉毛，"快告诉我。不怕你们知道，我对你们这些人的弱点越来越感兴趣了。"

塞思婷挣脱姨妈的怀抱，"我没在谈弱点，我只是说我的看法。就说这群人吧。"她的脑袋朝大屋子点了点，"他们所有人——不对，是我们所有人——对发表文章都怀着满腔的热情。发表文章不止是传播科学知识，那也是为了打名气。可咱们的做法又有天壤之别。马克思·威斯和迈克·马里塔总是把自己的名字放在最后。他们名气大，这么做无所谓。大家都知道，不管署名作者有多少，文章主要是他们写的。"

"那谁是不是也这样……"宝拉刚想说里奥纳多，但发觉这么说不妥，"I. C. 也这样？"

"不是。I. C. 按字母排列顺序写名字。只有名字第一个字母是A、B、C的人才能真正享受这种奢侈。"她一听就知道塞思婷在说风凉话。"那我呢？说句老实话，在我肯定自己能拿到终身职务前，我总是确保自己的名字排在第一位。我可大方不起，冒不起那个险。"

"那现在呢，现在呢？"马里塔发出责问的声音。

"没什么现在，"塞思婷反驳，"你过来之前，我们在谈，"她转向宝拉说，"如何确定合作者之间贡献多少确实是个问题。现如今，在强手如林的化学界和生物学界，一篇文章有四五个作者是常有的事。谁的名字列在最后已经不是问题了，现在的问题是，谁的名字列在第一。"

"真的?"宝拉说，"我还以为谁干的活多，谁就是第一呢。"

"你觉得这很容易定吗? 这就是我们一直谈论的问题。最近，波特兰的约翰·司哥特在《科学》周刊上发表了一篇史无前例的文章。他有五位合作者，全是女的——真是后宫三千啊——而我所说的史无前例，是指前两位作者的名字后面加了星号。知道注脚是怎么说的吗? '两位作者对文章的贡献完全相等'。"

"太棒了。"宝拉大叫。

"看到了吧?"马里塔哈哈大笑。

"棒?"塞思婷哼了一声，"假定第一个带星号的名字是斯密斯，第二个名字是普里斯。我就会去找司哥特，并对他说，要加注释的话，应该写成'斯密斯及他人'或'司哥特及他人'。在我眼里，'及他人'和'相等'的意思不一样。"

"那你会让司哥特怎么做?"

"啊，"塞思婷咧嘴一笑，"首先，我会用相等号连接斯密斯和普里斯两个名字，而不是用逗号。不过，既然没哪个编辑会同意那么做，那我就对他说，按字母顺序排名算了。"

"你是说用 I.C. 的办法? 你名字的第一个字母是 P，而斯密斯名字的第一个字母是 S，他应该不会同意这个办法吧?"

"所以说嘛，这也正是迈克的观点。所以我说干嘛不投币决定? 你知道满脑子公平思想的马里塔教授怎么说?"塞思婷用食指轻轻地戳了戳他，"你自己告诉宝拉好了。"

"在我的实验室，这种事情由我来定，而不是投币决定。"

"那你怎么解决这个问题，塞丽?"宝拉问。

"投币。以我的观点，这正是男教授和女教授不同的地方。"

"如果说有不同，"马里塔说，"这也是唯一的不同。五年之后，再让我看看你的行为和我有什么不同吧。"

* * *

晚宴的邀请函提前寄给了 SAB 的每位成员。用手书写的信封、通知内容、回复用的卡片以及卡片用的小信封，其精美程度大可与婚礼请帖相媲美。来宾们身穿出门的服装，都经过了精心打扮。马里塔和内森，每次开 SAB 会议，这两个人都特意穿休闲衬衫和毛衣，今天也系了领带。就连塞思婷也是只身前来，没带水瓶。她身穿墨绿色套装，脚蹬高跟鞋，看上去相当时髦。而蕾娜则穿着黄色沙丽出席晚宴。

"我的天，"塞思婷悄声说，身穿无尾礼服的服务员接住她们脱下的大衣。"到底是什么活动？"

服务员把她们领到了空荡荡的客厅。

"咱们肯定到得最早。"蕾娜说，默默恭喜自己做对了决定，穿对了沙丽。就在那一刻，宝拉和 I.C. 走了出来，他们身着盛装，容光焕发。

"你们好！"肯特大声说，"一如既往，最年轻的也是最守时的。我知道你们在猜今天是什么活动。我就不逐个解释了，等大伙到齐了再说。等的时候，"他对候在背后的服务员挥了挥手，"你们先喝点东西，吃点餐前小食，一小时后才开饭呢。"

蕾娜从来没见肯特这么兴高采烈。他笑容满面，带着宝拉和客人逐一寒暄，蕾娜意识到肯特是个戴面罩的男人。今天晚上，他不是摘去了旧面罩，就是换上了新面罩。

* * *

肯特用银匙敲了敲酒杯，"朋友们，"他面露喜色，"大家把香槟加满，咱们马上祝酒。"他看着服务员给众人的杯里倒满了香槟。"我和宝拉感谢各位的光临——你们六位的光临!"他举起酒杯,"现在为肯特的新太太干杯!"正当众人张口结舌无言以对的时候,I. C. 碰了碰宝拉的酒杯,并在她脸颊上亲了一口,"在你们喝下这杯酒之前,"他赶紧说,"我们来和每一位碰碰杯。"

"这是什么时候发生的事呢?"肯特在此用了修辞性疑问句。"两天前发生的,属绝对机密。我们本想昨天晚上宣布的,但我想等你们都在场的时候再说。因为你们中的一位昨天未能到场,"肯特的目光掠过蕾娜,没露出一点挑剔的目光,"所以我们推迟到今晚才宣布这个消息。为什么只请你们六位呢? 这不单是因为餐桌坐不下十个人——至少以今晚进餐的方式来说坐不下那么多人——也不是因为那么多人让演奏音乐的房间显得拥挤。有一个原因,这个原因和SURYA有着直接关系,而我想在你们的单独陪伴下表示我对这个原因的感谢。这个周末,我们将在学校举办一个庆祝会,由于我的同事和学生还不知道我结婚了,所以请各位一定注意保密。"

宝拉的个子比肯特高,她俯身在他耳边说了句话。他听后稍一点头。"想再喝的话,就把酒杯加满,然后去音乐房找把椅子坐下。我们准备在开饭前为大家演奏一段插曲。"他指了指身后打开的落地窗,"我和宝拉一会儿就来。"

音乐房的椅子排成了弧线形,椅子对面是两把西伯怀特式(Hepplewhite)椅子,两把椅子前都摆了个乐谱架。客人刚一落座,肯特就走了进来,胳膊底下夹了把中提琴。

"我们只演奏一首曲子,这首曲子长达四分钟,也许不为你们大多数人所熟悉:是保罗·兴德米特(Paul Hindemith)为中提琴和大提琴谱写的二重奏,他本人是位小提琴家。这种乐器组合相当罕见,恕我斗胆说一句,嘉里和肯特的结合也相当罕见。演奏这首曲子有着三重意义。第一，我和宝拉是在我们业余四重奏乐队认识的，她当时作为大提琴手候补队员刚参加我们的乐队。这个句子说得太糟糕了，"他扮了个鬼脸，"但结果太棒了。还有，二重奏在音乐上是最亲密的合作关系——而亲密二字肯定是今晚庆祝的主题。这首曲子也是我们两个人，通过你们，向 SURYA 表示的谢意。好了，现在，有请宝拉·嘉里·肯特太太。"他正式一鞠躬，并用琴弓指向等在客人身后的宝拉。

蕾娜侧过脸看着塞思婷。她对塞丽是既羡慕又好奇，她羡慕塞丽在业务上露出的那股天生不服输的劲头，但她和肯特谈话时经常流露出的尖酸刻薄又是从哪里来的呢？这让蕾娜百思不解。现在这两点在她身上都不明显。肯特公开表达了他对宝拉的感情，他的表达方式既正式又害羞，是不是他的这个举动影响了她？要不就是因为肯特和她姨妈的关系终于正常化了？

宝拉身穿黑丝绒正式晚装，脖子上没戴一根项链，由此将人们的注意力吸引到了她那稍稍前卫的露肩领上，她把大提琴立在地毯上，然后用两腿夹住乐器。她闭上双眼，头微微低下，一直低到她的太阳穴快要碰到弦栓了。看着宝拉的手沿着金色的琴身侧面抚摩上来，再看着她把手停放在回响板的顶部，蕾娜忍不住感到一种生理上的快感。也就在这时，宝拉睁开双眼，对着肯特轻轻地点了点头。他们演奏起来……

* * *

"宝拉，你想不想跟大伙说说你的乐器？"掌声刚落下，肯特便急不可待地说，有点像顽皮的小男孩。

"当然要说了，"她说，她站起身，身子高出听众一大截。"这把琴，"她手握大提琴琴颈说，"是一把瓜纳里（Guarneri）制作的提琴……"

蕾娜吃惊地倒抽一口气,她的声音太大,搞得宝拉只好把话打住。"是真的,"她对着蕾娜一再保证,"如果你会拉大提琴的话,你就能听出这把琴一定是克雷默那(Cremonese)风格的乐器,拉出来的调子那么敏感、那么圆润、那么清澈。在瓜纳里家族中,乔塞普·乔瓦尼·巴蒂斯塔(Giuseppe Giovanni Battista),他也被称作'安德兄弟',制作的大提琴最好,几乎和斯特拉迪瓦里(Stradivari)家制作的琴是一个级别。这把琴就是他制作的。看看,多抢眼呐,多工整呐……"她对着肯特露出微笑。"我的结婚礼物。"她停住话,"我知道你们科学家看我这么说话,肯定觉得我傻乎乎的,不过……"她转向肯特,从胸前的口袋里掏出手帕。

那是动人而有趣的一幕。这位金发的魁梧女人一手抹眼泪,一手紧紧抓住大提琴,而她的新丈夫,少说比她矮了三英寸,轻轻地拍着她的肩膀。"朋友们,现在你们明白了吧,为什么我要先请你们和我们一起庆祝。大提琴先是得以让我们互相认识。而这把大提琴,我们且称之为 SURYA 大提琴吧,将使我们永远在一起。"

想到当初听说肯特套现股票时的感觉,蕾娜差一点感到内疚。她站起身,走到那对夫妇跟前,在肯特的脸上狠狠地亲了一口。

"我很高兴你答应当我们 SAB 的主席。"她轻声说。

* * *

"今天晚上真够热闹的,"蕾娜在出租车里说,"我注意到你——我们中最年轻的人——荣幸地坐在了 I. C. 的右边。"

"这不是他选我的原因,"塞思婷回答。她的脸在对面开过来的车前灯照耀下忽明忽暗。"他愿意和解,这是我和杰瑞交朋友时遗留下来的问题。他想这么做,我不能怪他。过了今晚,我也愿意帮他一把。和宝拉结婚让他变成了家人,也令他变得更有人情味了。"她探身前来查看蕾娜的眼神，"你对他也是这种感觉吗？"

蕾娜点了点头。"他和我谈了他对 SURYA 的感情，我喜欢他的表达方式。他承认说要不是因为他和我前任教授的交情，要不是我用股票期权来诱惑他，他绝不会接受这个位置。说到以前对企业的轻视，他的态度相当诚恳，他宣称说，他现在换了副眼镜看问题，他深切地体会到，从研究发现到开花结果需要花费多么大的心血。"

"我猜他是为了买瓜纳里大提琴才把股票期权套现的。肯定是这件事让他对企业有了好感。但是，"塞思婷若有所思地说，"我喜欢他这种花钱的方式。不知道我会怎么花这笔钱，要是我……"

"等等，"蕾娜打断她的话，"咱们公司相当有潜力。除非你需要这笔钱用。"

"需要？我们的生活相当简单，除了工作、工作、还是工作，再就是照顾瓦仑丁。还记得吧，杰瑞和肯特分享了诺贝尔奖。我们把他那部分钱做了保守投资：我们不动本金；我们只花收入。我也许会把 SURYA 的股票期权给我儿子搞个基金。也许把这个钱投在没人资助的一些前卫的研究项目上。"

"我知道我不该多管闲事，"蕾娜说，"但肯特为了什么事想和解？"

塞思婷叹了口气，"恐怕这是与诺贝尔有关的一件相当不体面的事。杰瑞很崇拜 I. C.，反过来，I. C. 也把杰瑞当成自己最得意的门生。但肯特·斯塔福实验带来了一些问题——就是他们得诺贝尔奖的项目。最初，I. C. 最大的竞争对手，哈佛的克特·克罗斯（Kurt Krauss），无法重复这个实验。等他终于做成了，I. C. 已经不信任杰瑞了。"她摇了摇头，"事情远比这复杂得多，但现在不是重新谈论这个问题的时候。今晚我和 I. C. 谈到了这个问题，这是我第一次听他讲这件事。他问我杰瑞怎么样，他后不后悔离开科研队伍改行去学医。我说他不后悔,说到底,杰瑞不是个爱争强好胜的人。"

"不像你?"

塞思婷奇怪地看了一眼蕾娜,"那只是他问我的问题,'你有没有患上诺贝尔贪欲症?'这是他的原话,一字不差。我承认说患上了,他这才打开话匣子。'搞富于开创精神的科研项目、搞令人激动的科研项目、搞富有成效的科研项目,确实称得上崇高,'他说,'但是这些项目并不是在毫无诺贝尔贪欲的真空环境里操作的。'I. C. 的观点认为,崇高的科学和诺贝尔贪欲症如影相随,两者几乎是一对矛盾体。听了相当令人安慰,对吧?"她短促的笑声听上去疑虑重重。"但他没有就此打住话题。'贪欲绝对无法升华到崇高境界,'他说,'那么咱们学者到底是一群什么样的人呢? 咱们都不纯洁,有也是装出来的——但装也不足为奇,咱们周围的世界不是黑白分明的,有的只是灰色地带。咱们能做的就是力求达到浅灰色而不是深灰色。'"

她们坐在出租车里,沉默了一分钟,车子轱轱辘辘地在城市中穿行。

"你看上去有点忧郁,蕾娜。"

"没错。我在想我的灰色地带。"

24

大多数律师都喜欢拖时间。他们每小时收费二百至四百美元,对他们来说,时间就是金钱。对辩护律师来说,拖时间甚至可能被当成有用的缓兵之计：证人搬家了或死了、感情不再冲动了、记忆变模糊了、法庭日期排不开了……控方律师呢，虽然同样意识到拖时间在金钱方面给自己带来的好处，但在战术上，他们往往采取咄咄逼人的方式，对案子的兴奋和冲动压倒了对金钱的渴望。但就 SURYA 对布莱克、布莱克和黑德律师事务所这个案子来说，其态势和独有的特性远比这要复杂得多。

蕾娜本能的反应——起诉那帮混蛋——最初是义愤填膺的结果，到后来就变得不仅仅是泄愤那么简单了。她关于老年男性有可能得前列腺的直觉得到了证实，这令莫特——他本人已青春不再——有可能摇身一变成为原告，对作为企业顶级法律顾问的他：冷静、审慎、镇定自若，这种既带感情色彩又带专业人士色彩的角色是不常有的。他对布莱克、布莱克和黑德律师事务所的仇恨已经带上了冲动的色彩。他在圣克莱蒙特这家公司起诉的许多荒唐的群体诉讼案中多次担任过辩护律师；他把对手反复操作的这种胡闹的诉讼案看成是为攻击律师的人提供的弹药，那些人根本分不清律师当中谁是寒石谁是黑德。可这一次，这事牵扯到了他个人：作为 SURYA 董事，寒石在这起由布莱克、布莱克和黑德律师事务所起诉的案子里成了被告，因此也成为了 SURYA 从外面请来的律师行的客户——一位消息灵通、扯着嗓门大声嚷嚷的客户。然而，作为 SURYA 在反起诉案中的主要法律顾问，寒石的律师事务所负责制定和执行原告在法律上的战略和战术。他全身心投入，忘我地工作，时常忘了计时。

在本案中，威尔·黑德，这位布莱克、布莱克和黑德律师事务所资格最老最咄咄逼人的律师，采用的是一种似曾相识的手法。他把自己装扮成法律界的鲁宾逊，宣称他的律师行是为了保护中小散户的利益，是为了保护中小散户免受公司高层、公司内部投资者、审计行和股票经纪人的诈骗。某些上市公司的确有欺诈和违规行为,就算他们想拿钱搞定,媒体、大众和陪审团也很少同情他们,但对于某些律师行所扮演的居心叵测美化自己的角色,人们所给予的关注远远不够。黑德宣称他和他的合伙人只关心中小散户的利益,就算将大公司洗劫一空,他们也在所不辞。但这种说法的可信度极低,因为他的案子很少会闹到法庭上,就算真闹到了法庭上,也没见有哪个原告胜诉的,绝大多数案子都是庭外调解,调解的费用一半进了他公司的腰包。

他的战术很简单:绝不起诉没钱的公司,集中精力搜寻投过保的公司,要钓鱼就撒下无限透露这张大网钓大鱼,然后等着被告出血本了解案子。花最少的时间处理最多的案子证明能带来上百万美元的效益。为符合法律程序,律师行的合伙人只充当法律顾问,但事实上,他们往往才是真正的原告,他们怂恿几个小股民冲在前面,自己却躲在后面射暗箭。

布莱克、布莱克和黑德律师事务所低估了 SURYA 的反起诉,这是他们犯的一个错误:他们没把这家刚立住脚的公司当成法律上的对手——尽管这么做有风险,有可能让别人在他们拥挤的大鱼池里钓鱼——他们让自己变成了法律上的被告和被告的辩护律师。威尔·黑德和他两位连襟都是损人利己的高手,三个人贪婪成性,根本没从外面请辩护律师。他们一边对 SURYA 要求翻查他们文件的请求推三阻四,一边继续为他们的群体诉讼案要求无限透露的权利,他们这么做是想拖垮 SURYA。很明显,在动议与反动议这个推来挡去的阶段,SURYA 这方面从口袋里掏出来的律师费比对方要多得多,把宝贵的现金浪费在官司上,令 SURYA 陷入了困境。但是,威尔·黑德和他的连襟低估了莫特·寒石赌博的天分——这个天赋在他公司法律顾问的生涯中几乎遭到了埋没。

布莱克、布莱克和黑德律师事务所的战术在十五个月里发挥了作用，令 SURYA 为此付出了三十多万美元的代价。"莫特，"蕾娜忐忑不安地说，"还要拖多久呀？我算是明白了，为什么保险公司愿意调解，这样他们就可以接着干更有益的事情了……"

"比方说卖更多的保险呐，"他插话，"说到底，赔的也不是他们的钱。不过你说得对，是时候了……"他用猜疑的眼光看着她。

"干什么？"

"赌博。不能早赌是因为需要时间证明咱们的对手在故意拖延时间。十五个月应该够了。我的计划是这样的。"寒石通常都是坐着说话，但今天上午他太激动了，他边说边在地毯上走来走去。看到平时静止不动的大块头动了起来，蕾娜坐在椅子里挺直了腰板。跟他的同行不一样，莫特办公室的地板上没堆得到处是文件——这通常是律师骗人的手段，他们故意制造这种假象，好像工作多得不得了似的。而现在，办公室里有足够的空间让他这个大块头来回走动。

"我已经告诉过你要走的这步棋：要求将全部有关电脑资料复制查封。咱们主动要求享有同等待遇，这样就可以先发制人，让他们想反对也反对不成，不过碰到威尔这种人，你也很难说。我的另一个战术，就是请求帕泰尔法官来审这个案子。咱们的案子归加州北部地区法院管辖，而她开庭的地点在旧金山。"

"她？一个女的，还是个印度人？"

"马莉莲·哈·帕泰尔。不是印度人。"他走到蕾娜面前，停住脚步，"但嫁给了印度人。虽然这两个事实无关紧要，但 SURYA 的总裁和首席科学家是个女的并且是个印度人，说出来也没坏处，尤其这位法官是两个孩子的母亲，而且还当过全国妇联委员。"他若有所思地看着她,"你说过你是什么时候的预产期?"

"九月份。"她看了一眼自己的肚子,"能看出来了,是吗?"

"我并不是想和你谈肚子的问题,但是……"他调皮地哈哈一笑,"你鼓起的肚子应该能帮得上大忙。我在想证词的问题。"他在她对面的椅子上坐下后继续说,"要想用上你得到的前列腺切除术的信息,就得让赫曼·布莱克亲口说出此事。我想在给帕泰尔的附加动议中请求她采用证词和质询两种方式。"

"两者有什么区别?"

"一种是口头方式,当着法庭书记员说的;另一种是对书面问题所作的书面回答。我想两种方法都要。为预防他们推三阻四,我会再次主动要求咱们先接受质询。他们肯定不会反对这么做。那样的话,既然两个案子的起诉时间靠得如此之近,又因为我们一直强调两个案子之间的密切关系,我将请求用每周轮流质询的方式进行:这个星期他们质询我们,下个星期我们质询他们。只要进入到这个程序,而你又是他们最重要的靶子,我就拿你的怀孕说事,让他们想拖也拖不成。这就是有孩子的法官一定能帮上忙的原因。"

如果有人在一九八一年十月,也就是我和杰夫塔刚进入 ZALA 公司的时候对我说,说再过几年我会成为一家新公司的总裁,我肯定会付之一笑。如果他们还预测说,在不到七年的时间里,我还会被扯进一桩几千万美元的官司并以打官司为乐,我会认为他们在胡说八道。可看看如今的我,从圣克莱蒙特出庭作证刚回来,便急不可待地等着下星期出庭质问他们。

布莱克、布莱克和黑德律师事务所的会议室像是从某个电影或电视情景剧里搬出来的:光滑的红木桌,桌子长度足够容纳二十几位像莫特这种块头的人；带有棕色皮套的椅子，椅子也大得让我们莫特坐进去绰绰有余；整面墙的书架上摆满了真皮面的美国最高法院和加利福尼亚最高法院的案卷，对面靠墙摆放了一个文艺复兴时期的餐具柜，超大餐具柜子里有一个用透明塑料纸包住的大型帆船模型；两面墙上各挂了一幅英国海景画，画框都沉甸甸的。我开始怀疑这一整套东西是不是有钱的律师事务所从舞台道具商那里买来的。那些法律巨著是真书呢，还是拿来糊弄客户的假书？

我从未见过莫特心情如此愉快，为什么不愉快？一切都在按他希望的那样进行。尽管我们是被告，可莫特还是提出由我们飞去圣克莱蒙特接受第一轮质询。尽管提问题的人是威尔，但莫特还是希望任迪和赫曼也能在场。

莫特把他们的注意力转移到我身上，让他们把我当成主犯，也让他们把我当成最容易找到的 SURYA 高层管理人员。幸运的是，在与 FDA 有关的吵闹声中，我们的 CEO 远在国外；马丁严格听从莫特的命令，一直待在耶路撒冷，远离黑德的魔掌。莫特的想法是把我定位成钻在象牙塔里的科学家，在对变幻无常的股市，在对金融分析家和记者摆布人的能力一无所知的情况下，被人推上了公司高层的位置。我心神不安地抚弄着头发，挺着六个月的大肚子，说话的声音轻得不能再轻了，并尽可能地磕巴。我给人的感觉是，我很容易成为威尔·黑德大人口袋里的猎物。

当三位合伙人和他们的随从昂首挺胸走进来的时候，不知情者会把黑德看成是这伙人里头职位最低的一个人——用漫画画出来的狄更斯作品里的学徒形象，身上穿着南加利福尼亚风格的服装。他毫无特征的身高和体形没有引起我的注意，我是后来才注意的，因为我完全被他的脑袋吸引住了。六十多岁的人了，除非戴假发，怎么可能会有一头卷曲的红头发呢？还戴着飞行员的眼镜？并身穿昂贵的真丝西装——趁他和我握手的时候，我瞄了一眼西装，昂贵是昂贵，但品位太差！如果他的装扮没这么古怪，我还以为他是为了分散对手注意力耍的花招呢。倒是那声音——几乎尖到刺耳，但咄咄逼人而霸道——向人表明了谁是老板谁是学徒。

除了讲话磕巴和不停地抓头发，莫特还教我尽可能把话题集中到科学方面，每当我能讲而不讲前列腺切除术和与其相关联的勃起功能障碍问题时，我就讲一些看上去没有害处的科学话题以及它们给社会带来的好处。这么做的目的，就是让黑德有充分的机会表达他的观点，以便我们下星期在巴洛奥妥用他的话来堵他的口，到时双方原告和被告的身份将会调换过来。这个套既简单又聪明，但从黑德那天的表现来看，我感觉他会大大咧咧地得出更简单的结论：这个人根本就不可能把自己想象成被告。

我坐在被告席上，回答黑德提出的那些难缠的问题，我承认——干嘛不承认？——说我确实向《华尔街日报》记者公开表露过信心，说我们有了足够的临床数据，说在那个阶段我根本不知道 FDA 会向我们索要更多的数据，并说我根本没料想股价会急促下跌。我和公司其他内部人员毕竟都没在那几个星期买卖过股票呀。黑德就在这个时候发表了他的第一个观点。他才懒得理我们有无获利呢。他所保护的股民在股市作出反应的那个阶段遭受了损失，而我没来由的乐观言论显然对市场的反应起到了雪上加霜的作用。我申辩说，我们能在顾问委员会第一次会议延期的那几个星期里说服 FDA，让他们相信我的乐观言论不是空穴来风而是有根据的，他却说这与本案无关。我抱怨说，FDA 委员会所考虑的问题只有在最糟糕的情况下才有可能发生，而要预先想好每个问题的答案实在太难了。"那是你的问题，"他粗暴地说，"不是我的问题，"难道他意识不到 MUSA 所代表的医学发展和进步吗？"与本案无关，"他反驳说。

"我可以再问一个问题吗？"我用尽可能怯弱的声音问：再问一个问题就问全了，其余的问题都是让我用女科学家表示抗议这种天真幼稚的方式偷偷带出来的，但我不敢让他看出来受质问的其实是他本人。也许我白操这个心了，他认定我正被他赶得四处逃窜。我把他的咕哝声当成是忙不迭的答应声，我问他有没有意识到他索要的一千二百万美元的损害赔偿金加上所有的律师费以及管理层所耗费的时间还有给 MUSA 推向市场造成的延误——彻底进不了市场也说不定——对我们公司意味着什么。"懒得管，"他带着骄傲的语气宣布。

就在这一刻，一直坐在旁边默默静观的赫曼·布莱克坐不住了。"不能只顾着把 MUSA 的作用夸成一朵花，"他补充说，"SURYA 是不是也应该花点时间找出它的不足啊。看看它有可能引起的问题也行啊。"

我看了一眼布莱克（和黑德的形象正好相反：个子高大、肌肉发达、富有阳刚之气——几乎称得上英俊了），又看了一眼黑德，搞不清楚该对着他们哪一个讲话。"但是，"我假装问的话是同一个问题，"你们知不知道参与临床试验的都是些什么人，你们知不知道 MUSA 能给他们的生活带来什么巨大的变化？"

"老子不管这些——别记这句话，"黑德转身对书记员大喊，"我来这里是为遭受损失的股民申冤的，不是来为无法勃起的男人叫屈的。别记这句话。"他又重复一遍，"现在回到我的问题上来。"

他把那个问了 N 遍的问题又问了一遍，问我在公开场合对 FDA 所提问题是如何回答的，很多工作我们本该提前完成却未完成又是怎么回事，等他问完这些细枝末节，我感到莫特在桌子底下轻轻地踢了我一脚。这是他让我再次变成头脑简单的科学家的信号。"我可不可以问你一个问题？"我说，"你说我该怎么办？跟记者撂电话吗？假装我们的数据不够全面吗？"

"那是你的问题——其实是你法律顾问的问题，"他把头朝莫特一歪，根本没正眼瞧他。"你应该让他们去看招股说明书。"他指了指自己跟前那份写满注释的招股说明书。

"可那个时候，这份东西已经需要更新了。"我申辩说，但他打断了我的话。

"我在此是代表股民说话，他们有权知道所有相关事实，这样他们才能做出是继续持股还是把股票卖掉的正确决定。"

"那好，那好。"我把我和莫特排练过的场面继续往下演。

"从我们发表的文件中，"我指了指招股说明书，"你们知道了氧化氮不仅是男人阴茎勃起的关键因素，也知道了它是造成其他许多生物现象的主要原因，它还有可能是很多副作用的罪魁祸首，"我向赫曼·布莱克打了个手势，让他知道我并没有把他忘掉，"和生成其他重要用途的根源。我们正在对其中的某些用途进行研究，以增加SURYA的治疗方式，因为我们不想只拥有单一产品。"

"这与本案有什么关系？"他疑惑地问。

"难道SURYA新的研究动向、有可能生成新产品的研究动向，与本案没有关系吗？"

"有关系又如何？"他说。

"氧化氮对哺乳动物的性行为有调节作用。"

"这我们都知道，"他没好气地打断我的话，"它的作用不就该如此嘛。"他举起我们的招股说明书，为的就是让它扑通一声落回到桌面上。

"对不起,先生,"我轻声咕哝说,"我指的不是充血肿胀的阴茎,也不是股票价格。我指的是氧化氮对大脑功能的影响。"

"有影响又如何?"他说。

"啊哈,"我大叫一声,忘了自己不该得意忘形,"在公鼠身上,缺乏由神经细胞产生的氧化氮的结果是令其行为具有侵略性,包括相当于啮齿动物强奸行为的行为:趴到未发情的母鼠身上与其性交。难道你不认为研究高级哺乳动物、特别是人的神经细胞氧化氮水平是一件很有意思的事情吗?"

"应该是吧,"他嘟囔说,"但这与本案有……"

当冷静、老练的赫曼·布莱克用"让她说完,威尔。"打断他态度强硬的红头发连襟的话时,我知道有鱼上钩了。

"随后的研究表明,下丘脑的神经细胞也产生同样的氧化氮,该氧化氮在母老鼠身上控制其下丘脑释放激素的释放。"我抬手止住他们发问,他们是想问我知不知道自己在讲什么。"其中一种激素叫LHRH——促黄体生成激素释放激素,这种激素导致了排卵,并且,在老鼠身上至少如此,促进了母鼠的性行为。"我恨不能马上告诉杰夫塔,说我想方设法把 NO 这个深奥的东西偷偷用到了我的证据里,与此同时,我还擅自闯入了他"测卵魔棒"的领地。谁知道呢? 如果哪天他的 OV 公司成功了,他也有可能坐在这儿跟圣克莱蒙特律师界的黑手党进行唇枪舌剑。可现在,我反而把这些荒唐的群体诉讼案看成是给新成立的公司颁发的荣誉勋章。"更有甚者,更多的试验表明,氧化氮的这种作用不仅仅限于哺乳动物,水螈的性行为也受到它的影响。"

"水源?"赫曼·布莱克问,有那么一刻,他好像回到了原告律师的身份。"什么类型的水源?"

"水、螈，"我把螈字的写法说出来，"氧化氮控制了雄水螈的求偶行为，但不控制雌水螈——很复杂的行为。我猜你们对水螈都不太了解吧？"我天真地问。

"对你的水源是不了解，"他露出龇牙咧嘴的凶狠相，我没搭理他。

"首先，雄水螈走到雌水螈身边嗅她的脑袋。然后他展开尾羽跳舞，并用尾巴碰她的头。在吸引到她的注意之后，他便露出尾巴尖并放下精子包囊，雌水螈则把精子包囊拾起并放进泄殖腔口。"我不知道自己还能否板着脸把故事讲完，但我说出了一大串水螈的生活细节，这就令我不得不再问一个问题，有人可能会觉得这个问题问得很不礼貌。"我相信不用跟大家解释'泄殖腔口'这个词了吧？"

"继续往下讲。"威尔·黑德催她。

听到这话，就连法庭的书记员也抬起了头，她一直在聚精会神地埋头打字，脸上毫无表情。我几乎忍不住想问她，她是否把黑德的上一句话记下来了，但我忍住没问。"我为什么要告诉大家这些呢？由于不同组织产生的氧化氮对性行为的影响范围如此之广，SURYA 目前正在对此进行研究，看看观测到的这些数据对人有无影响，要有影响的话，影响程度有多大。再有，如果氧化氮——化学家眼中的 NO——有此作用的话，那我们的 NO 释放因子，也就是 SURYA 拥有所有权的 NO 释放因子，也应该有同样作用。对不对？"

"我猜是这样的吧。"布莱克小声嘀咕，到目前为止，他在我眼里不像是个说话爱小声嘀咕的那种人。

"难道我不应该把这些话告诉《华尔街日报》的记者吗？"我迅速发问。"如果我们的 NO 释放因子能改变男人或女人的性行为，甚至能改变两者性行为的话，你能想象这个潜在的商业价值有多大吗？难道股民不应该掌握所有这些消息以便他们作出关于股票买卖的正确决定吗?"

布莱克看了一眼黑德,黑德也回瞪了一眼布莱克,两个人一声没吭。"我要是那么做的话,你们会不会指控我,说我有严重哄抬股票的行为啊?"

"太棒了! 真是太棒了!"我们刚坐进租来的汽车里,莫特便叽哩呱啦叫起来,喜悦之情溢于言表。"全部记录在案。倒不是说真要开庭的话,这些东西和本案有太大的关系,但我向你保证,在我提交给帕泰尔法官的案情摘要里,我一定会把那段证词写进去。我敢打赌,她绝对没读过类似的案情摘要。'水螈求偶篇'!"他用沉稳的声音呵呵笑起来。"水螈!"

"你说法庭的书记员会不会写'泄殖腔口'这几个字?"

"我会把草稿交给你校对。顺便问一句,"他问话的时候周身不自在,"'精子包囊'是什么东西?"

蕾娜咧嘴大笑,"这是不是说你知道'泄殖腔口'是什么了? 还是你太要面子,不好意思一下子问两个词的意思?"

"是后者。"

"你这人有不可思议的两面性,莫特,既诚实又虚荣。精子包囊是低等动物身上一种类似胶囊的东西,它里面含有男性分泌的精子,女性可以拾起来,用它让自己怀孕。记住啰,水螈不沉溺于肉体关系。而泄殖腔口是什么呢? 在雌水螈身上,它相当于人身上的肛门、尿道和阴道——集三样于一身。相当经济,我得这么说。"

"你也许应该把这些话含在你的证词里。不过——我就是喜欢看你甩出鱼饵然后钓到大鱼的样子。"他停止笑声,"不过我们也创立了一个有用的先例:我们可以集中精力讲真正的科学问题并由此讲到它对社会的益处，而不是只讲对股市的所谓操纵。下星期我们会杀回来，到时就该由我来提问了。"

威尔·黑德只被问了几个简单的问题就给打发了，因为真正的猎物是赫曼·布莱克。既然由莫特负责提问题，我便有大把时间研究桌子对面的这几个男人。我拿不准黑德是否注意到我的行为发生了变化。我挺直腰板坐在那儿，手指不再来回拨弄头发，头发给挽成了髻，而我看他们的眼神就像是眼镜蛇看小狗。我依然怀着身孕，但却不能再用它来当作武器了。我的情绪也未受到怀孕的影响。

黑德也许没注意到，但布莱克肯定注意到了。他警惕的目光时不时朝我这边瞟过来。当他肯定我注意到了他的行为，他便慢慢地打量我，舌头不时地舔一舔嘴唇。他的挑衅行为让人讨厌。六十多岁的老男人这样，就更让人讨厌了。

莫特将布莱克玩于股掌之间。他先是重复了我问黑德的问题，然后讲了我们的研究项目对社会的贡献，又解释了我们为什么不可能对FDA所提的问题准备好答案，并划出了不负责任地公开发布消息与公司保密行为之间的灰色地带。布莱克的回答均不出所料，但不像黑德那么粗鲁。然后莫特收紧了包围圈：对 MUSA 本身、对其用途、对其可能存在的问题，他了解多少？

"也就限于你们招股书里说的那些吧。"

"就那些？你可是发过誓的，你知道。再问两个问题，"他拿腔拿调地说。"你认不认识本地一位叫提莫西·史比瓦克的泌尿科医生？还有，你能不能告诉我们，辛迪·芬顿为何离开你公司？"

赫曼·布莱克有一双强壮的大手。第一次见到这双手的时候，我还想它们握上去会给人什么感觉，指甲修剪得整整齐齐，双手静静地放在桌面上。突然这两只手紧握在一起，变成了拳击手的拳头。"这和本案有关系吗?"他恼火地说。

"该他们发问了,"莫特在电话上说,"这次我对他们说,他们要改在咱们的地盘上问你问题。但赫曼·布莱克,不是威尔·黑德,昨天打来电话说想延期。不是通过法院正式要求,而是出于职业上的礼貌。"

蕾娜放声大笑。"出于职业上的礼貌? 你肯定对他说,让他别打鬼主意吧。"

"事实上,我没那么说。他想延期三个星期,我答应了。"

"你答应了? 你大可以拿我怀孕作借口拒绝他们呀? 我马上就到八个月了。"

"别担心。我打赌不会再有出庭作证的事了。与其说是史比瓦克医生的名字,不如说是辛迪·芬顿的名字把他给吓住了。我打赌他不想我沿着那条线查下去。他想用三个星期时间,找出看我到底知道多少内容,等他发现了,这个案子也就了结了。"

"你从来没对我说过芬顿的事,你只说她做过赫曼·布莱克的秘书,后来突然辞职了。到底是怎么回事?"

他犹豫了一下,"我不想细说找到布莱克罪证的过程。以下三个事实足以说明问题,你知道就行了。第一:赫曼·布莱克太太七十一岁,比她丈夫大四岁。第二:辛迪·芬顿三十五六岁,漂亮迷人,至少从照片上看如此。第三:根据你们的临床记录,实验阶段所有参与MUSA试验的人都要和他们的伴侣一起参加。这你比我清楚,你们为什么总是把精力集中在夫妇身上,而不是单单集中在男人身上。"

"这我都知道,"她不耐烦地说,"你到底想说什么?"

"头几次陪赫曼·布莱克去史比瓦克医生那儿做治疗的人不是七十一岁,而是比七十一岁小了近一半。"

25

马兰妮看着乔治·里奇那两个在微风中轻轻摇摆的 L 字母,字母的摇摆有一种催眠作用。她转身看着蕾娜。蕾娜正背靠阳台栏杆,双手抚着沉甸甸的大肚子。

"你看上去精神很好,蕾娜,"她微笑着说,"但却这么……"她把两手围成大圆圈。

"跟个气球似的?我就这感觉。说生就要生了。"

"你好像是根据董事会的时间来安排自己的临盆时间。也许是前后颠倒过来?"

"谁知道呢?"她哈哈大笑,"目前,我们只有这两个数据点,我不想有更多的点了。另外,如果这次董事会是提前安排好的,那 SURYA 的董事会议室就不会让室内设计师占去了。很高兴能再次来到 ZALA公司,但感觉不一样了。"

"像这种临时安排的会议,我随叫随到,"马兰妮笑呵呵地说,"听到这个好消息,你一定很高兴。当然啰,还有莫特,高兴得活蹦乱跳,以前从来没见过他这样。看他神气活现的样子,好像他减肥减掉了一百磅似的。"

蕾娜转身看着楼下移动的雕塑。"一个跳舞的 L——一个跳舞的律师。还有'了结的官司'，你认为这个调解方案怎么样？"

"让圣克莱蒙特那帮家伙替咱们付律师费，太了不起了。你估计得付多少钱？"

"将近八十五万美元吧，"蕾娜说，"这还没算咱们花的时间和生的气呢。"

"我很喜欢莫特的做法，他坚持要他们额外付一部分现金，就算最后只多付了六万五千美元。对他来说，拿到额外赔偿是关乎尊严的问题，对那家公司显然是开天劈地头一回。多奇怪的数字呀，六万五千美元可以忽略不计。"

"不管我的纸面财富有多少，我很难将六万五千美元忽略不计。"

马兰妮抓住她的肩膀摇了摇，以示恭贺。"你说得对。'忽略不计'确实是糙话。我很高兴董事会作出这个决定，决定把这笔钱当成奖金发给你。该你得，蕾娜。不是你的话，我怀疑咱们今天还能否站在这里庆祝。不过你得告诉我，真有雄水螈求偶这回事吗？我还以为自己对繁殖生物学的最新动态了如指掌呢，谁知还是百密一疏。"

"说老实话，"蕾娜大声说，"意大利的 Zerani 和 Gobbetti 在《自然》杂志上发表过这个观点。他们的文章是这么结尾的，'NO 也许是大脑内部的兴奋剂，这表明在脊椎动物的整个进化过程中，其繁殖行为一直有这个东西参与'。这也是我们现在重视神经细胞产生的 NO 的另一个原因。如果我们能找到一种方法，能将 NO 在适当时间送到大脑适当的位置，那 SURYA 会变成多么了不起的公司呵！"

"他们叫咱们进去呢。"马兰妮朝董事会议室歪了歪头，"说到交配问题，知不知道你的孩子是男孩还是女孩？"

蕾娜使劲摇晃脑袋。"我不想知道。我做了羊膜穿刺，也做了超声波扫描图，但我对他们说，我不想知道。我可以等。再过几天就知道了。"

"你丈夫呢？他不好奇吗？"

"你小瞧他啰！他说准是个男孩。"

马兰妮装出皱眉头的样子点了点头。"典型的大男人。是不是应该说典型的以色列人？"

"说'男人'就成。"

两个女人向屋内走去。走到门口时，马兰妮用手揽住蕾娜的腰。"我要在旧金山多住几天。亚当从来没有来过西部，我代他向学校请了假，带他出来过九岁生日。你要在我回纽约之前生的话，就给我来个电话，我住在菲蒙酒店（Fairmount Hotel）。你知道的，我喜欢听到好消息。"

＊　＊　＊

"蕾娜，亲爱的，真不好意思，太高兴了！"杰夫塔坐在病床边，看着蕾娜给孩子喂奶。他在预产期那天从威斯康星赶了回来，可到底还是晚了十一个小时。

"拉维长得好快，裤子都穿不下了，重得连妈妈也快抱不动了，他正狼吞虎咽地吃妈妈的奶呢。"蕾娜低头凝视着怀里的孩子，"你看他，他边吃我的奶边看你，长大后肯定是那种一心二用的人。有其父必有其子。"她伸手抓住杰夫塔的手，"快跟我说说麦迪逊（Madison）的事，然后回家接纳奥米。她肯定吃醋了，快把她接过来。"

"我的事可以等。反正是好消息。咱们先谈谈他吧。"他伸手摸了摸儿子涩涩的黑发，"看到了吧，我告诉过你：有组织有纪律的性行为加上本人的魔棒肯定生男孩。"

"有组织有纪律，也许没错。但你的魔棒？至少要试六到八次，不然拿到的数据根本没用。你能想象为了另外六个男孩的名字争来争去是种什么感觉吗？你现在肯定连做梦都不敢想这事，对吧？"

杰夫塔心不在焉地拍了拍他妻子的手，"不过，"他若有所思地说，"还是成功了。当然，这得进行大规模的试验才行。不是一对夫妇做六到八次，而是八对夫妇各做一次，然后是几百对。等你回家咱们再谈这个问题好了。"

*   *   *

"请接雷德劳博士的房间。"她对菲蒙酒店的接线生说。现在是上午九点三十分，蕾娜一觉醒来，心满意足，儿子正躺在旁边的床盒里睡得正香。为什么不把这个好消息告诉马兰妮呢，她这么想。

她已经准备好了要说的话，"是个男孩，"可接电话的是个年轻男子的声音，她一下慌了神。"你是谁？"她问。

"亚当。"他说。

"哦，对不起，亚当，"她大声说，"我没听出来是你的声音，我是蕾娜·克里斯南。你也许不记得我了，但我们曾经在纽约见过一面。你妈妈在吗？ 等等，先别叫她听电话，"她赶紧说，"让我先祝你生日快乐！ 生日快乐，亚当。"

"生日是昨天。"他实事求是地说。

"不管怎么说，迟到的祝福也比不祝福强呵！ 有什么特别活动吗？"

"有，"他说，"我们去听了歌剧。"

"哦，天哪！ 你真的长大了。歌剧院大楼很漂亮，是不是？"

"也谈不上漂亮。"

蕾娜大吃一惊。难道是她的问题问得不对，"你不喜欢那个楼？"

"还行吧，就是舞台太小，和大都市剧院的没法比。我和我妈妈去过大都市剧院。"

蕾娜不是歌剧迷，但她去旧金山歌剧院看过芭蕾舞演出。舞台太小?"可那个舞台不小呵。"她提出了反对意见。

"你不是开玩笑吧?比我们家客厅长不了多少。"

"亚当,你去哪里看的歌剧?"蕾娜越谈越投入,把自己来电的事完全抛在了脑后。

"袖珍歌剧院。其实挺不错的。"他的声音第一次听上去很投入,"乐团就几样弦乐器。还有一个人,名字叫唐纳德·裴平,他也很不错。他既弹钢琴又当指挥。他常常让歌手停下来,然后给我们解释剧情。"

"你看的什么歌剧?"

"亨德尔的歌剧。我妈妈说裴平先生最擅长演奏他的歌剧。"

"我不是问作曲家。你看的是亨德尔的哪出歌剧?"

"关于亚力山大大帝和一个高大女人的故事。我把她的名字忘了。"

"你喜欢吗?"

"还行吧。但他们挺喜欢的。我们很晚才回来。"

"他们?"

"我妈妈和我爸爸。"

"哦。"蕾娜没料到梅纳赫姆开完会也没走。"我可以和你妈妈说话吗。"

"他们说今天上午别叫醒他们。我想他们还在隔壁房间睡觉吧。"

昨晚,我和杰夫塔进行了一次严肃认真的谈话,每对夫妇都应该时常进行这种小结性的谈话。我们最近都忙得要命,谁也没时间好好坐下来思考问题。也许是这七个月以来严重缺觉造成的吧,拉维绝不是另一个纳奥米,我们被他吵得根本睡不着觉。杰夫塔对晚上的事抱理解的态度,但他白天工作起来比我还卖命。

看他管理 OV 公司二百万美元的劲头，就像他以后再也拿不到一分钱似的。他身兼 CEO、总裁、主谈判手、主要操作者和主要经营者，技术的和非技术的，他样样都插一手。天晓得，要是睡眠充足的话，他还会担任其他什么职务。

SURYA 明显越做越好，我对权利下放也变得越来越在行。大卫·沃伯原来是天赐给我的礼物，特别是现在，他已升为公司行政副总裁，这意味着我可以把更多的时间用来搞科研。直到最近我才意识到，我是多么怀念自己的专业。

这一次，宣布说该进行严肃认真谈话的人是我。拉维已经断奶了，我让玛丽亚·戴尔·卡门看家，我带上杰夫塔去了旧金山，在菲蒙酒店住了一晚。我怎么会选菲蒙酒店呢？我想一定是去年秋天打的那个电话，后来我终于和马兰妮通了话。

饱饱地睡了十一个小时之后，我和杰夫塔坐在床上吃早餐。也就在这个时刻，我们一致认为，我们的日子过得实在不正常。没错，我们是工作狂并乐于做工作狂。可现在我们有了两个孩子，生活不应该仅仅是枯燥的工作，它还应该有更多的内容才对。按照最新股价，我这个账面百万富翁已经翻了四番，可从我们的日常生活中，你绝对看不出我们是百万富翁，房子还那么小、车子连洗都没洗过、一天假也没休过……

第一步，我宣布：买套新房子。第二步：找个住家保姆，这样我们就能多睡点觉。找个中年或年长的妇女，我强调说。第三步：休大假。夏天至少两星期，冬天至少一星期。"第四步，"我丈夫补充说，"除了买房子买车的钱，你还要再备足五十万美元。"

"沃尔沃，"我赶紧说，"保证家人安全的汽车。"

"一辆沃尔沃，"他补充说，"和一辆……"他话没说完就让我用手堵住了他的嘴巴。

"车的话题就到这儿。额外的五十万美元干什么用?"

"把它投在拉达(Radha)身上,"他咧嘴大笑。看我一脸的茫然,杰夫塔得意忘形地大叫,"以色列人胜人一筹的本领呵!难道你真的把牧牛神克里须纳给忘啦,把他照顾牧牛童并和挤奶女工相爱的事给忘啦?"不用我以色列老公提醒我也知道,挤奶女工指的是印度教里面神的挤奶女工,至于说拉达是牧牛神克里须纳最喜欢的挤奶女工这事,我真把它忘得一干二净了。

那谁是杰夫塔的拉达呢?他那次去威斯康星出差,是为了安排奶牛做大规模"远程测卵"阴道感应器试验的事,就是这趟差让他错过了拉维出生的时间。这还没到半年,威斯康星最大的一家奶牛场便想和OV 股份有限公司成立一家合资公司,准备将产品商业化并将其推向市场。他向他们推销拉达这个名字,宣称是为了表达对他印度太太的敬意。我不知道他是否真是这个意思,但他们买了他的账,产品也因此叫了拉达这个名字。我这位金融奇才对他的奶牛版魔棒信心十足,他压根儿就没想从外部融资以稀释他的股份——"我们的"股份,他纠正我说——他想让我们从 SURYA 转投部分资金到拉达和 OV 公司,以令我们的资产"多元化"。

"Lama Lo?"我说。睡够十一个小时并和老公在床上吃完早餐之后做重要决定会变得这么容易,真是奇妙无比。

"莫特,"蕾娜在莫特办公桌对面的椅子上坐定后说,"别计时,是我个人的事。"

他举起双手,手掌面向蕾娜,"看到了吧? 没闹钟。"他表示赞同地点了点头。"你看上去精神很好,蕾娜,"他说,"我希望自己的肚子也能像你的肚子那样能这么快缩回去。"

"咱们各有各的天分,"她的回答简短生硬,"我先说找你的原因吧,我的股票期权价值超过了四百多万美元,我想卖掉一半。"

寒石吹出一声低低的口哨,"卖那么多?"

"先别谈金额,我想知道时机对不对。没有法律上的障碍,我这么理解对吧?业务上我也想不出不能这么做的理由:SURYA的业务如鱼得水,除非再来个黑色星期一,不然咱们的股票会步步上升。"

"不错,"他承认,"但公司总裁卖他公司自己的股票,时机永远都不对。"

"她的公司。"蕾娜不知对方为何这么斤斤计较,他们每次谈话,她都有这种感觉。

"对不起。"他低了低头,因为有双下巴,他低头低得很困难。

"我要听从你的建议,那我的利润永远都是账面利润。那些股票期权确实是我挣来的,这你是知道的。其中相当一部分是代替的薪水。"

寒石举起一只手,以示镇静。"我没说你不能卖股票,我也没说你不应该卖股票,我只是预测一下公众对此事的看法。你如果有意想卖,那现在并不比任何其他时候更糟。实际上,现在也许是卖股票的最佳时机。再说了,人们会随着时间的推移慢慢淡忘的,股价不马上跌的话尤其如此。但是,如果股价下跌,那就要注意了!"

"好吧,"她松了口气,"现在说说我为什么想卖那么多。"

他再次举起一只手,表示适可而止。"这不关我的事,我只是建议说,你要想甩的话,尽量少甩点。"

蕾娜平静下来。但是,她还是觉得有必要为自己的决定辩护一下,"告诉你也没关系,这又不是什么秘密:我们需要一套大房子,要买不如就买套好的。我们有两个小孩,由于我们俩工作时间长,需要请个住家保姆。我想要个书房,杰夫塔也想要个书房。这样算下来就需要六个房间,还没把客房算进去呢。"

他不停地点头。"这个地区的房价非常高,但可以申请按揭,连有钱人都这么做。他们是想利用按揭来扣税。"

"我们不想全部付现金,可我们在财务上都挺保守的。这幢房子将是我们最大宗的资产,我们想至少首付百分之五十。"

寒石在沙发上显得坐立不安,他的块头太大,想动也动不了太多。"我再说一遍:这不关我的事,不过,如果你买的房子非常大,位置又在加州阿瑟顿(Atherton)的话,那就关我的事了。"他挥了挥大拇指,给人的感觉好像南部海湾最富裕的地区就在他沙发后面,"你没必要套现二百万美元。我承认三分之一得拿去交税,可是……"

"我们另外需要五十万美元做多元化投资。到目前为止,SURYA的股票期权是我们的全部资产,其中一部分还拿去给杰夫塔做了贷款抵押,贷款投进了他自己的公司里。"

"啊,没错。OV 股份有限公司,我听说过这家公司。阿尔法度和马丁对你丈夫的公司很有信心,他们 IPO 的时候跟我打个招呼。我十分信服阿尔法度在生意上的判断力,如果他和马丁都投了钱,那我也愿意在里面投点钱。"他用猜疑的眼光看着蕾娜,"没人能说多元化投资不好,但要是有人指控你,说你狂抛自己公司的股票,那可对你一点好处都没有。"他耸了耸肩,"你无法让每个人都满意。我希望你找一位优秀的财务顾问。"

"我已经找到了。"她站起身,"谢谢你听我啰嗦。不用担心,你会第一个听到 OV 公司 IPO 的消息。"

拉维的第一个生日!我想我永远也忘不了那一天。很奇怪:我对纳奥米的第一个生日记得不多,那天生日只是庆祝纳奥米生活了一年。今天？今天肯定是个重要关头。我裹条毯子坐在黑灯瞎火的客厅里这么想。

生日办得很成功。我们把它搞成了家庭聚会，就我们四个人。纳奥米很少让我们操心，这是我们的福气，她很快就六岁了，而拉维让她早早显露出做母性的天性。她帮忙烤了蛋糕，她帮拉维吹单根蜡烛时有点小题大做，她还给他讲故事，哄他睡了觉。谢天谢地，拉维终于能一觉睡到天亮了。这会儿他们都睡熟了，拉维、纳奥米、还有杰夫塔。

可我毫无睡意。我这几天好像患上了焦虑症，有种说不出的不满足感，而且动不动就发脾气。但今天晚上，当我看到杰夫塔和两个孩子在一起高高兴兴玩耍的时候，我突然有了感悟。我三十八岁了，我好像得到了所有职业女性梦寐以求的东西：职位、权利、金钱，甚至家庭，而我却开始不满足了。再看看我老公，只比我大两岁，而他好像正处于最心满意足的阶段。差别到底在哪里呢？我突然想到了原因，让其他女人眼红的这些东西：职位、权利、金钱……家庭，被我排在了最后。

毋庸置疑，我对走到今天这一步感到其乐无穷。更确切地说，是一二年前的那一步。钱再多我也不需要。职位呢？职位高过我的，只有马丁一个人，而他已经清楚地表过态，再过一年就把 CEO 的位置交给我。想到这个问题，他就是个有趣的例子：他在 ZALA 做了多年的 CEO，还没到五十岁，他就撂下工作，开始在耶路撒冷和巴洛奥妥两边来回跑，干起了截然不同的工作。所以大可以把职位一笔勾销。权利呢？我承认权利有它的诱惑力，特别对职业女性来说。但除了掌控自己的命运（其实是经济上自己自足的同义词），我对权利没有欲望。我在 SURYA 如此开心，是因为公司推出了一种新药，而这种新药是在我做出主要贡献的项目的基础上创造出来的。但这个婴孩的成长速度极快，眼看着它就到青春期了。就好比真正的孩子长成青少年，这时大人的角色也就从喂吃喂喝变成了管教和辅助的功能。这个结果给了我说不出的不满足感。

我从来没和杰夫塔谈过这些感受。在我们的职业生涯中，我们一直在互相竞争，这场竞争直到最近才停止，而在这场未被公开承认的竞赛中，我似乎处于领先的地位。有多少男人——特别是拿过九十七分的以色列男人——会接受这个事实呢？但是现在，随着OV的成立，情况发生了变化。当我领跑的时候，我的领域是阴茎勃起，而我老公突然开花的基地是女性的排卵周期，这难道不具有讽刺意味吗？更让人钦佩的是，他实际上是自学成材的：一位生物机械工程师，在比希巴有过电机工程的背景，来到加利福尼亚后转而研究用电导入方式将药物穿过皮肤送达人体内部，继而又一跃跳去研究宫颈内部的电变化，并把感应器插进了牛的阴道。但他不会搞完"远程控卵器"就止步的，他只是为了让牛变成印钞机，以便他有钱来研究如何将魔棒用于人类。

最终是否让女人使用"测卵魔棒"是我们一直争论的焦点，尽管我们的想法不一致，但我还是对他的想法表示钦佩。我的杰夫塔不仅仅是技术权威。尽管他确实想证明改变授精时间可以影响胎儿性别——以我的观点看，在印度这样的国家，掌握这种知识给社会带来的危险性极大——但这不是他发明"测卵魔棒"的主要目的。他也不是想用它来节育，因为他认为"测卵魔棒"不会对出生率产生重大影响。从人口学的层面上说，我同意这个观点，但作为一个女人，我还是想要所有的选择都摆在我面前，不论它在人口学上有效（这个句子太糟糕了！）还是个人使用起来方便。

但我们却一致认为，如果处于生理周期前两周的女人画出的M图形有再现性，而这些女人的数量又足够多的话，那他的"测卵魔棒"对女人的影响将远远超出节育范围：令女人意识到自己何时可以受精,并确确实实赋予女性想什么时候生就什么时候生的权利。我的杰夫塔不是女权主义者——远远不是——但他却可以为女权主义者的奋斗目标作出技术上的重大贡献。

当我把这话讲给他听的时候,他问我,问的时候脸上带着痛苦的表情,好像刚咬了一口发苦的水果。他问我,我说的女权主义到底是什么意思。我没有说字典上的定义"代表妇女权利和利益的有组织的活动",相反,我给了他一个简单的回答"权利关系"。让女人提前知道自己是否排卵以及何时排卵,等于把最根本的权利赋予给她。她想如何利用这个信息是她自己的事,履行权利成了个人的私事。这就把我带到了我开始所说的问题:蕾娜·克里斯南和权利。

履行常规意义上的管理权已经提不起我的兴趣了。我已经把部分权利交给了大卫·沃伯,最初是无心的,最近则是有意的。他对权利的胃口越来越大,而我对权利的胃口越来越小,两者正好成反比。我目前保留的权利是负责 SURYA 研发部门的任务。但我今晚却意识到,就连这个权利也该到此为止了。该是重生的时候了。如果我做到了这一点,我就获得了我所渴望的所有权利。

26

1989 年 12 月 23 日写于加利福尼亚 Woodside。

我最亲爱的阿夏客:

这是我从新家发出的第一封祝贺光明节和圣诞节的信件。我们是在感恩节搬的家，家里仍然有点乱，因为我和杰夫塔在工作上都忙得不着家。目前我们都放假一周，这才算真正安定下来，也就是说所有的书都拆包上架，所有的箱子和包装材料都清除出屋。车库里放了一辆崭新的沃尔沃家用车、一辆开了两年的二手赛车（自我克制力不允许我向你泄露车名，但你能猜出来家里谁开哪辆车吧），另外还堆了好多杂物。

车库和一幢相当大的房子连在一起，房子位于 Woodside。镇上的人很有钱，很爱骑马，很多小道是为骑马开辟的。开车去斯坦福工业园的 SURYA 实验室只要十五分钟。开车去旧金山机场也就三十分钟——这点很重要，考虑到杰夫塔最近常在天上飞来飞去。他还没学会权利下放，在这一点上，他做得不如他老婆好，因为他声称 OV 股份有限公司和有着拉达（你还记得她是谁吗？）这个迷人名字的子公司请不起 SURYA 拥有的那些管理人才。所以我的杰夫塔认为大部分工作应该由他自己来干——干得很像样。

我们的房子占地两亩（在这个社区属中等水平），房子旁边有一个圈起来的马场和马厩，是前屋主为他们的夸特马（quarter horse）建造的。现在呆在里面的是我们送给纳奥米的小马（pony），小马是作为光明节的礼物分八批送给她的。（这是杰夫塔的主意，把一张大相片剪成八份——每天送她一份——直到纳奥米拿到最后那张尾巴，才看到真正的小马）。我想这种新鲜感会慢慢消失，好在她现在大部分时间都在屋外面和马玩耍。说到拉维，他正在蹒跚学步，一天到晚摇晃个不停，屋内老得有人盯着他才行。感谢上帝给我们派来了玛丽亚·戴尔卡门，一位具有伟大母性的人。有她在家里，我的生活简单了许多。我们还为我的哥哥专门留了一间客房，看他是否能被哄来加利福尼亚看他的亲戚。

家庭琐事就聊到这儿吧。现在,谈谈公事。上个星期,SURYA有限公司总裁蕾娜·克里斯南提交了辞呈!你要是以为你听了这话大吃一惊的话,那你该来看看我们上次召开的董事会。令我惊讶和恼火的是,有些同事竟以为我挡不住其他公司的诱惑,也有人以为我想以此跟公司讨价还价,让公司给我更多的补偿。当我解释了辞职的原因(比我在这儿告诉你的要多得多),我的同事们都支持我这么做,特别是当我把话挑明,说我只是辞职不当总裁,又不离开公司,更不离开董事会,除非下一届股东大会他们不想我参选董事。马丁就是那会儿迅速提出了信任动议,马兰妮随即附议。马丁首先发言,这让我很感动,他本可以对我发脾气,说我没有事先提醒他。但我又怎么能提醒他呢?为了做这个决定,我痛苦了好几个月,我和杰夫塔商量了好几次,他从一开始就理解我的处境,最后我和在帕萨迪那(Pasadena)教书的一位朋友谈过之后,才下了最后决心。"快说重点,蕾娜,我能听到你的嘀咕声,"所以我这就做总结。

　　这个决定给我的感觉很好,理由有许多。SURYA用于治疗阴茎勃起功能障碍的MUSA产品销路相当好。我们的年营业额已经超过一百万美元,这个数字正在迅速向上攀升。比希巴的工厂又扩建了,工人实行了三班制。我们在欧洲的营销网络也即将建成,我们的目光正移向亚洲市场。目前我们研发部门的预算达到了一千四百万美元,资金集中在三个方面:扩大NONO2在临床上的其他用途,除了其在阴茎领域的用途之外;开发氧化氮释放因子的第二代产品,这将以我们的一位学术顾问提出的想法为基础;开发NO阻滞剂,项目进展顺利,该产品是为了对付出现感染性休克时突然急剧下降的血压——真正致人于死地的现象。如果初步试验成功,那我们将拥有股市爱不释手的特效药。

那好,既然事情如此顺利,为什么要现在退出呢?我和杰夫塔的钱够多了(如果杰夫塔的公司成功的话,我们挣的钱可能会更多)。如果撇开钱不谈,剩下的就是管理权的问题了,说到这个话题,我可有发不完的牢骚,足以给你来一番长篇大论,我看还是免了吧。用我们当地话讲,就是管理权给不了我"冲动"——比不上科学带给我的冲动。这就把我带回到几年前提出的所有问题。

学术界的人有种倾向,他们往往对企业所做的科研项目不屑一顾,但在生物医学领域——考虑到充足的财力和物力——你在企业界比在学术界更容易出成绩,只要你感兴趣的是实用目的,我就是这种人。以我的观点看,真能让你出成绩的不是那些大公司,而是类似SURYA这种规模的公司和所其处的阶段。我想抓住这个机会,不然等公司规模变得太大、机构变得太臃肿、以致最后失去了灵活性就来不及了。生物分子 NO 真能带给我冲动。我尝过了权利的滋味,也挣到了钱,很希望找回我的根,做我的科学家。我很想再一次观察到一种基本科学现象,然后一路研发,直到找出它在人身上的最终用途——在大学里这是不可能的。只要我能提出充分理由,说 SURYA 有可能最终从我的项目中获得经济效益,我就不用写枯燥乏味的经费申请报告去跟人要钱,也不用花大把时间去搞关系,而最重要的是(我花了好长时间才意识到这点),我可以在认真调查了社会需要之后再作出科研计划。我承认企业一般不允许你这么做,但我觉得我在 SU-RYA 可以这么做。我希望你为我的决定高兴,因为它们会向你表明,我还记得自己的根在印度。

在我看来,氧化氮最引人注目的潜在用途是在微生物学和热带疾病领域。学术界的研究人员在这方面进行了大量令人兴奋的研究,但仍未见有大制药公司采取任何行动。他们对第三世界穷人的市场不感兴趣,这个市场相对来说无钱可挣。看看我列的这几种病就知道了,它们都是由寄生虫引发的,而氧化氮则是这部分寄生虫的杀手:血吸虫病、利是曼病、弓形虫病、锥虫病……还可以列下去,而我列举这四种病,并不是想证明我能拼写复杂的病名,但我那位电脑高手的哥哥连这些字怎么读都不知道,尽管我也可以用更简单的名字,比方说查加斯病,这是南美人对锥虫病的叫法。说得更确切一点,我列举这几种病,是因为得这些病的是成千上万的南美人、非洲人和亚洲人——相当一部分人在印度。就拿疟疾来说吧——所有这些病中最能致人于死地的一种病。死于这种病的人,比死于其他任何疾病的人都多。但你要是向大制药公司的老板这么建议,说他们应该把大部分预算花在研究这些病的治疗方法上,他们只会目光呆滞,两眼无光。那我又是何方神仙,认为自己可以说服 SURYA 让我在这个领域进行研究呢?还别说,我真的把他们说服了。

把 NO 产生的效果讲得引人注目已经成了我的拿手好戏。最近,在一次出庭作证的时候,我想阐明 NO 对性行为的影响。知道我拿什么当例子吗?雄水蝾的求偶行为!别以为人们对这个话题提不起兴趣。

至于疟疾,我在演讲时用了一个能打动人的例子,而不是有趣的例子:脑型疟,最致命的一种疟疾,也是非洲和亚洲儿童最大的杀手。杜克大学(Duke)最近的研究显示,大脑中产生的 NO 会行使一种保护行为:健康儿童的 NO 水平最高,生病儿童的 NO 水平最低。你也许会问一个问题,每个外行都会问同样的问题:如果 NO 是一种自然的保护机制,那我们为什么不给孩子们输氧化氮呢?答案是,我们还不知道如何做这件事。在人体内,大脑中产生的这种具半衰期的气体在接到指令的几秒钟内即刻生成。从人体角度来看,这是一大优势:NO

极短的寿命保证了它只被送达靶分子——就是那些寄生虫——而不被送达主人的其他细胞，不然其他细胞就会被摧毁。

阿夏客，我不想跑题太远，不想就这个极其聪明的生物化学机制给你开个讲座，这种极其简单的分子，NO，就是靠着这个机制行使了它的保护行为。我想对你说的是，最大的一个问题是找到一种方法，然后用这种方法把适量的 NO 送达靶分子。而我们 SURYA 正成为这方面的专家。你妹妹的 NONOates，特别是 NONO2，是这方面很好用的工具，但我们也把目光放到了亚胺类的化合物身上——简称 SIN。NO 和 SIN 在日常生活中是一种东西，可在化学里却是完全不同的两种东西，这是不是很奇怪？

于是我设法说服了董事会，让他们把研发部门百分之十的预算拨归我来管理，用来研究 NO 在寄生疾病领域的作用。就连说服他们拨款研究令人心碎的脑型疟也没那么简单，我得拿出经济上的理由。制药行业的跨国公司感兴趣的药要有上亿或上几十亿的销售额。第三世界生病的人数也许能到达这个数字，但美元金额却远远小于这个数字。采购这些药品的，大多是贫穷国家的政府机构或援助机构等等。说到潜在的销售额，也许只有上千万美元，也许只有几十万美元，对制药行业的巨头来说，这是小菜一碟，但对我们这种规模的公司来说，却犹如天赐良物。只要 SURYA 的规模维持不变，你就能据理力争，说那些被忽略但具有高度社会价值的治疗领域经济规模够大，大到足以引起我们的兴趣。我让他们给我五年时间，所以祝我有五年好运吧。

　　爱你的，蕾娜

"我嫉妒你！"塞思婷·普里斯的语气和眼神均露出羡慕的意思。"我们学术界到底拿什么来和五年研究经费进行交换呢？还用不着写经费申请报告！"

"用你的灵魂？"蕾娜逗她。

"太便宜了。我想我会用过去的五年来进行交换。不过，说实话我嫉妒你。你就要爬到梯子顶端了，然后呢？你不是高高在上俯视下面芸芸众生，而且做出了这个决定！"

"嫉妒？为啥？"

"因为我对你走这步棋的看法和你 SURYA 的同事不一样。你的行为很像是学者的行为——至少是像我这种学者——可你是在企业这么做。你事业有成，一蹴而就，SURYA 的同事很看重你。为了不失去你，他们同意和你做这笔交易，而你既不需要用灵魂也不需要用过去五年时间来进行交换。"

"看你说的，塞丽。就好像我没做足功课似的。没错，我是不用写经费申请报告，但我陈述的理由和你在经费报告中写的理由没啥两样：搞项目的理由。就这个项目来说，我得陈述经济上的理由，但我也向他们表明说，我提议的这个项目——记住，它没超出 SURYA 的兴趣范围——有可能对免疫学或神经化学的许多问题产生影响。这种结果是不会伤害公司前景的。

"同意，"塞思婷说，她没想惹她的朋友生气，"让我告诉你，我的话是什么意思吧：你向人们表明，你可以在男人的世界里打拼，而又不用作出任何妥协。"

蕾娜摇了摇头。"这我可不敢说。"

"我敢说，"塞思婷语气坚定地说，"至少我是这么看的。你的股票期权也帮你挣了很多钱，你没忘了这点吧？别忘啰，我每年都有收到股东授权委托书，所以我知道你有多少股票。我还知道你最近卖掉了多少股票。"

蕾娜脸红了,但塞思婷没住口。"我没有批评你的意思,我只是陈述一个事实,陈述的时候带上了一丁点嫉妒色彩。倒不是说我对自己的股票期权不满意,说到底,没你我也拿不到这些股票。但这不都是问题的关键,我嫉妒的是其他东西。"她思考了一分钟,"我想我嫉妒的是你的勇气和胆量,还有你为自己买下的时间。做完这些之后,你把它们一扔,又回到了科学本身,并集中全力搞科研。我的天,蕾娜,我在加州理工学院可做不到这点。我得教课,我在很多委员会任职,我得……"

"打住,"蕾娜大笑,情绪完全平静下来,"我知道你活得挺累的。"

"别,你别打断我的话。"塞思婷咧嘴大笑,"我得整天拼命地要钱,就算拿到了钱,也不够五年用的呀!"

"那好,"蕾娜说,"往下说,还嫉妒我什么?"

"你能看到自己项目的终点,并真正到达那个终点。"

蕾娜皱了皱眉,"你不也这样吗?"

"我们大部分人从 NIH 拿钱。我们得把项目和生物医学扯上关系并说出理由,在这方面,我们大多数人都做得很好。我们都宣称想治愈癌症或阿尔茨海默病(Alzheimer's)或其他什么病,而且还真有人相信这种说法。但大学里的人根本无法将项目一路搞到研究出实际的用途。当然,这也不是大学的职能。但你好像拣到了一份好工作:一家处于成长期的公司,公司大到每年出得起一百多万美元来赌你的项目,但又小到让他们对你可能做出的成绩表示感激。我想问你件事,还记得在 I. C. 家吃的那顿晚饭吗,就是他和宝拉宣布结婚的那一次?"

"怎么忘得掉?"

"还记得关于诺贝尔贪欲症的讨论吗? 还记得 I. C. 的观点吗? 还

记得你问我是否受到了这种病症的感染吗?"

"你说'受到了感染'。"

"你呢? 现在你又回到了实验室? 你有没有这种贪欲?"

蕾娜抚弄着自己的头发,"没人问过我这个问题。"

"呐,我不在问嘛。"

"我想我有,"蕾娜说,"我认为肯特说得对:崇高的科学通常伴随着被承认的欲望。这属于他说过的科学的灰色地带。你为什么这么看着我? 对我失望了?"

"失望?"塞思婷摇了摇头,"正好相反,这让我松了口气。欢迎回归部落!"

图书在版编目（CIP）数据

NO/（美）杰拉西（Djerassi，C.）著；李卉译.
上海：上海人民出版社，2007
ISBN 978 - 7 - 208 - 06709 - 7

Ⅰ. N... Ⅱ. ①杰...②李... Ⅲ. 科学幻想小说-
美国-现代 Ⅳ. I712.45

中国版本图书馆 CIP 数据核字(2006)第 153185 号

责任编辑　时海玲
封面设计　傅惟本

NO

[美]卡尔·杰拉西 著

李　卉译

世 纪 出 版 集 团
上海人民出版社出版
（200001　上海福建中路193号　www.ewen.cc）
世纪出版集团发行中心发行
上海华业装璜印刷厂有限公司印刷
开本 890×1240　1/32　印张 10　插页 2　字数 235,000
2007 年 1 月第 1 版　2007 年 1 月第 1 次印刷
印数 1 - 8,000
ISBN 978 - 7 - 208 - 06709 - 7/I·358
定价 25.00 元